# ÉCRITS SUR L'HISTOIRE

FERNAND BRAUDEL

# ÉCRITS
# SUR
# L'HISTOIRE

FLAMMARION

Le présent ouvrage a été publié chez le même éditeur dans la collection *Science* dirigé par Joseph Goy.

© 1969, FLAMMARION, Paris.
ISBN 2-08-081023-5

# AVANT-PROPOS

L'origine de ce recueil m'est étrangère. Mes amis polonais, puis espagnols, ont décidé, il y a deux ou trois ans, de traduire et de réunir en un volume les quelques articles et études que j'ai publiés au cours des vingt dernières années sur la nature même de l'histoire. Ce recueil français en a dérivé finalement. Sinon, y aurais-je pensé de moi-même ? C'est la question que je me pose au moment où j'achève d'en lire les épreuves.

Comme tout un chacun, sans doute, je ne reconnais pas ma voix lorsque j'écoute son enregistrement. Je ne suis pas sûr non plus, à la lecture, de reconnaître aussitôt, ce qui s'appelle reconnaître, ma pensée d'hier. Avant tout ces articles relus l'un après l'autre évoquent pour moi des circonstances anciennes. Je me revois avec Henri Brunschwig arpentant le camp de Lübeck au cours de notre interminable prison; dînant rue Vaneau chez Georges Gurvitch; plus souvent encore causant avec Lucien Febvre, ou plutôt l'écoutant comme tel soir au Souget, sa maison du Jura, alors que la nuit, sous les cèdres du jardin, nous avait tous ensevelis dans son ombre depuis longtemps déjà. Une pensée nourrie de tant d'échos, de souvenirs, où les voix entendues reprennent vie naturellement, est-ce ma pensée? Oui et non. Depuis lors tant de choses ont passé, tant de choses nouvelles m'assiègent aujourd'hui! Comme

*je ne suis pas un homme de polémique, que je suis
attentif à ma route, à ma seule route, j'en arrive — dialogue et polémique étant une double nécessité que l'on
ne peut éviter — à dialoguer, à polémiquer avec moi-
même, à me détacher naturellement de textes dont je
reste évidemment responsable. C'est le même sentiment hier qui m'a entraîné à récrire* La Méditerranée.

*Cette fois, il n'était pas question de récrire. Sauf
de minimes corrections matérielles, ces quelques pages
paraissent sous leur forme originale et avec leur date.
Il est donc logique que je les regarde d'un peu loin
et dans leur ensemble. Que cet ensemble soit cohérent
me fait plaisir. J'y retrouve sans cesse cette préoccupation qui, aujourd'hui encore, m'entraîne à confronter
l'histoire — notre métier — aux autres sciences si
vivantes de l'homme; à voir les lumières qu'elles
projettent dans le champ de notre travail et ce que
l'historien, en contrepartie, pourrait apporter à nos
voisins, assez réticents à solliciter, voire à écouter
notre avis.*

*L'entente utile devrait se faire (je le dis et le redis
en insistant) sur la longue durée, cette route essentielle
de l'histoire, non pas l'unique, mais qui pose à elle
seule tous les grands problèmes des structures sociales,
présentes et passées. C'est le seul langage qui lie l'histoire au présent, en fait un tout indissoluble. Peut-être
aurai-je encore le temps de m'expliquer sur cette
préoccupation essentielle, sur la place de l'histoire
dans la société actuelle dont les novations se précisent
à notre horizon, sur la façon dont l'histoire s'enracine
dans la société où vit l'historien. Car la seule chose
qui me passionne dans notre métier, c'est ce qu'il
explique de la vie des hommes en train de se tisser
sous nos yeux, avec, face au changement ou à la tradition, des acquiescements et des réticences, des refus,
des complicités ou des abandons.*

*Le présent recueil ne fait pas le tour de ces problèmes.
Il en esquisse seulement la circonférence. Je n'ai pas
voulu glisser dans les intervalles vides les pages de
mes cours des dernières années sur la convergence*

*des sciences humaines, la place de la statistique, le rôle des ordinateurs, les possibilités d'une entente avec la psychologie sociale et la psychanalyse, ou avec la science politique si lente à devenir scientifique. Plus que le renouvellement des secteurs, le problème reste celui de la globalité.*

*La partie la plus difficile de cette restructuration d'ensemble des sciences de l'homme concerne toujours nos rapports cruciaux avec la sociologie, science massive et confuse de toutes les richesses d'hier et de demain. Depuis la disparition de Georges Gurvitch, le morcellement de la sociologie est devenu la règle, ou la mode. Il nous interdit, à nous qui sommes extérieurs à ses recherches propres, une saisie ou un accès facile. Quel sociologue reprendrait en charge aujourd'hui la* société globale *de Georges Gurvitch? Or nous avons besoin de ces outils, de ces concepts pour nous intégrer si possible au travail de nos voisins. Dans une discussion récente — et que je trouvais une fois de plus décevante — avec en face de moi des spécialistes des sciences sociales, I. Chiva en souriant me conseillait, et conseillait aux historiens de fabriquer leur sociologie puisque les sociologues ne nous l'offrent pas toute faite. Ensuite, construire notre économie, notre psychologie... Est-ce possible?*

*Ceci dit, je crains, pour chicaner au passage Emmanuel Le Roy Ladurie, qu'il n'y ait quelque illusion, ou quelque alibi, à affirmer, en parlant d'une « histoire statistique », que l'historien de l'avenir « sera programmeur ou ne sera pas ». Le programme du programmeur, c'est cela qui m'intéresse. Pour le moment, il devrait viser au rassemblement des sciences de l'homme (peut-on leur fabriquer, grâce à l'informatique, un langage commun?) plus qu'au perfectionnement de tel ou tel chantier. L'historien de demain fabriquera ce langage — ou il ne sera pas.*

Paris, 16 mai 1969.

# I

# LES TEMPS DE L'HISTOIRE

# LA MÉDITERRANÉE ET LE MONDE
## MÉDITERRANÉEN
## A L'ÉPOQUE DE PHILIPPE II

*Extrait de la préface* [1]

Ce livre (1) se divise en trois parties, chacune étant en soi un essai d'explication.

La première met en cause une histoire quasi immobile, celle de l'homme dans ses rapports avec le milieu qui l'entoure; une histoire lente à couler et à se transformer, faite bien souvent de retours insistants, de cycles sans fin recommencés. Je n'ai pas voulu négliger cette histoire-là, presque hors du temps, au contact des choses inanimées, ni me contenter, à son sujet, de ces traditionnelles introductions géographiques à l'histoire, inutilement placées au seuil de tant de livres, avec leurs paysages minéraux, leurs labours et leurs fleurs qu'on montre rapidement et dont ensuite il n'est plus jamais question, comme si les fleurs ne revenaient pas avec chaque printemps, comme si les troupeaux s'arrêtaient dans leurs déplacements, comme si les navires n'avaient pas à voguer sur une mer réelle, qui change avec les saisons.

Au-dessus de cette histoire immobile, une histoire lentement rythmée, on dirait volontiers, si l'expres-

(1) Le livre, achevé en 1946, a été publié en 1949 : *La Méditerranée et le monde méditerranéen à l'époque de Philippe II*, Paris, Armand Colin, xv + 1160 p., in-8°; 2ᵉ édition, revue et augmentée, *ibid.*, 1966, 2 vol., 589 et 629 p., in-8°. Cf. p. xiii et xiv de la première édition.

sion n'avait été détournée de son sens plein, une histoire *sociale*, celle des groupes et des groupements.
Comment ces vagues de fond soulèvent-elles l'ensemble de la vie méditerranéenne? Voilà ce que je me suis
demandé dans la seconde partie de mon livre, en étudiant successivement les économies et les États,
les sociétés, les civilisations, en essayant enfin, pour
mieux éclairer ma conception de l'histoire, de montrer
comment toutes ces forces de profondeur sont à
l'œuvre dans le domaine complexe de la guerre. Car
la guerre, nous le savons, n'est pas un pur domaine
de responsabilités individuelles.

Troisième partie enfin, celle de l'histoire traditionnelle, si l'on veut de l'histoire à la dimension non de
l'homme, mais de l'individu, l'histoire événementielle
de François Simiand : une agitation de surface, les
vagues que les marées soulèvent sur leur puissant
mouvement. Une histoire à oscillations brèves, rapides,
nerveuses. Ultra-sensible par définition, le moindre
pas met en alerte tous ses instruments de mesure.
Mais telle quelle, c'est la plus passionnante, la plus
riche en humanité, la plus dangereuse aussi. Méfions-
nous de cette histoire brûlante encore, telle que les
contemporains l'ont sentie, décrite, vécue, au rythme
de leur vie, brève comme la nôtre. Elle a la dimension
de leurs colères, de leurs rêves et de leurs illusions.
Au XVIe siècle, après la vraie Renaissance, viendra la
Renaissance des pauvres, des humbles, acharnés à
écrire, à se raconter et à parler des autres. Toute cette
précieuse paperasse est assez déformante, elle envahit
abusivement ce temps perdu, y prend une place hors
de vérité. C'est dans un monde bizarre, auquel man-
querait une dimension, que se trouve transporté
l'historien lecteur des papiers de Philippe II, comme
assis en ses lieu et place; un monde de vives passions
assurément; un monde aveugle, comme tout monde
vivant, comme le nôtre, insouciant des histoires de
profondeur, de ces eaux vives sur lesquelles notre
barque file comme le plus ivre des bateaux. Un monde
dangereux, disions-nous, mais dont nous aurons

conjuré les sortilèges et les maléfices en ayant, au préalable, fixé ces grands courants sous-jacents, souvent silencieux, et dont le sens ne se révèle que si l'on embrasse de larges périodes du temps. Les événements retentissants ne sont souvent que des instants, que des manifestations de ces larges destins et ne s'expliquent que par eux.

Ainsi sommes-nous arrivés à une décomposition de l'histoire en plans étagés. Ou, si l'on veut, à la distinction, dans le temps de l'histoire, d'un temps géographique, d'un temps social, d'un temps individuel. Ou si l'on préfère encore, à la décomposition de l'homme en un cortège de personnages. C'est peut-être ce que l'on me pardonnera le moins, même si j'affirme que les découpages traditionnels fractionnent, eux aussi, l'histoire vivante et foncièrement une, même si j'affirme, contre Ranke ou Karl Brandi, que l'histoire-récit n'est pas une méthode ou la méthode objective par excellence, mais bien une philosophie de l'histoire, elle aussi; même si j'affirme, et si je montre par la suite, que ces plans ne veulent être que des moyens d'exposition, que je ne me suis pas interdit chemin faisant d'aller de l'un à l'autre... Mais à quoi bon plaider? Si l'on me reproche d'avoir mal assemblé les éléments de ce livre, j'espère qu'on trouvera les morceaux convenablement fabriqués, selon les règles de nos chantiers.

J'espère aussi que l'on ne me reprochera pas mes trop larges ambitions, mon désir et mon besoin de voir grand. L'histoire n'est peut-être pas condamnée à n'étudier que des jardins bien clos de murs. Sinon ne faillirait-elle pas à l'une de ses tâches présentes, qui est aussi de répondre aux angoissants problèmes de l'heure, de se maintenir en liaison avec les sciences si jeunes, mais si impérialistes de l'homme? Peut-il y avoir un humanisme actuel, en 1946, sans histoire ambitieuse, consciente de ses devoirs et de ses immenses pouvoirs? « C'est la peur de la grande histoire qui a tué la grande histoire », écrivait Edmond Faral en 1942. Puisse-t-elle revivre!

# POSITIONS DE L'HISTOIRE EN 1950 (1)

L'histoire se trouve, aujourd'hui, devant des responsabilités redoutables, mais aussi exaltantes. Sans doute parce qu'elle n'a jamais cessé, dans son être et dans ses changements, de dépendre de conditions sociales concrètes. « L'histoire est fille de son temps. » Son inquiétude est donc l'inquiétude même qui pèse sur nos cœurs et nos esprits. Et si ses méthodes, ses programmes, ses réponses les plus serrées et les plus sûres hier, si ses concepts craquent tous à la fois, c'est sous le poids de nos réflexions, de notre travail et, plus encore, de nos expériences vécues. Or ces expériences, durant ces quarante dernières années, ont été particulièrement cruelles pour tous les hommes; elles nous ont rejetés, avec violence, vers le plus profond de nous-mêmes et, par delà, vers le destin d'ensemble des hommes, c'est-à-dire vers les problèmes cruciaux de l'histoire. Occasion de nous apitoyer, de souffrir, de penser, de remettre forcément tout en question. D'ailleurs, pourquoi l'art fragile d'écrire l'histoire échapperait-il à la crise générale de notre époque? Nous abandonnons un monde sans avoir toujours eu le temps de connaître ou même d'apprécier ses bienfaits, ses erreurs, ses certitudes

(1) Leçon inaugurale au Collège de France faite le 1er décembre 1950.

et ses rêves — dirons-nous le monde du premier
xxᵉ siècle? Nous le quittons, ou, plutôt, il se dérobe,
inexorablement, devant nous.


                              I


Les grandes catastrophes ne sont pas forcément les
ouvrières, elles sont assurément les annonciatrices
infaillibles des révolutions réelles, et toujours une mise
en demeure d'avoir à penser, ou mieux à repenser
l'univers. De la tourmente de la grande Révolution
française, qui, pendant des années, a été toute l'histoire
dramatique du monde, naît la méditation du comte
de Saint-Simon, puis celles de ses disciples ennemis,
Auguste Comte, Proudhon, Karl Marx, qui n'ont pas
cessé, depuis lors, de tourmenter les esprits et les raisonnements des hommes... Petit exemple plus proche de
nous : durant l'hiver qui suit la guerre franco-
allemande de 1870-1871, quel témoin mieux à l'abri
que Jacob Burckhardt en sa chère Université de Bâle!
Et, cependant, l'inquiétude lui rend visite, un besoin
de grande histoire le presse. Son cours porte, ce
semestre-là, sur la Révolution française. Elle n'est,
déclare-t-il dans une trop juste prophétie, qu'un premier acte, un lever de rideau, l'instant initial d'un
cycle, d'un siècle de révolutions, appelé à durer...
Siècle interminable, en vérité, et qui marquera de ses
traits rouges l'étroite Europe et le monde entier. Un
long répit, cependant, allait courir pour l'Occident,
de 1871 à 1914. Mais qui dira combien ces années,
relativement paisibles, presque heureuses, allaient
progressivement rétrécir l'ambition de l'histoire, comme si notre métier pour être en alerte avait besoin,
sans fin, de la souffrance et de l'insécurité flagrante
des hommes.
Puis-je dire avec quelle émotion j'ai lu, en 1943,
le dernier ouvrage de Gaston Roupnel, *Histoire et
Destin*, livre prophétique, halluciné, à demi perdu
dans le rêve, mais soulevé par tant de pitié pour la

« peine des humains »? Il devait m'écrire plus tard :
« J'ai commencé (ce livre) dans les tout premiers
jours de juillet 1940. Je venais de voir passer, dans mon
village de Gevrey-Chambertin, sur la grande route
nationale, les flots de l'exode, du douloureux exode,
les pauvres gens, les voitures, les charrettes, les gens
à pied, une lamentable humanité, toute la misère des
routes, et cela pêle-mêle avec des troupes, des soldats
sans armes... Cette immense panique, c'était cela la
France!... Sur mes vieux jours, aux infortunes irrémédiables de la vie privée allait s'ajouter le sentiment
de l'infortune publique, nationale... » Mais, au vent
du malheur, des dernières méditations de Gaston
Roupnel, l'histoire, la grande, l'aventureuse histoire
repartait, toutes voiles gonflées. Michelet redevenait
son Dieu : « il me semble, m'écrivait-il encore, le
génie qui remplit l'histoire ».

Notre époque n'est que trop riche en catastrophes,
en révolutions, en coups de théâtre, en surprises. La
réalité du social, la réalité foncière de l'homme se
découvre nouvelle à nos yeux et, qu'on le veuille ou
non, notre vieux métier d'historien ne cesse de bour-
geonner et de refleurir dans nos mains... Oui, que de
changements! Tous les symboles sociaux, ou presque
tous — et certains pour lesquels nous serions morts
hier sans trop discuter — se sont vidés de leur contenu.
La question est de savoir s'il nous sera possible, non
pas de vivre, mais de vivre et de penser paisiblement
sans leurs repères et la lumière de leurs phares.
Tous les concepts intellectuels se sont infléchis ou
rompus. La science sur laquelle, profanes, nous nous
appuyions même sans le savoir, la science, ce refuge
et cette nouvelle raison de vivre du XIXe siècle, s'est
transformée, du jour au lendemain, brutalement, pour
renaître à une vie différente, prestigieuse, mais ins-
table, toujours en mouvement, mais inaccessible, et
nous n'aurons sans doute jamais plus le temps ni la
possibilité de rétablir avec elle un dialogue convenable.
Toutes les sciences sociales, y compris l'histoire, ont
pareillement évolué, de façon moins spectaculaire,

mais non moins décisive. Un nouveau monde, pourquoi pas une nouvelle histoire?

Aussi bien évoquerons-nous avec tendresse et un peu
d'irrévérence nos maîtres d'hier et d'avant-hier. Que
l'on nous pardonne! Voici le mince livre de Charles-
Victor Langlois et de Charles Seignobos, cette *Introduction aux études historiques*, parue en 1897, aujour-
d'hui sans portée, mais, hier et pendant de longues
années, ouvrage décisif. Étonnant point d'arrêt. De
ce livre lointain, bourré de principes et de recommandations menues, un portrait de l'historien, au début
de ce siècle, se dégagerait sans trop de peine. Imaginez
un peintre, un paysagiste. Devant lui, des arbres, des
maisons, des collines, des routes, tout un paysage
tranquille. Telle, en face de l'historien, la réalité du
passé — une réalité vérifiée, époussetée, reconstruite.
De ce paysage, rien ne devait échapper au peintre,
ni ces buissons, ni cette fumée... Ne rien omettre : si,
pourtant, le peintre oubliera sa propre personne, car
l'idéal serait de supprimer l'observateur, comme s'il
fallait surprendre la réalité sans l'effaroucher, comme
si l'histoire, hors de nos reconstructions, était à saisir
à l'état naissant, donc à l'état de matériaux bruts, de
faits purs. L'observateur est source d'erreurs, contre
lui la critique doit rester vigilante. « L'instinct naturel
d'un homme à l'eau, écrivait sans sourire Charles-
Victor Langlois, est de faire tout ce qu'il faut pour se
noyer; apprendre à nager, c'est acquérir l'habitude
de réprimer les mouvements spontanés et d'en exécu-
ter d'autres. De même, l'habitude de la critique n'est
pas naturelle; il faut qu'elle soit inculquée, et elle
ne devient organique que par des exercices répétés.
Ainsi, le travail historique est un travail critique par
excellence; lorsqu'on s'y livre sans s'être préala-
blement mis en défense contre l'instinct, on s'y
noie. »

Nous n'avons rien à dire contre la critique des
documents et matériaux de l'histoire. L'esprit historique est critique à sa base. Mais il est aussi, au delà
de prudences qui vont de soi, il est reconstruction,

ce que Charles Seignobos a su dire, avec son intelligence aiguë, à deux ou trois reprises. Mais, après tant de précautions, était-ce suffisant pour préserver l'élan nécessaire à l'histoire?

Certes, si nous allions plus loin, pour ce retour en arrière, si nous nous adressions, cette fois, à de très grands esprits, un Cournot, un Paul Lacombe, ces précurseurs — ou à de très grands historiens, un Michelet surtout, un Ranke, un Jacob Burckhardt, un Fustel de Coulanges, leur génie nous interdirait de sourire. Cependant — si l'on excepte peut-être Michelet, lui encore, le plus grand de tous, chez qui il y a tant d'éclairs et de prémonitions géniales — cependant, il n'en est pas moins vrai que leurs réponses ne s'accorderaient guère à nos questions : historiens d'aujourd'hui, nous avons le sentiment d'appartenir à un autre âge, à une autre aventure de l'esprit. Surtout notre métier ne nous paraît plus cette entreprise calme, assurée, avec de justes primes données au seul travail et à la seule patience. Il ne nous laisse pas cette certitude d'avoir cerné la matière entière de l'histoire qui, pour se rendre à nous, n'attendrait plus que notre courage appliqué. A coup sûr, rien n'est plus étranger à notre pensée que cette remarque de Ranke tout jeune, en 1817, qui, dans une apostrophe enthousiaste à Gœthe, parlait avec ferveur « du terrain solide de l'histoire ».

## II

C'est une tâche difficile — condamnée à l'avance — que de dire en quelques mots ce qui a vraiment changé dans le domaine de nos études, et surtout comment et pourquoi le changement s'est opéré. Mille détails nous sollicitent. Albert Thibaudet prétendait que les vrais bouleversements sont toujours simples sur le plan de l'intelligence. Alors, où se situe cette petite chose simple, cette novation efficace? Certainement pas dans cette faillite de la philosophie de l'histoire,

préparée longtemps à l'avance et dont personne, avant
même le début de ce siècle, n'acceptait plus les ambitions et les conclusions hâtives. Pas davantage dans la
banqueroute d'une histoire-science, à peine esquissée
d'ailleurs. Il n'y avait de science, disait-on hier, que
capable de prévoir : elle devait être prophétique ou
ne pas être... Nous penserions aujourd'hui qu'aucune
science sociale, y compris l'histoire, n'est prophétique et, par suite, selon les règles anciennes du jeu,
aucune d'entre elles n'aurait droit au beau nom de
science. Il n'y aurait de prophétie, d'ailleurs, remar-
quez-le bien, que s'il y avait continuité de l'histoire,
ce que les sociologues, non pas tous les historiens,
mettent violemment en doute. Mais à quoi bon discuter sur ce mot trouble de science, et sur tous les faux
problèmes qui en dérivent? Autant s'engager dans le
débat, plus classique, mais plus stérile encore, de
l'objectivité et de la subjectivité en histoire dont nous
ne nous délivrerons pas tant que des philosophes, par
habitude peut-être, s'y attarderont, tant qu'ils n'ose-
ront pas se demander si les sciences les plus glorieuses
du réel ne sont pas, elles aussi, objectives et subjectives à la fois. Pour nous qui nous résignerions sans
peine à ne pas croire à l'obligation de l'antithèse, nous
allégerions volontiers de ce débat nos habituelles
discussions de méthode. Ce n'est pas entre peintre et
tableau, ou même, audace qu'on eût trouvée excessive,
entre tableau et paysage que se situe le problème de
l'histoire, mais bien dans le paysage lui-même, au
cœur de la vie.

Comme la vie elle-même, l'histoire nous apparaît un
spectacle fuyant, mouvant, fait de l'entrelacement de
problèmes inextricablement mêlés et qui peut prendre,
tour à tour, cent visages divers et contradictoires. Cette
vie complexe, comment l'aborder et la morceler pour
pouvoir la saisir ou du moins en saisir quelque chose?
De nombreuses tentatives pourraient nous décourager
à l'avance.

Nous ne croyons plus ainsi à l'explication de l'histoire par tel ou tel facteur dominant. Il n'y a pas

d'histoire unilatérale. Ne la dominent exclusivement, ni le conflit des races dont les chocs ou l'accord auraient déterminé tout le passé des hommes; ni les puissants rythmes économiques, facteurs de progrès ou de débâcle; ni les constantes tensions sociales; ni ce spiritualisme diffus d'un Ranke par quoi se sublimisent, pour lui, l'individu et la vaste histoire générale; ni le règne de la technique; ni la poussée démographique, cette poussée végétale avec ses conséquences à retardement sur la vie des collectivités... L'homme est autrement complexe.

Pourtant ces tentatives, pour réduire le multiple au simple ou au presque simple, ont signifié un enrichissement sans précédent, depuis plus d'un siècle, de nos études historiques. Elles nous ont mis progressivement sur le chemin du dépassement de l'individu et de l'événement, dépassement prévu longtemps à l'avance, pressenti, entrevu, mais qui, dans sa plénitude, vient de s'accomplir seulement devant nous. Là est peut-être le pas décisif qui implique et résume toutes les transformations. Nous ne nions pas, pour autant, la réalité des événements ou le rôle des individus, ce qui serait puéril. Encore faudrait-il remarquer que l'individu est trop souvent, dans l'histoire, une abstraction. Il n'y a jamais dans la réalité vivante d'individu enfermé en lui-même; toutes les aventures individuelles se fondent dans une réalité plus complexe, celle du social, une réalité « entrecroisée », comme dit la sociologie. Le problème ne consiste pas à nier l'individuel sous prétexte qu'il est frappé de contingences, mais bien à le dépasser, à le distinguer des forces différentes de lui, à réagir contre une histoire arbitrairement réduite au rôle des héros quintessenciés : nous ne croyons pas au culte de tous ces demi-dieux, ou, plus simplement, nous sommes contre l'orgueilleuse parole unilatérale de Treitschke : « Les hommes font l'histoire. » Non, l'histoire fait aussi les hommes et façonne leur destin — l'histoire anonyme, profonde et souvent silencieuse, dont il faut maintenant aborder l'incertain mais immense domaine.

La vie, l'histoire du monde, toutes les histoires particulières se présentent à nous sous la forme d'une série d'événements : entendez d'actes toujours dramatiques et brefs. Une bataille, une rencontre d'hommes d'État, un discours important, une lettre capitale, sont des instantanés d'histoire. J'ai gardé le souvenir, une nuit, près de Bahia, d'avoir été enveloppé par un feu d'artifice de lucioles phosphorescentes; leurs lumières pâles éclataient, s'éteignaient, brillaient à nouveau, sans trouer la nuit de vraies clartés. Ainsi les événements : au delà de leur lueur, l'obscurité reste victorieuse. Un autre souvenir me permettra d'abréger encore mon raisonnement. Il y a une vingtaine d'années, en Amérique, un film, annoncé longtemps à l'avance, produisait une sensation sans pareille. Ni plus ni moins que le premier film authentique, disait-on, sur la Grande Guerre, devenue depuis lors, assez tristement, la Première Guerre Mondiale. Pendant plus d'une heure, il nous fut donné de revivre les heures officielles du conflit, d'assister à cinquante revues militaires, passées les unes par le roi Georges V d'Angleterre, les autres par le roi des Belges ou par le roi d'Italie, ou par l'empereur d'Allemagne, ou par notre président Raymond Poincaré. Il nous fut donné d'assister à la sortie des grandes conférences diplomatiques et militaires, à tout un défilé de personnes illustres, mais oubliées, que rendait plus fantomatiques encore et irréelles la démarche saccadée du cinéma de ces années lointaines. Quant à la vraie guerre, elle était représentée par trois ou quatre truquages et explosions factices : un décor.

L'exemple est sans doute excessif, comme tous les exemples que l'on veut chargés d'enseignement. Avouez, cependant, que souvent ce sont ces minces images que nous offre, du passé et de la sueur des hommes, la chronique, l'histoire traditionnelle, l'histoire-récit chère à Ranke... Des lueurs, mais sans clarté; des faits, mais sans humanité. Notez que cette histoire-récit a toujours la prétention de dire « les choses comme elles se sont réellement passées ».

Ranke a cru profondément à ce mot lorsqu'il l'a prononcé. En réalité, elle se présente comme une interprétation, à sa manière sournoise, comme une authentique philosophie de l'histoire. Pour elle, la vie des hommes est dominée par des accidents dramatiques; par le jeu des êtres exceptionnels qui y surgissent, maîtres souvent de leur destin et plus encore du nôtre. Et, lorsqu'elle parle d'« histoire générale », c'est finalement à l'entrecroisement de ces destins exceptionnels qu'elle pense, car il faut bien que chaque héros compte avec un autre héros. Fallacieuse illusion, nous le savons tous. Ou disons, plus équitablement, vision d'un monde trop étroit, familier à force d'avoir été prospecté et mis en cause, où l'historien se plaît à fréquenter les princes de ce monde — un monde, par surcroît, arraché de son contexte, où l'on pourrait croire en toute bonne foi que l'histoire est un jeu monotone, toujours différent, mais toujours semblable, comme les mille combinaisons des figures d'échecs, un jeu qui met en cause des situations sans fin analogues, des sentiments toujours les mêmes, sous le signe d'un éternel et impitoyable retour des choses.

La tâche est justement de dépasser cette marge première de l'histoire. Il faut aborder, *en elles-mêmes et pour elles-mêmes*, les réalités sociales. J'entends par là toutes les formes larges de la vie collective, les économies, les institutions, les architectures sociales, les civilisations enfin, elles surtout — toutes réalités que les historiens d'hier, certes, n'ont pas ignorées, mais que, sauf d'étonnants précurseurs, ils ont trop souvent vues comme une toile de fond, disposée seulement pour expliquer, ou comme si l'on voulait expliquer les actions d'individus exceptionnels autour desquels l'historien s'attarde avec complaisance.

Immenses erreurs de perspective et de raisonnement, car ce que l'on cherche ainsi à accorder, à inscrire dans le même cadre, ce sont des mouvements qui n'ont ni la même durée, ni la même direction, les uns qui s'intègrent dans le temps des hommes, celui de notre vie brève et fugitive, les autres dans ce temps des sociétés pour qui une journée, une année ne signifient pas grand-chose, pour qui, parfois, un siècle entier n'est qu'un instant de la durée. Entendons-nous : il n'y a pas un temps social d'une seule et simple coulée, mais un temps social à mille vitesses, à mille lenteurs qui n'ont presque rien à voir avec le temps journalistique de la chronique et de l'histoire traditionnelle. Je crois ainsi à la réalité d'une histoire particulièrement lente des civilisations, dans leurs profondeurs abyssales, dans leurs traits structuraux et géographiques. Certes, les civilisations sont mortelles dans leurs floraisons les plus précieuses; certes, elles brillent, puis elles s'éteignent, pour refleurir sous d'autres formes. Mais ces ruptures sont plus rares, plus espacées qu'on ne le pense. Et surtout, elles ne détruisent pas tout également. Je veux dire que, dans telle ou telle aire de civilisation, le contenu social peut se renouveler deux ou trois fois presque entièrement sans atteindre certains traits profonds de structure qui continueront à la distinguer fortement des civilisations voisines.

D'ailleurs, il y a, plus lente encore que l'histoire des civilisations, presque immobile, une histoire des hommes dans leurs rapports serrés avec la terre qui les porte et les nourrit; c'est un dialogue qui ne cesse de se répéter, qui se répète pour durer, qui peut changer et change en surface, mais se poursuit, tenace, comme s'il était hors de l'atteinte et de la morsure du temps.

III

Si je ne me trompe, les historiens commencent à prendre conscience, aujourd'hui, d'une histoire nouvelle, d'une histoire lourde dont le temps ne s'accorde plus à nos anciennes mesures. Cette histoire ne s'offre pas à eux comme une découverte facile. Chaque forme d'histoire implique, en effet, une érudition qui lui corresponde. Puis-je dire que tous ceux qui s'occupent des destins économiques, des structures sociales et des multiples problèmes, souvent d'intérêt menu, des civilisations, se trouvent en face de recherches auprès desquelles les travaux des érudits les plus connus du XVIII<sup>e</sup> et même du XIX<sup>e</sup> siècle nous semblent d'une étonnante facilité? Une histoire neuve n'est possible que par l'énorme mise à jour d'une documentation qui réponde à ces questions neuves. Je doute même que l'habituel travail artisanal de l'historien soit à la mesure de nos ambitions actuelles. Avec le danger que cela peut représenter et les difficultés que la solution implique, il n'y a pas de salut hors des méthodes du travail par équipes.

Donc tout un passé à reconstruire. Des tâches interminables se proposent et s'imposent à nous, même pour les réalités les plus simples de ces vies collectives : je veux dire les rythmes économiques à brève durée de la conjoncture. Voici, bien identifiée à Florence, une crise assez vive de recul, entre 1580 et 1585, appelée à se creuser vite, puis à se combler d'un coup. Des recherches à Florence, et autour de Florence, l'indiquent par des signes aussi clairs que ces rapatriements de marchands florentins qui quittent alors la France et la Haute-Allemagne et parfois, plus encore, abandonnent leurs boutiques pour acheter des terres en Toscane. Cette crise, si nette à première auscultation, il faudrait la mieux diagnostiquer, l'établir scientifiquement par des séries cohérentes de prix, travail local encore — mais la question se pose aussitôt de savoir si la crise est toscane ou générale. Nous la rencontrons vite à Venise, nous la rencontrons aisément à Ferrare... Mais jusqu'où a-t-elle fait sentir sa brusque morsure? Sans connaître son aire exacte, nous ne saurions préciser sa nature... Alors, faut-il que l'historien se mette en route vers tous les dépôts d'archives d'Europe, où il prospectera des séries ordinairement ignorées de l'érudition?

Interminable voyage ! car tout lui reste à faire. Pour comble d'embarras, cet historien qui se préoccupe de l'Inde et de la Chine et pense que l'Extrême-Orient a commandé la circulation des métaux précieux au XVI^e siècle et, par delà, le rythme de la vie économique entière du monde — cet historien note qu'à ces années de gêne florentine correspondent, décalées à peine dans le temps, des années de troubles en Extrême-Orient pour le commerce des épices et du poivre. Des faibles mains portugaises, celui-ci est alors ressaisi par les habiles marchands maures et au delà de ces vieux habitués de l'océan Indien et de la Sonde, par les caravaniers de l'Inde, tout étant finalement englouti par la Haute-Asie et la Chine... D'elle-même la recherche, en ces domaines si simples, vient de faire le tour du monde.

Je suis préoccupé, justement, avec quelques jeunes historiens, d'étudier la conjoncture générale du XVI^e siècle et j'espère vous en entretenir un jour prochain. Est-il besoin de vous dire, à ce propos, que c'est encore le monde entier qui s'impose à notre attention ? La conjoncture du XVI^e siècle, ce n'est pas seulement Venise, ou Lisbonne, Anvers ou Séville, Lyon ou Milan, c'est encore la complexe économie de la Baltique, les vieux rythmes de la Méditerranée, les importants courants de l'Atlantique et ceux du Pacifique des Ibériques, des jonques chinoises et j'oublie bien des éléments à dessein. Mais il faut dire encore que la conjoncture du XVI^e siècle, c'est également d'un côté le XV^e et de l'autre le XVII^e siècle ; ce n'est pas seulement le mouvement d'ensemble des prix, mais bien la gerbe diverse de ces prix et leur comparaison, ceux-ci s'accélérant plus ou moins que ceux-là. Sans doute est-il vraisemblable que les prix du vin et des biens-fonds précédèrent alors tous les autres dans leur course régulière. Ainsi s'expliquerait, à nos yeux, de quelle façon la terre a épongé, si l'on peut dire, attiré, immobilisé, la fortune des nouveaux riches. Tout un drame social. Par là s'expliquerait aussi cette civilisation envahissante, obstinée de la vigne et du

vin : les prix le veulent, alors grossissent ces flottes
de navires chargés de futailles, en direction du nord,
à partir de Séville, des côtes portugaises ou de la
Gironde; alors grossissent pareillement ces fleuves
de carrioles, ces *carretoni* qui, par le Brenner, apportent
chaque année à l'Allemagne les vins nouveaux du
Frioul et des Vénéties, ces vins troubles que Mon-
taigne lui-même aura dégustés sur place, avec plaisir...

L'histoire des techniques, la simple histoire des
techniques, au delà de recherches incertaines, minu-
tieuses, sans cesse interrompues, car le fil ne casse
que trop souvent entre nos doigts, ou, si vous le voulez,
les documents à interroger font brusquement défaut,
cette histoire des techniques découvre, elle aussi,
de trop vastes paysages, pose de trop larges problèmes...
Au XVIe siècle, la Méditerranée, la Méditerranée
prise en bloc, a connu toute une série de drames
techniques. Alors s'installe l'artillerie sur le pont
étroit des bateaux, avec quelle lenteur d'ailleurs.
Alors se transmettent ses secrets vers les hauts pays
du Nil ou l'intérieur du Proche-Orient. Chaque fois,
de rudes conséquences en découlent... Alors, autre
drame et plus silencieux, se produit une lente et curieuse
diminution des tonnages marins. Les coques deviennent
de plus en plus mesurées et légères. Venise et Raguse
sont les patries des gros cargos : leurs voiliers de charge
jaugent jusqu'à mille tonnes et au delà. Ce sont les
grands corps flottants de la mer. Mais bientôt contre
les géants de la mer se marque partout la fortune des
petits voiliers, grecs, provençaux, marseillais ou nordiques. A Marseille, c'est l'heure victorieuse des
tartanes, des saètes, des naves minuscules. On tien-
drait ces esquifs au creux de la main; rarement ils
dépassent cent tonnes. Mais, à la besogne, ces navires
de poche font leurs preuves. Le moindre vent les
pousse; ils entrent dans tous les ports; ils chargent en
quelques jours, en quelques heures, alors que les
navires de Raguse mettent des semaines et des mois
à avaler leurs cargaisons.

Qu'un de ces gros cargos ragusains se saisisse par

fortune d'un léger navire marseillais, s'adjuge sa
cargaison et, jetant à l'eau l'équipage, fasse tout
disparaître en un instant du navire rival, le fait divers
illustre, un instant, la lutte des gros contre les petits
esquifs de la mer. Mais nous aurions tort de croire
le conflit circonscrit à la Mer Intérieure. Gros et petits
se heurtent et se dévorent sur les sept mers du monde.
En Atlantique, leur lutte est la plus grande lutte du
siècle. Les Ibériques envahiront-ils l'Angleterre?
C'est le problème posé avant, pendant et après l'Invincible Armada. Les Nordiques mordront-ils sur la
péninsule, et c'est l'expédition contre Cadix, ou
mordront-ils sur l'empire des Ibériques, et c'est
Drake et Cavendish et bien d'autres... Les Anglais
tiennent la Manche. Les Ibériques, Gibraltar. Laquelle
de ces suprématies est la plus avantageuse? Mais
surtout qui triomphera des lourdes caraques portugaises, des pesants galions espagnols ou des fins
voiliers du Nord, 1 000 tonnes d'un côté, 200, 100,
50 parfois de l'autre? Lutte souvent inégale, illustrée
par ces gravures de l'époque qui montrent un des
géants ibériques encerclé par une nuée de coques
lilliputiennes. Les petits harcèlent les gros, les criblent
de coups. Quand ils s'en emparent, ils prennent l'or,
les pierres précieuses, quelques colis d'épices, puis
ils brûlent l'énorme et inutile carcasse... Mais le fin
mot de l'histoire est-il seulement dans ce résumé
trop clair? Si la résistance ibérique continue, c'est
tout de même que passent, à peu près indemnes,
guidés par la main de Dieu, disent les Génois, les
convois de galions qui vont vers les Antilles et en
reviennent chargés d'argent; c'est que les mines du
Nouveau Monde restent au service des maîtres ibériques... L'histoire des navires n'est pas une histoire
en soi. Elle est à resituer entre les autres histoires
qui l'entourent et la soutiennent. Ainsi la vérité,
sans se refuser, se dérobe une fois de plus devant nous.

Tout problème à pied d'œuvre, je le répète, ne cesse
de se compliquer, de s'étendre en surface et en épaisseur, d'ouvrir sans fin de nouveaux horizons de labeur...

J'aurai l'occasion de vous le dire à propos de cette vocation impériale du xvi<sup>e</sup> siècle dont je dois vous entretenir cette année et qui n'est pas, comme vous vous en doutiez, à inscrire au seul crédit du xvi<sup>e</sup> siècle lui-même. Aucun problème, jamais, ne se laisse enfermer dans un seul cadre.

Si l'on quitte le domaine de l'économique, de la technique, pour celui des civilisations, si l'on rêve à ces insidieuses, presque invisibles fêlures qui, en un siècle ou deux, deviennent de profondes cassures au delà desquelles tout change de la vie et de la morale des hommes, si l'on rêve à ces prestigieuses révolutions intérieures, alors l'horizon, lent à se dégager, s'élargit et se complique avec plus d'intensité encore. Un jeune historien italien, à la suite de patientes prospections, a le sentiment que l'idée de la mort et la représentation de la mort changent du tout au tout vers le milieu du xv<sup>e</sup> siècle. Un profond fossé se creuse alors : à une mort céleste, tournée vers l'au-delà — et calme — porte largement ouverte où tout l'homme (son âme et son corps presque entier) passe sans trop se crisper à l'avance, à cette mort sereine se substitue une mort humaine, déjà sous le premier signe de la raison. Je résume mal le passionnant débat. Mais que cette mort nouvelle, lente à montrer son vrai visage, naisse, ou semble naître longtemps à l'avance dans les complexes pays rhénans, voilà qui oriente l'enquête, et nous met au contact de cette histoire silencieuse, mais impérieuse, des civilisations. Alors nous naviguerons au delà de l'habituel décor de la Réforme, non sans tâtonner, d'ailleurs, à force de précautions et de patientes recherches. Il faudra lire les livres de dévotion et les testaments, collectionner les documents iconographiques, ou dans les villes, bonnes gardiennes de leurs chartriers, comme à Venise, consulter les papiers des *Inquisitori contra Bestemmie*, ces « archives noires » du contrôle des mœurs, d'imprescriptible valeur.

Mais il ne suffit pas, vous le savez, de se réfugier dans cette nécessaire et interminable prospection de matériaux neufs. Ces matériaux, il faut les soumettre à des méthodes. Sans doute celles-ci, certaines au moins, varient-elles d'un jour à l'autre. Dans dix ou vingt ans, nos méthodes en économie, en statistique ont des chances d'avoir perdu de leur valeur, en même temps que nos résultats qui seront contestés, jetés à terre : le sort d'études relativement récentes est là pour nous le dire. Ces informations, ces matériaux, il faut aussi les soulever, les repenser à la mesure de l'homme et, au delà de leurs précisions, il s'agit, si possible, de retrouver la vie : montrer comment ses forces se lient, se coudoient ou se heurtent, comment aussi, bien souvent, elles mêlent leurs eaux furieuses. Tout ressaisir, pour tout restituer dans le cadre général de l'histoire, pour que soit respectée, malgré les difficultés, les antinomies et les contradictions foncières, l'unité de l'histoire qui est l'unité de la vie.

Trop lourdes tâches, direz-vous. On pense toujours aux difficultés de notre métier; sans vouloir les nier, n'est-il pas possible de signaler, pour une fois, ses irremplaçables commodités? Au premier examen, ne pouvons-nous pas dégager l'essentiel d'une situation historique, quant à son devenir? Des forces aux prises, nous savons celles qui l'emporteront, nous discernons à l'avance les événements importants, « ceux qui auront des conséquences », à qui l'avenir sera finalement livré. Privilège immense ! Qui saurait, dans les faits mêlés de la vie actuelle, distinguer aussi sûrement le durable de l'éphémère? Or, cette distinction se situe au cœur de la recherche des sciences sociales, au cœur de la connaissance, au cœur des destins de l'homme, dans la zone de ses problèmes capitaux... Historiens, nous sommes sans peine introduits dans ce débat. Qui niera, par exemple, que l'immense question de la continuité et de la discontinuité du destin social, que les sociologues discutent, ne soit, au premier chef, un problème d'histoire? Si de grandes coupures tronçonnent les destins de l'humanité, si, au lendemain de leur déchirure, tout se repose en termes nouveaux et que rien ne vaille plus de nos outils ou de nos pensées d'hier — la réalité de ces coupures relève de l'histoire. Y a-t-il, ou n'y a-t-il pas, exceptionnelle et brève coïncidence entre tous les temps variés de la vie des hommes? Immense question qui est nôtre. Toute progression lente s'achève un jour, le temps des vraies révolutions est aussi le temps qui voit fleurir les roses.

IV

L'histoire a été amenée sur ces bords peut-être périlleux par la vie elle-même. Je l'ai dit, la vie est notre école. Mais ses leçons, l'histoire n'a pas été seule à les entendre et, les ayant comprises, à en tirer des conséquences. En fait, elle a profité, avant tout, de la poussée victorieuse des jeunes sciences humaines, plus sensibles encore qu'elle-même aux conjonctures du présent. Nous avons vu naître, renaître ou s'épanouir, depuis cinquante ans, une série de sciences humaines impérialistes et, chaque fois, leur développement a signifié pour nous, historiens, des chocs, des complications, puis d'immenses enrichissements. L'histoire est peut-être la plus grande bénéficiaire de ces progrès récents.

Est-il besoin de dire longuement sa dette à l'égard de la géographie, ou de l'économie politique, ou encore de la sociologie? Une des œuvres les plus fécondes pour l'histoire, peut-être même la plus féconde de toutes, aura été celle de Vidal de La Blache, historien d'origine, géographe par vocation. Je dirais volontiers que le *Tableau de la géographie de la France*, paru en 1903, au seuil de la grande histoire de France d'Ernest Lavisse, est l'une des œuvres majeures non seulement de l'école géographique, mais aussi de l'école historique française. Il suffira d'un mot, pareillement, pour signaler ce dont l'histoire est redevable à l'œuvre capitale de François Simiand, philosophe devenu économiste, et dont la voix, ici au Collège, s'est malheureusement fait entendre pendant trop peu d'années. Ce qu'il a découvert des crises et des rythmes de la vie matérielle des hommes a rendu possible l'œuvre éclatante d'Ernest Labrousse, la plus neuve contribution à l'histoire de ces vingt dernières années. Voyez aussi ce que l'histoire des civilisations a pu retenir de l'enseignement prestigieux de Marcel Mauss, qui a été l'une des gloires authentiques du Collège de France. Qui mieux que lui nous a appris, à nous historiens, l'art d'étudier les civilisations dans leurs échanges et leurs côtés friables, à les suivre dans leurs réalités rudimentaires, hors de cette zone d'excellence et de qualité où l'histoire d'hier, au service de toutes les vedettes du jour, s'est trop longtemps et trop exclusivement complue? Dirai-je, enfin, personnellement, ce que la sociologie de Georges Gurvitch, ses livres et plus encore ses entretiens éblouissants, ont pu m'apporter d'incitations à penser et de nouvelles orientations?

Il n'est pas nécessaire de multiplier les exemples pour expliquer comment l'histoire, durant ces dernières années, s'est enrichie des acquisitions et des nourritures de ses voisines. Elle s'en est véritablement bâti un corps nouveau.


Encore fallait-il en convaincre les historiens eux-mêmes, gênés par leur formation, quelquefois par leurs admirations. Il arrive souvent que, sous l'influence de fortes et riches traditions, une génération entière traverse, sans y participer, le temps utile d'une révolution intellectuelle. Il arrive aussi, heureusement, il arrive presque toujours que quelques hommes soient plus sensibles, mieux aptes que d'autres à percevoir ces coulées neuves de la pensée de leur temps. Il est évident que ce fut un moment décisif, pour l'histoire française, que la fondation, en 1929, à Strasbourg, par Lucien Febvre et Marc Bloch, des *Annales d'histoire économique et sociale*. On me permettra de parler d'elles avec admiration et reconnaissance, puisqu'il s'agit d'une œuvre riche de plus de vingt années d'efforts et de réussite, où je ne suis qu'un ouvrier de la seconde heure.

Aujourd'hui rien de plus simple que de souligner et faire comprendre l'originalité vigoureuse du mouvement à son origine. Lucien Febvre écrivait en tête de sa jeune revue : « Tandis qu'aux documents du passé les historiens appliquent leurs bonnes vieilles méthodes éprouvées, des hommes de plus en plus nombreux consacrent, non sans fièvre parfois, leur activité à l'étude des sociétés et des économies contemporaines... Rien de mieux, bien entendu, si chacun, pratiquant une spécialisation légitime, cultivant laborieusement son jardin, s'efforçait néanmoins de suivre l'œuvre du voisin. Mais les murs sont si hauts que bien souvent ils bouchent la vue. Que de suggestions précieuses, cependant, sur la méthode et sur l'interprétation des faits, quels gains de culture, quel progrès dans l'intuition naîtraient entre ces divers groupes, d'échanges intellectuels plus fréquents ! L'avenir de l'histoire... est à ce prix, et aussi la juste intelligence des faits qui demain seront l'histoire. C'est contre ces schismes redoutables que nous entendons nous élever... »

Nous répéterions volontiers, aujourd'hui, ces mots qui n'ont pas encore convaincu tous les historiens individuellement, mais qui ont pourtant, qu'elle le veuille ou non, marqué toute la jeune génération. Qu'elle le veuille ou non, car les *Annales* ont été accueillies, comme tout ce qui est fort, par de vigoureux enthousiasmes et des hostilités obstinées, mais elles ont eu, elles ont toujours pour elles, la logique de notre métier et l'évidence des faits et l'incomparable privilège d'être à la pointe de la recherche, même si cette recherche est aventureuse...

Je n'ai pas besoin de parler, ici, devant un public d'historiens, de ce long et multiple combat. Je n'ai pas davantage à vous dire l'ampleur et la diversité et la richesse de l'œuvre de mon illustre prédécesseur : chacun connaît, de Lucien Febvre, son *Philippe II*

*et la Franche-Comté, La terre et l'évolution humaine,
Le Rhin, Luther,* son livre magnifique sur *Rabelais
et l'incroyance religieuse au XVI*$^e$ *siècle,* et, dernière
en date, cette fine étude sur *Marguerite de Navarre.*
J'insisterai, par contre, sur les innombrables articles
et les innombrables lettres qui sont, je le dis sans hésiter,
sa plus large contribution intellectuelle et humaine
à la pensée et aux discussions de son temps. C'est là
qu'il a abordé librement tous les sujets, toutes les
thèses, tous les points de vue, avec cette joie de découvrir et de faire découvrir à laquelle n'a pu rester
insensible aucun de ceux qui l'ont vraiment approché.
Personne ne pourrait établir le compte exact de toutes
les idées ainsi prodiguées, diffusées par lui et nous
ne l'avons pas toujours rejoint dans ses alertes voyages.

Nul en dehors de lui n'eût été capable, assurément,
de fixer notre route au milieu des conflits et des ententes
de l'histoire avec les sciences sociales voisines. Nul
mieux que lui n'a été en mesure de nous redonner
confiance dans notre métier, dans son efficacité...
« Vivre l'histoire » : tel est le titre d'un de ses articles,
un beau titre et un programme. L'histoire, pour lui,
n'a jamais été un jeu d'érudition stérile, une sorte
d'art pour l'art, d'érudition qui se suffirait à elle-même.
Elle lui est toujours apparue comme une explication
de l'homme et du social à partir de cette coordonnée
précieuse, subtile et complexe — le temps — que seuls,
historiens, nous savons manier, et sans quoi ni les
sociétés ni les individus du passé ou du présent ne
reprennent l'allure et la chaleur de la vie.

Il a sans doute été providentiel, pour l'histoire
française, que Lucien Febvre, tout en étant particulièrement sensible aux ensembles, à l'histoire totale de
l'homme, vu sous tous ses aspects, tout en ayant
compris avec lucidité les possibilités nouvelles de
l'histoire, n'en soit pas moins demeuré, en même temps,
capable de sentir, avec la culture raffinée d'un humaniste, et d'exprimer fortement ce qu'il y a eu de particulier et d'unique dans chaque aventure individuelle
de l'esprit.

Le danger d'une histoire sociale, nous l'apercevons tous : oublier, dans la contemplation des mouvements profonds de la vie des hommes, chaque homme aux prises avec sa propre vie, son propre destin; oublier, nier peut-être, ce que chaque individu a toujours d'irremplaçable. Car contester le rôle considérable qu'on a voulu donner à quelques hommes abusifs dans la genèse de l'histoire, ce n'est certes pas nier la grandeur de l'individu, en tant qu'individu, et l'intérêt pour un homme de se pencher sur le destin d'un autre homme.

Je le disais tout à l'heure, les hommes, même les plus grands, ne nous semblent pas aussi libres qu'à nos devanciers en histoire, mais l'intérêt de leur vie ne s'en trouve pas amoindri, au contraire. Et la difficulté n'est pas de concilier, sur le plan des principes, la nécessité de l'histoire individuelle et de l'histoire sociale; la difficulté est d'être capable de sentir l'une et l'autre à la fois, et, se passionnant pour l'une, de ne pas dédaigner l'autre. C'est un fait que l'histoire française, engagée par Lucien Febvre sur le chemin des destins collectifs, ne s'est jamais désintéressée, un instant, des sommets de l'esprit. Lucien Febvre a vécu avec passion et obstination auprès de Luther, de Rabelais, de Michelet, de Proudhon, de Stendhal; c'est l'une de ses originalités de ne jamais avoir renoncé à la compagnie de ces princes authentiques. Je pense tout particulièrement au plus brillant de ses livres, à son *Luther*, où je le soupçonne d'avoir voulu se donner un instant le spectacle d'un homme vraiment libre dominant son destin et le destin de l'histoire. Aussi l'aura-t-il suivi seulement pendant les premières années de sa vie révoltée et créatrice jusqu'au jour où se referment sur lui, de façon implacable, le destin de l'Allemagne et celui de son siècle.

Je ne crois pas que cette vive passion de l'esprit ait entraîné chez Lucien Febvre une quelconque contradiction. L'histoire, pour lui, reste une entreprise prodigieusement ouverte. Il a toujours résisté au désir, cependant naturel, de lier le faisceau de ses richesses

nouvelles. Construire, n'est-ce pas toujours se restrein-
dre? Et voilà pourquoi, si je ne me trompe, tous les
grands historiens de notre génération, les plus grands et
donc les plus fortement individualisés, se sont sentis à
l'aise dans l'éclairage et l'élan de sa pensée. Je n'ai pas
besoin de souligner ce qui oppose les œuvres capitales,
chacune à sa façon, de Marc Bloch, de Georges
Lefebvre, de Marcel Bataillon, d'Ernest Labrousse,
d'André Piganiol, d'Augustin Renaudet. N'est-il
pas étrange qu'elles puissent, sans effort, se concilier
avec cette histoire entrevue, puis consciemment proposée, voilà plus de vingt ans?

Peut-être est-ce ce faisceau de possibilités qui donne
sa force à l'école historique française d'aujourd'hui.
École française? un Français ose à peine prononcer ce
mot et, le prononce-t-il, il sent, tout de suite, tant de
divergences internes, qu'il hésite à le répéter. Et
cependant, de l'étranger, notre situation n'apparaît
pas aussi complexe. Un jeune professeur anglais
écrivait dernièrement : « Si une nouvelle inspiration
doit pénétrer notre travail historique, c'est de France
que très vraisemblablement elle peut nous venir :
la France semble devoir remplir dans le présent
siècle le rôle qu'a tenu l'Allemagne dans le précédent... » Est-il besoin de dire que des jugements de
cette sorte ne peuvent que nous apporter encourage-
ment et fierté? Ils nous donnent aussi le sentiment
d'un fardeau exceptionnel de responsabilité, l'inquiétude de ne pas en être digne.


Cette inquiétude que j'ai l'air de rencontrer, un
peu par hasard, aux derniers instants de ma conférence,
vous savez bien qu'elle m'accompagnait avant même
d'en avoir prononcé le premier mot. Qui ne s'inquié-
terait, en lui-même, d'avoir à prendre place parmi
vous? Heureusement, la tradition est bonne conseillère;
elle offre au moins trois refuges. Lire sa conférence,
et c'est, je l'avoue, la première fois de ma vie que
je m'y résigne : est-ce assez dire mon trouble? Se

dérober derrière un programme, à l'abri de ses idées les plus chères : certes, l'écran nous cache mal. Ensuite, évoquer ses amitiés et ses sympathies pour se sentir moins seul. Ces sympathies et ces amitiés, elles sont toutes présentes à mon souvenir reconnaissant : sympathies actives de mes collègues des Hautes Études, où j'ai été appelé voilà presque quinze ans; sympathies actives de mes collègues en histoire, mes aînés ou mes contemporains, qui ne m'ont pas manqué, à la Sorbonne notamment, où j'ai eu tant de plaisir à connaître, grâce à elles, la jeunesse de nos étudiants. D'autres, ici, et très chères, veillent sur moi.

J'ai été conduit dans cette maison par la trop grande bienveillance d'Augustin Renaudet et de Marcel Bataillon. Sans doute parce que, malgré mes défauts, j'appartiens à la patrie étroite du xvie siècle et que j'ai beaucoup aimé et que j'aime, d'un cœur sans mélange, l'Italie d'Augustin Renaudet et l'Espagne de Marcel Bataillon. Ils ne m'ont pas tenu rigueur d'être, par rapport à eux, un visiteur du soir : l'Espagne de Philippe II n'est plus celle d'Érasme, l'Italie du Titien ou du Caravage n'a plus, pour l'éclairer, les inoubliables lumières de la Florence de Laurent le Magnifique et de Michel-Ange... Le soir du xvie siècle ! Lucien Febvre a l'habitude de parler des tristes hommes d'après 1560. Tristes hommes, oui, sans doute, ces hommes exposés à tous les coups, à toutes les surprises, à toutes les trahisons des autres hommes et du sort, à toutes les amertumes, à toutes les révoltes inutiles... Autour d'eux et en eux-mêmes, tant de guerres inexpiables... Hélas ! ces tristes hommes nous ressemblent comme des frères.

Grâce à vous, mes chers Collègues, la chaire d'histoire de la civilisation moderne, restaurée en 1933, aura été préservée et l'honneur m'incombe d'en assurer la continuité. C'est un honneur très lourd. Amitiés, sympathies, bonne volonté, ardeur à la tâche que l'on sent au fond de soi-même, ne peuvent empêcher que l'on ne redoute, en toute conscience et sans fausse humilité, de succéder à un homme sur qui repose, aujourd'hui encore, la tâche immense que j'ai définie, en marge de ses livres, dans le sillon même de sa pensée inlassable, à notre grand et cher Lucien Febvre par qui, pendant des années, pour la gloire de cette Maison, s'est fait entendre à nouveau la voix de Jules Michelet, que l'on aurait pu croire à jamais silencieuse.

# II

## L'HISTOIRE
## ET LES AUTRES SCIENCES
## DE L'HOMME

# LA LONGUE DURÉE (1)

Il y a crise générale des sciences de l'homme : elles sont toutes accablées sous leurs propres progrès, ne serait-ce qu'en raison de l'accumulation des connaissances nouvelles et de la nécessité d'un travail collectif, dont l'organisation intelligente reste à mettre sur pied; directement ou indirectement, toutes sont touchées, qu'elles le veuillent ou non, par les progrès des plus agiles d'entre elles, mais restent cependant aux prises avec un humanisme rétrograde, insidieux, qui ne peut plus leur servir de cadre. Toutes, avec plus ou moins de lucidité, se préoccupent de leur place dans l'ensemble monstrueux des recherches anciennes et nouvelles, dont se devine aujourd'hui la convergence nécessaire.

De ces difficultés, les sciences de l'homme sortiront-elles par un effort supplémentaire de définition ou un surcroît de mauvaise humeur? Peut-être en ont-elles l'illusion, car (au risque de revenir sur de très vieux rabâchages ou de faux problèmes) les voilà préoccupées, aujourd'hui plus encore qu'hier, de définir leurs buts, leurs méthodes, leurs supériorités. Les voilà, à l'envi, engagées dans des chicanes sur les frontières qui les séparent, ou ne les séparent pas,

(1) *Annales E. S. C.*, n° 4, octobre-décembre 1958, Débats et Combats, p. 725-753.

ou les séparent mal des sciences voisines. Car chacune
rêve, en fait, de rester ou de retourner chez elle...
Quelques savants isolés organisent des rapprochements : Claude Lévi-Strauss (1) pousse l'anthropologie « structurale » vers les procédés de la linguistique,
les horizons de l'histoire « inconsciente » et l'impérialisme juvénile des mathématiques « qualitatives ».
Il tend vers une science qui lierait, sous le nom de
*science de la communication*, l'anthropologie, l'économie politique, la linguistique... Mais qui est prêt
à ces franchissements de frontière et à ces regroupe-
ments? Pour un oui, pour un non, la géographie
elle-même divorcerait d'avec l'histoire!

Mais ne soyons pas injustes; il y a un intérêt à ces
querelles et à ces refus. Le désir de s'affirmer contre
les autres est forcément à l'origine de curiosités nouvelles : nier autrui, c'est déjà le connaître. Bien plus,
sans le vouloir explicitement, les sciences sociales
s'imposent les unes aux autres, chacune tend à saisir
le social en son entier, dans sa « totalité »; chacune
empiète sur ses voisines en croyant demeurer chez elle.
L'économie découvre la sociologie qui la cerne,
l'histoire — peut-être la moins structurée des sciences
de l'homme — accepte toutes les leçons de son multiple voisinage et s'efforce de les répercuter. Ainsi,
malgré les réticences, les oppositions, les ignorances
tranquilles, la mise en place d'un « marché commun »
s'esquisse; elle vaudrait la peine d'être tentée au cours
des années qui viennent, même si, plus tard, chaque
science avait avantage, pour un temps, à reprendre
une route plus étroitement personnelle.

Mais se rapprocher tout d'abord, l'opération est
urgente. Aux États-Unis, cette réunion a pris la forme
de recherches collectives sur les aires culturelles du
monde actuel, les *area studies* étant, avant tout,
l'étude par une équipe de *social scientists*, de ces
monstres politiques du temps présent : Chine, Inde,

---

(1) *Anthropologie structurale*, Paris, Plon, 1958, *passim* et
notamment, p. 329.

Russie, Amérique latine, États-Unis. Les connaître, question de vie! Encore faut-il, lors de cette mise en commun de techniques et de connaissances, que chacun des participants ne reste pas enfoncé dans son travail particulier, aveugle ou sourd, comme la veille, à ce que disent, écrivent, ou pensent les autres ! Encore faut-il que le rassemblement des sciences sociales soit complet, que l'on ne néglige pas les plus anciennes au bénéfice des plus jeunes, capables de tant promettre, sinon de toujours tenir. Par exemple, la place faite à la géographie dans ces tentatives américaines est pratiquement nulle, extrêmement mince celle que l'on concède à l'histoire. Et d'ailleurs, de quelle histoire s'agit-il?

De la crise que notre discipline a traversée au cours de ces vingt ou trente dernières années, les autres sciences sociales sont assez mal informées et leur tendance est de méconnaître, en même temps que les travaux des historiens, un aspect de la réalité sociale dont l'histoire est bonne servante, sinon toujours habile vendeuse : cette durée sociale, ces temps multiples et contradictoires de la vie des hommes, qui ne sont pas seulement la substance du passé, mais aussi l'étoffe de la vie sociale actuelle. Raison de plus pour signaler avec force, dans le débat qui s'instaure entre toutes les sciences de l'homme, l'importance, l'utilité de l'histoire, ou plutôt de la dialectique de la durée, telle qu'elle se dégage du métier, de l'observation répétée de l'historien; rien n'étant plus important, d'après nous, au centre de la réalité sociale, que cette opposition vive, intime, répétée indéfiniment, entre l'instant et le temps lent à s'écouler. Qu'il s'agisse du passé ou de l'actualité, une conscience nette de cette pluralité du temps social est indispensable à une méthodologie commune des sciences de l'homme.

Je parlerai donc longuement de l'histoire, du temps de l'histoire. Moins pour les lecteurs de cette revue, spécialistes de nos études, que pour nos voisins des sciences de l'homme : économistes, ethnographes,

ethnologues (ou anthropologues), sociologues, psychologues, linguistes, démographes, géographes, voire
mathématiciens sociaux ou statisticiens — tous
voisins que, depuis de longues années, nous avons suivis
dans leurs expériences et recherches parce qu'il nous
semblait (et il nous semble encore) que, mise à leur
remorque ou à leur contact, l'histoire s'éclaire d'un
jour nouveau. Peut-être, à notre tour, avons-nous
quelque chose à leur rendre. Des expériences et tentatives récentes de l'histoire, se dégage — consciente ou
non, acceptée ou non — une notion de plus en plus
précise de la multiplicité du temps et de la valeur exceptionnelle du temps long. Cette dernière notion, plus
que l'histoire elle-même — l'histoire aux cent visages
— devrait intéresser les sciences sociales, nos voisines.

I

## HISTOIRE ET DURÉES

Tout travail historique décompose le temps révolu,
choisit entre ses réalités chronologiques, selon des
préférences et exclusives plus ou moins conscientes.
L'histoire traditionnelle attentive au temps bref, à
l'individu, à l'événement, nous a depuis longtemps
habitués à son récit précipité, dramatique, de souffle
court.

La nouvelle histoire économique et sociale met au
premier plan de sa recherche l'oscillation cyclique et
elle mise sur sa durée : elle s'est prise au mirage, à la
réalité aussi des montées et descentes cycliques des
prix. Il y a ainsi, aujourd'hui, à côté du récit (ou du
« récitatif » traditionnel), un récitatif de la conjoncture qui met en cause le passé par larges tranches :
dizaines, vingtaines ou cinquantaines d'années.

Bien au delà de ce second récitatif se situe une histoire de souffle plus soutenu encore, d'ampleur sécu-

laire cette fois : l'histoire de longue, même de très longue durée. La formule, bonne ou mauvaise, m'est devenue familière pour désigner l'inverse de ce que François Simiand, l'un des premiers après Paul Lacombe, aura baptisé histoire événementielle. Peu importent ces formules; en tout cas c'est de l'une à l'autre, d'un pôle à l'autre du temps, de l'instantané à la longue durée que se situera notre discussion.

Non que ces mots soient d'une sûreté absolue. Ainsi le mot *événement*. Pour ma part, je voudrais le cantonner, l'emprisonner dans la courte durée : l'événement est explosif, « nouvelle sonnante », comme l'on disait au XVI<sup>e</sup> siècle. De sa fumée abusive, il emplit la conscience des contemporains, mais il ne dure guère, à peine voit-on sa flamme.

Les philosophes nous diraient, sans doute, que c'est vider le mot d'une grosse partie de son sens. Un événement, à la rigueur, peut se charger d'une série de significations ou d'accointances. Il porte témoignage parfois sur des mouvements très profonds, et par le jeu factice ou non des « causes » et des « effets » chers aux historiens d'hier, il s'annexe un temps très supérieur à sa propre durée. Extensible à l'infini, il se lie, librement ou non, à toute une chaîne d'événements, de réalités sous-jacentes, et impossibles, semble-t-il, à détacher dès lors les uns des autres. Par ce jeu d'additions, Benedetto Croce pouvait prétendre que, dans tout événement, l'histoire entière, l'homme entier s'incorporent et puis se redécouvrent à volonté. A condition, sans doute, d'ajouter à ce fragment ce qu'il ne contient pas au premier abord et donc de savoir ce qu'il est juste — ou non — de lui adjoindre. C'est ce jeu intelligent et dangereux que proposent des réflexions récentes de Jean-Paul Sartre (1).

Alors, disons plus clairement, au lieu d'événementiel : le temps court, à la mesure des individus,

(1) Jean-Paul Sartre, « Questions de méthode », *Les Temps Modernes*, 1957, n<sup>os</sup> 139 et 140.

de la vie quotidienne, de nos illusions, de nos prises rapides de conscience — le temps par excellence du chroniqueur, du journaliste. Or, remarquons-le, chronique ou journal donnent, à côté des grands événements, dits historiques, les médiocres accidents de la vie ordinaire : un incendie, une catastrophe ferroviaire, le prix du blé, un crime, une représentation théâtrale, une inondation. Chacun comprendra qu'il y ait, ainsi, un temps court de toutes les formes de la vie, économique, social, littéraire, institutionnel, religieux, géographique même (un coup de vent, une tempête), aussi bien que politique.

A la première appréhension, le passé est cette masse de menus faits, les uns éclatants, les autres obscurs et indéfiniment répétés, ceux même dont la microsociologie ou la sociométrie, dans l'actualité, font leur butin quotidien (il y a aussi une microhistoire). Mais cette masse ne constitue pas toute la réalité, toute l'épaisseur de l'histoire sur quoi peut travailler à l'aise la réflexion scientifique. La science sociale a presque horreur de l'événement. Non sans raison : le temps court est la plus capricieuse, la plus trompeuse des durées.

D'où chez certains d'entre nous, historiens, une méfiance vive à l'égard d'une histoire traditionnelle, dite événementielle, l'étiquette se confondant avec celle d'histoire politique, non sans quelque inexactitude : l'histoire politique n'est pas forcément événementielle, ni condamnée à l'être. C'est un fait cependant que sauf les tableaux factices, presque sans épaisseur temporelle, dont elle coupait ses récits (1), sauf les explications de longue durée dont il fallait bien l'assortir, c'est un fait que, dans son ensemble, l'histoire des cent dernières années, presque toujours politique, centrée sur le drame des « grands événements », a travaillé dans et sur le temps court. Ce fut peut-être la rançon des progrès accomplis, pendant

---

(1) « L'Europe en 1500 », « le Monde en 1880 », « l'Allemagne à la veille de la Réforme »...

cette même période, dans la conquête scientifique d'instruments de travail et de méthodes rigoureuses. La découverte massive du document a fait croire à l'historien que dans l'authenticité documentaire était la vérité entière. « Il suffit, écrivait hier encore Louis Halphen (1), de se laisser en quelque sorte porter par les documents, lus l'un après l'autre, tels qu'ils s'offrent à nous, pour voir la chaîne des faits se reconstituer presque automatiquement. » Cet idéal, « l'histoire à l'état naissant », aboutit vers la fin du XIXᵉ siècle à une chronique d'un nouveau style, qui, dans son ambition d'exactitude, suit pas à pas l'histoire événementielle telle qu'elle se dégage de correspondances d'ambassadeurs ou de débats parlementaires. Les historiens du XVIIIᵉ siècle et du début du XIXᵉ avaient été autrement attentifs aux perspectives de la longue durée que seuls, par la suite, de grands esprits, un Michelet, un Ranke, un Jacob Burckhardt, un Fustel surent redécouvrir. Si l'on accepte que ce dépassement du temps court a été le bien le plus précieux, parce que le plus rare, de l'historiographie des cent dernières années, on comprendra le rôle éminent de l'histoire des institutions, des religions, des civilisations, et, grâce à l'archéologie à qui il faut de vastes espaces chronologiques, le rôle d'avant-garde des études consacrées à l'antiquité classique. Hier, elles ont sauvé notre métier.

La rupture récente avec les formes traditionnelles de l'histoire du XIXᵉ siècle n'a pas été une rupture totale avec le temps court. Elle a joué, on le sait, au bénéfice de l'histoire économique et sociale, au détriment de l'histoire politique. D'où un bouleversement et un indéniable renouveau; d'où, inévitablement, des changements de méthode, des déplacements de centres d'intérêt avec l'entrée en scène d'une

(1) Louis Halphen, *Introduction à l'Histoire*, Paris, P.U.F., 1946, p. 50.

histoire quantitative qui, certainement, n'a pas dit son dernier mot.

Mais surtout, il y a eu altération du temps historique traditionnel. Une journée, une année pouvaient paraître de bonnes mesures à un historien politique, hier. Le temps était une somme de journées. Mais une courbe des prix, une progression démographique, le mouvement des salaires, les variations du taux d'intérêt, l'étude (plus rêvée que réalisée) de la production, une analyse serrée de la circulation réclament des mesures beaucoup plus larges.

Un mode nouveau de récit historique apparaît, disons le « récitatif » de la conjoncture, du cycle, voire de l' « intercycle », qui propose à notre choix une dizaine d'années, un quart de siècle et, à l'extrême limite, le demi-siècle du cycle classique de Kondratieff. Par exemple, compte non tenu des accidents brefs et de surface, les prix montent, en Europe, de 1791 à 1817; ils fléchissent de 1817 à 1852 : ce double et lent mouvement de montée et de recul représente un intercycle complet à l'heure de l'Europe et, à peu près, du monde entier. Sans doute ces périodes chronologiques n'ont-elles pas une valeur absolue. A d'autres baromètres, celui de la croissance économique et du revenu ou du produit national, François Perroux (1) nous offrirait d'autres bornes, plus valables peut-être. Mais peu importent ces discussions en cours! L'historien dispose sûrement d'un temps nouveau, élevé à la hauteur d'une explication où l'histoire peut tenter de s'inscrire, se découpant suivant des repères inédits, selon ces courbes et leur respiration même.

C'est ainsi qu'Ernest Labrousse et ses élèves ont mis en chantier, depuis leur manifeste du dernier Congrès historique de Rome (1955), une vaste enquête d'histoire sociale, sous le signe de la quantification. Je ne crois pas trahir leur dessein en disant que cette enquête aboutira forcément à la détermination de

---

(1) Cf. sa *Théorie générale du progrès économique*, Cahiers de l'I.S.E.A., 1957.

conjonctures (voire de structures) sociales, rien ne nous assurant, à l'avance, que ce type de conjoncture aura la même vitesse ou la même lenteur que l'économique. D'ailleurs ces deux gros personnages, conjoncture économique et conjoncture sociale, ne doivent pas nous faire perdre de vue d'autres acteurs, dont la marche sera difficile à déterminer, peut-être indéterminable, faute de mesures précises. Les sciences, les techniques, les institutions politiques, les outillages mentaux, les civilisations (pour employer ce mot commode) ont également leur rythme de vie et de croissance, et la nouvelle histoire conjoncturelle sera seulement au point lorsqu'elle aura complété son orchestre.

En toute logique, ce récitatif aurait dû, par son dépassement même, conduire à la longue durée. Mais, pour mille raisons, le dépassement n'a pas été la règle et un retour au temps court s'accomplit sous nos yeux; peut-être parce qu'il semble plus nécessaire (ou plus urgent) de coudre ensemble l'histoire « cyclique » et l'histoire courte traditionnelle que d'aller de l'avant, vers l'inconnu. En termes militaires, il s'agirait là de consolider des positions acquises. Le premier grand livre d'Ernest Labrousse, en 1933, étudiait ainsi le mouvement général des prix en France au XVIIIe siècle (1), mouvement séculaire. En 1943, dans le plus grand livre d'histoire paru en France au cours de ces vingt-cinq dernières années, le même Ernest Labrousse cédait à ce besoin de retour à un temps moins encombrant, quand, au creux même de la dépression de 1774 à 1791, il signalait une des sources vigoureuses de la Révolution française, une de ses rampes de lancement. Encore mettait-il en cause un demi-intercycle, mesure large. Sa communication au Congrès international de Paris, en 1948, *Comment naissent les révolutions?* s'efforce de lier, cette fois, un pathétisme économique de courte durée (nouveau style),

_____

(1) *Esquisse du mouvement des prix et des revenus en France au XVIIIe siècle*, 2 vol., Paris, Dalloz, 1933.

à un pathétisme politique (très vieux style), celui des
journées révolutionnaires. Nous revoici dans le temps
court, et jusqu'au cou. Bien entendu, l'opération
est licite, utile, mais comme elle est symptomatique !
L'historien est volontiers metteur en scène. Comment
renoncerait-il au drame du temps bref, aux meilleures
ficelles d'un très vieux métier?

Au delà des cycles et intercycles, il y a ce que les
économistes appellent, sans toujours l'étudier, la
tendance séculaire. Mais elle n'intéresse encore que
de rares économistes et leurs considérations sur les
crises structurelles, n'ayant pas subi l'épreuve des
vérifications historiques, se présentent comme des
ébauches ou des hypothèses, à peine enfoncées dans
le passé récent, jusqu'en 1929, au plus jusqu'aux
années 1870 (1). Elles offrent cependant une utile
introduction à l'histoire de longue durée. Elles sont
une première clef.

La seconde, bien plus utile, est le mot de *structure*.
Bon ou mauvais, celui-ci domine les problèmes de la
longue durée. Par *structure*, les observateurs du social
entendent une organisation, une cohérence, des rapports assez fixes entre réalités et masses sociales.
Pour nous, historiens, une structure est sans doute
assemblage, architecture, mais plus encore une réalité
que le temps use mal et véhicule très longuement.
Certaines structures, à vivre longtemps, deviennent
des éléments stables d'une infinité de générations :
elles encombrent l'histoire, en gênent, donc en commandent, l'écoulement. D'autres sont plus promptes
à s'effriter. Mais toutes sont à la fois soutiens et
obstacles. Obstacles, elles se marquent comme des
limites (des *enveloppes*, au sens mathématique) dont
l'homme et ses expériences ne peuvent guère s'affran-

(1) Mise au point chez René Clémens, *Prolégomènes d'une
théorie de la structure économique*, Paris, Domat-Montchrestien,
1952; — voir aussi Johann Akerman, « Cycle et structure »,
*Revue économique*, 1952, n° 1.

chir. Songez à la difficulté de briser certains cadres géographiques, certaines réalités biologiques, certaines limites de la productivité, voire telles ou telles contraintes spirituelles : les cadres mentaux aussi sont prisons de longue durée.

L'exemple le plus accessible semble encore celui de la contrainte géographique. L'homme est prisonnier, des siècles durant, de climats, de végétations, de populations animales, de cultures, d'un équilibre lentement construit, dont il ne peut s'écarter sans risquer de remettre tout en cause. Voyez la place de la transhumance dans la vie montagnarde, la permanence de certains secteurs de vie maritime, enracinés en tels points privilégiés des articulations littorales, voyez la durable implantation des villes, la persistance des routes et des trafics, la fixité surprenante du cadre géographique des civilisations.

Mêmes permanences ou survivances dans l'immense domaine culturel. Le livre magnifique d'Ernst Robert Curtius (1) qui a enfin paru dans une traduction française, est l'étude d'un système culturel qui prolonge, en la déformant par ses choix, la civilisation latine du Bas-Empire, accablée elle-même sous un lourd héritage : jusqu'aux XIII$^e$ et XIV$^e$ siècles, jusqu'à la naissance des littératures nationales, la civilisation des élites intellectuelles a vécu des mêmes thèmes, des mêmes comparaisons, des mêmes lieux communs et rengaines. Dans une ligne de pensée analogue, l'étude de Lucien Febvre, *Rabelais et le problème de l'incroyance au XVI$^e$ siècle* (2), s'est attachée à préciser l'outillage mental de la pensée française à l'époque de Rabelais, cet ensemble de conceptions qui, bien avant Rabelais et longtemps après lui, a

---

(1) Ernst Robert Curtius, *Europaïsche Literatur und lateinisches Mittelalter*, Berne, 1948; traduction française : *La Littérature européenne et le Moyen Age latin*, Paris, P.U.F., 1956.
   (2) Paris, Albin Michel, 1943, 3$^e$ éd. 1969.

commandé les arts de vivre, de penser et de croire, et
a limité durement, à l'avance, l'aventure intellectuelle
des esprits les plus libres. Le thème que traite Alphonse
Dupront (1) se présente lui aussi comme une des plus
neuves recherches de l'École historique française.
L'idée de croisade y est considérée, en Occident, au
delà du XIVᵉ siècle, c'est-à-dire bien au delà de la
« vraie » croisade, dans la continuité d'une attitude
de longue durée qui, sans fin répétée, traverse les
sociétés, les mondes, les psychismes les plus divers et
touche d'un dernier reflet les hommes du XIXᵉ siècle.
Dans un domaine encore voisin, le livre de Pierre
Francastel, *Peinture et Société* (2), signale, à partir
des débuts de la Renaissance florentine, la permanence
d'un espace pictural « géométrique » que rien n'altérera
plus jusqu'au cubisme et à la peinture intellectuelle des
débuts de notre siècle. L'histoire des sciences connaît,
elle aussi, des univers construits qui sont autant
d'explications imparfaites, mais à qui des siècles de
durée sont accordés régulièrement. Ils ne sont rejetés
qu'après avoir longuement servi. L'univers aristoté-
licien se maintient sans contestation, ou presque,
jusqu'à Galilée, Descartes et Newton ; il s'efface alors
devant un univers profondément géométrisé qui, à son
tour, s'effondrera, mais beaucoup plus tard, devant
les révolutions einsteiniennes (3).

La difficulté, par un paradoxe seulement apparent,
est de déceler la longue durée dans le domaine où la
recherche historique vient de remporter ses succès

---

(1) *Le mythe de Croisade. Essai de sociologie religieuse*, thèse
dactylographiée, Sorbonne.
(2) Pierre Francastel, *Peinture et Société. Naissance et destruction d'un espace plastique, de la Renaissance au cubisme*,
Lyon, Audin, 1951.
(3) Autres arguments : je mettrais volontiers en cause les
puissants articles qui tous plaident dans le même sens, d'Otto
Brunner sur l'histoire sociale de l'Europe, *Historische Zeitschrift*,
t. 177, nº 3 ; — de R. Bultmann, *ibidem*, t. 176, nº 1, sur l'humanisme ; — de Georges Lefebvre, *Annales historiques de la Révolution française*, 1949, nº 114, et de F. Hartung, *Historische
Zeitschrift*, t. 180, nº 1, sur le Despotisme éclairé...

indéniables : le domaine économique. Cycles, intercycles, crises structurelles cachent ici les régularités,
les permanences de systèmes, certains ont dit de civilisations (1) — c'est-à-dire de vieilles habitudes de
penser et d'agir, de cadres résistants, durs à mourir,
parfois contre toute logique.

Mais raisonnons sur un exemple, vite analysé.
Voici, près de nous, dans le cadre de l'Europe, un
système économique qui s'inscrit dans quelques lignes
et règles générales assez nettes : il se maintient à peu
près en place du XIV$^e$ au XVIII$^e$ siècle, disons, pour plus
de sécurité, jusque vers 1750. Des siècles durant,
l'activité économique dépend de populations démographiquement fragiles, comme le montreront les
grands reflux de 1350-1450 et, sans doute, de 1630-
1730 (2). Des siècles durant, la circulation voit le
triomphe de l'eau et du navire, toute épaisseur continentale étant obstacle, infériorité. Les essors européens,
sauf les exceptions qui confirment la règle (foires de
Champagne déjà sur leur déclin au début de la période,
ou foires de Leipzig au XVIII$^e$ siècle), tous ces essors
se situent au long des franges littorales. Autres caractéristiques de ce système : la primauté des marchands;
le rôle éminent des métaux précieux, or, argent et
même cuivre, dont les heurts incessants ne seront
amortis, et encore, que par le développement décisif
du crédit, avec la fin du XVI$^e$ siècle; les morsures
répétées des crises agricoles saisonnières; la fragilité,
dirons-nous, du plancher même de la vie économique;
le rôle enfin, disproportionné à première vue, d'un
ou deux grands trafics extérieurs : le commerce du
Levant du XII$^e$ au XVI$^e$ siècle, le commerce colonial
au XVIII$^e$.

J'ai défini ainsi, ou plutôt évoqué à mon tour après
quelques autres, les traits majeurs, pour l'Europe
occidentale, du capitalisme marchand, étape de longue

---

(1) René Courtin, *La Civilisation économique du Brésil*, Paris,
Librairie de Médicis, 1941.
(2) A l'heure française. En Espagne, le reflux démographique
se marque dès la fin du XVI$^e$ siècle.

durée. Malgré tous les changements évidents qui les
traversent, ces quatre ou cinq siècles de vie économique ont eu une *certaine* cohérence, jusqu'au bouleversement du XVIII<sup>e</sup> siècle et de la révolution industrielle dont nous ne sommes pas encore sortis. Des
traits leur sont communs et demeurent immuables
tandis qu'autour d'eux, parmi d'autres continuités,
mille ruptures et bouleversements renouvelaient le
visage du monde.

   Entre les temps différents de l'histoire, la longue
durée se présente ainsi comme un personnage encombrant, compliqué, souvent inédit. L'admettre au cœur
de notre métier ne sera pas un simple jeu, l'habituel
élargissement d'études et de curiosités. Il ne s'agira
pas, non plus, d'un choix dont il serait le seul bénéficiaire. Pour l'historien, l'accepter c'est se prêter à
un changement de style, d'attitude, à un renversement
de pensée, à une nouvelle conception du social. C'est
se familiariser avec un temps ralenti, parfois presque
à la limite du mouvant. A cet étage, non pas à un autre
— j'y reviendrai — il est licite de se déprendre du
temps exigeant de l'histoire, en sortir, puis y revenir,
mais avec d'autres yeux, chargés d'autres inquiétudes,
d'autres questions. En tout cas, c'est par rapport à
ces nappes d'histoire lente que la totalité de l'histoire
peut se repenser, comme à partir d'une infrastructure.
Tous les étages, tous les milliers d'étages, tous les
milliers d'éclatements du temps de l'histoire se com-
prennent à partir de cette profondeur, de cette semi-
immobilité; tout gravite autour d'elle.

   Dans les lignes qui précèdent, je ne prétends pas
avoir défini le métier d'historien — mais une conception de ce métier. Heureux, et bien naïf, qui penserait,
après les orages des dernières années, que nous avons
trouvé les vrais principes, les limites claires, la bonne
École. En fait, tous les métiers des sciences sociales

ne cessent de se transformer en raison de leurs mouvements propres et du mouvement vif de l'ensemble.
L'histoire ne fait pas exception. Aucune quiétude
n'est donc en vue et l'heure des disciples n'a pas
sonné. Il y a loin de Charles-Victor Langlois et Charles
Seignobos à Marc Bloch. Mais depuis Marc Bloch,
la roue n'a pas cessé de tourner. Pour moi, l'histoire
est la somme de toutes les histoires possibles — une
collection de métiers et de points de vue, d'hier,
d'aujourd'hui, de demain.

La seule erreur, à mon avis, serait de choisir l'une
de ces histoires à l'exclusion des autres. Ce fut, ce
serait l'erreur historisante. Il ne sera pas commode,
on le sait, d'en convaincre tous les historiens et,
moins encore, les sciences sociales, acharnées à nous
ramener à l'histoire telle qu'elle était hier. Il nous
faudra beaucoup de temps et de peine pour faire
admettre tous ces changements et nouveautés sous le
vieux nom d'histoire. Et pourtant, une « science »
historique nouvelle est née, qui continue à s'interroger
et à se transformer. Elle s'annonce, chez nous, dès 1900
avec la *Revue de Synthèse historique* et avec les *Annales*
à partir de 1929. L'historien s'est voulu attentif à
*toutes* les sciences de l'homme. Voilà qui donne à
notre métier d'étranges frontières et d'étranges curiosités. Aussi bien, n'imaginons pas entre l'historien
et l'observateur des sciences sociales les barrières et
différences d'hier. Toutes les sciences de l'homme, y
compris l'histoire, sont contaminées les unes par les
autres. Elles parlent le même langage ou peuvent le
parler.

Qu'on se place en 1558 ou en l'an de grâce 1958,
il s'agit, pour qui veut saisir le monde, de définir une
hiérarchie de forces, de courants, de mouvements
particuliers, puis de ressaisir une constellation d'ensemble. A chaque instant de cette recherche, il faudra
distinguer entre mouvements longs et poussées brèves,
celles-ci prises dès leurs sources immédiates, ceux-là
dans la lancée d'un temps lointain. Le monde de 1558,
si maussade à l'heure française, n'est pas né au seuil

de cette année sans charme. Et pas davantage, toujours à l'heure française, notre difficile année 1958. Chaque « actualité » rassemble des mouvements d'origine, de rythme différents : le temps d'aujourd'hui date à la fois d'hier, d'avant-hier, de jadis.

II

LA QUERELLE DU TEMPS COURT

Ces vérités sont certes banales. Cependant, les sciences sociales ne sont guère tentées par la recherche du temps perdu. Non que l'on puisse dresser contre elles un réquisitoire ferme et les déclarer coupables, toujours, de ne pas accepter l'histoire ou la durée comme dimensions nécessaires de leurs études. Elles nous font même, en apparence, bon accueil; l'examen « diachronique » qui réintroduit l'histoire n'est jamais absent de leurs préoccupations théoriques.

Pourtant ces acquiescements écartés, il faut bien convenir que les sciences sociales, par goût, par instinct profond, peut-être par formation, tendent à échapper toujours à l'explication historique; elles lui échappent par deux démarches quasi opposées : l'une « événementialise », ou si l'on veut « actualise » à l'excès les études sociales, grâce à une sociologie empirique, dédaigneuse de toute histoire, limitée aux données du temps court, de l'enquête sur le vif; l'autre dépasse purement et simplement le temps en imaginant au terme d'une « science de la communication » une formulation mathématique de structures quasi intemporelles. Cette dernière démarche, la plus neuve de toutes, est évidemment la seule qui puisse nous intéresser profondément. Mais l'événementiel a encore assez de partisans pour que les deux aspects de la question vaillent d'être examinés tour à tour.

Nous avons dit notre méfiance à l'égard d'une histoire purement événementielle. Soyons juste : s'il y a péché *événementialiste*, l'histoire, accusée de choix, n'est pas la seule coupable. Toutes les sciences sociales participent à l'erreur. Économistes, démographes, géographes sont partagés entre hier et aujourd'hui (mais mal partagés); il leur faudrait pour être sages maintenir la balance égale, ce qui est facile et obligatoire pour le démographe; ce qui va presque de soi pour les géographes (particulièrement les nôtres nourris de la tradition vidalienne); ce qui n'arrive que rarement, par contre, pour les économistes, prisonniers de l'actualité la plus courte, entre une limite arrière qui ne va guère en deçà de 1945 et un aujourd'hui que les plans et prévisions prolongent dans l'avenir immédiat de quelques mois, au plus de quelques années. Je soutiens que toute la pensée économique est coincée par cette restriction temporelle. Aux historiens, disent les économistes, d'aller en deçà de 1945, à la recherche des économies anciennes; mais, ce faisant, ils se privent d'un merveilleux champ d'observation, qu'ils ont abandonné d'eux-mêmes, sans en nier pour autant la valeur. L'économiste a pris l'habitude de courir au service de l'actuel, au service des gouvernements.

La position des ethnographes et ethnologues n'est pas aussi nette, ni aussi alarmante. Quelques-uns d'entre eux ont bien souligné l'impossibilité (mais à l'impossible, tout intellectuel est tenu) et l'inutilité de l'histoire à l'intérieur de leur métier. Ce refus autoritaire de l'histoire n'aura guère servi Malinowski et ses disciples. En fait, comment l'anthropologie se désintéresserait-elle de l'histoire? Elle est la même aventure de l'esprit, comme aime à le dire Claude Lévi-Strauss (1). Il n'y a pas de société, si fruste soit-elle, qui ne révèle à l'observation « les griffes de l'événement », pas de société non plus dont l'histoire ait

(1) Claude Lévi-Strauss, *Anthropologie structurale*, *op. cit.*, p. 31.

fait entièrement naufrage. De ce côté, nous aurions
tort de nous plaindre, ou d'insister.

Par contre, notre querelle sera assez vive aux frontières du temps court, à l'égard de la sociologie des
enquêtes sur l'actuel, les enquêtes aux mille directions,
entre sociologie, psychologie et économie. Elles pro-
vignent chez nous, comme à l'étranger. Elles sont, à
leur façon, un pari répété sur la valeur irremplaçable
du temps présent, sa chaleur « volcanique », sa
richesse foisonnante. A quoi bon se retourner vers le
temps de l'histoire : appauvri, simplifié, dévasté par le silence, reconstruit — insistons bien : *reconstruit*. En vérité, est-il si mort, si reconstruit qu'on veut bien le dire?
Sans doute l'historien a-t-il trop de facilité à dégager
d'une époque révolue l'essentiel; pour parler comme
Henri Pirenne, il en distingue sans peine les « événements importants », entendez « ceux qui ont eu des
conséquences ». Simplification évidente et dangereuse.
Mais que ne donnerait le voyageur de l'actuel pour
avoir ce recul (ou cette avance dans le temps) qui
démasquerait et simplifierait la vie présente, confuse,
peu lisible parce que trop encombrée de gestes et
signes mineurs? Claude Lévi-Strauss prétend qu'une
heure de conversation avec un contemporain de Platon
le renseignerait, plus que nos discours classiques, sur
la cohérence ou l'incohérence de la civilisation de la
Grèce antique (1). J'en suis bien d'accord. Mais c'est
qu'il a, des années durant, entendu cent voix grecques
sauvées du silence. L'historien a préparé le voyage.
Une heure dans la Grèce d'aujourd'hui ne lui appren-
drait rien, ou presque rien, sur les cohérences ou
incohérences actuelles.

Plus encore, l'enquêteur sur le temps présent n'arrive
jusqu'aux trames « fines » des structures qu'à condition, lui aussi, de *reconstruire*, d'avancer hypothèses
et explications, de refuser le réel tel qu'il se perçoit,
de le tronquer, de le dépasser, toutes opérations qui
permettent d'échapper au donné pour le mieux

(1) « Diogène couché », *Les Temps Modernes*, nº 195, p. 17.

dominer, mais qui, toutes, sont reconstructions. Je doute que la photographie sociologique du présent soit plus « vraie » que le tableau historique du passé, et d'autant moins qu'elle se voudra plus éloignée du *reconstruit*.

Philippe Ariès (1) a insisté sur l'importance du dépaysement, de la surprise dans l'explication historique : vous butez, au XVIe siècle, sur une étrangeté, étrangeté pour vous, homme du XXe. Pourquoi cette différence? Le problème est posé. Mais je dirai que la surprise, le dépaysement, l'éloignement — ces grands moyens de connaissance — ne sont pas moins nécessaires pour comprendre ce qui vous entoure, et de si près que vous ne le voyez plus avec netteté. Vivez à Londres une année, et vous connaîtrez fort mal l'Angleterre. Mais, par comparaison, à la lumière de vos étonnements, vous aurez brusquement compris quelques-uns des traits les plus profonds et originaux de la France, ceux que vous ne connaissiez pas à force de les connaître. Face à l'actuel, le passé, lui aussi, est dépaysement.

Historiens et *social scientists* pourraient donc éternellement se renvoyer la balle sur le document mort et le témoignage trop vivant, le passé lointain, l'actualité trop proche. Je ne crois pas ce problème essentiel. Présent et passé s'éclairent de leur lumière réciproque. Et si l'on observe exclusivement dans l'étroite actualité, l'attention ira vers ce qui bouge vite, brille à tort ou à raison, ou vient de changer, ou fait du bruit, ou se révèle sans peine. Tout un événementiel, aussi fastidieux que celui des sciences historiques, guette l'observateur pressé, ethnographe qui donne rendez-vous pour trois mois à une peuplade polynésienne, sociologue industriel qui livre les clichés de sa dernière enquête, ou qui pense, avec des questionnaires habiles et les combinaisons des fiches perforées,

(1) *Le Temps de l'histoire*, Paris, Plon, 1954, notamment p. 298 et suiv.

cerner parfaitement un mécanisme social. Le social est un gibier autrement rusé.

En vérité, quel intérêt pouvons-nous prendre, nous, sciences de l'homme, aux déplacements, dont parle une vaste et bonne enquête sur la région parisienne (1), d'une jeune fille entre son domicile, dans le XVIe arrondissement, son professeur de musique et les Sciences-Po? On en tire une jolie carte. Mais eût-elle fait des études d'agronomie ou pratiqué le ski nautique que tout eût été changé de ses voyages triangulaires. Je me réjouis de voir, sur une carte, la répartition des domiciles des employés d'une grosse entreprise. Mais si je n'ai pas une carte antérieure de la répartition, si la distance chronologique entre les relevés n'est pas suffisante pour permettre de tout inscrire dans un vrai mouvement, où est le problème sans quoi une enquête reste peine perdue? L'intérêt de ces enquêtes pour l'enquête, c'est, au plus, d'accumuler des renseignements; encore ne seront-ils pas tous valables *ipso facto* pour des travaux *futurs*. Méfions-nous de l'art pour l'art.

Je doute pareillement qu'une étude de ville, quelle qu'elle soit, puisse être l'objet d'une enquête sociologique comme ce fut le cas pour Auxerre (2), ou Vienne en Dauphiné (3), sans s'inscrire dans la durée historique. Toute ville, société tendue avec ses crises, ses coupures, ses pannes, ses calculs nécessaires, est à replacer dans le complexe des campagnes proches qui l'entourent, et aussi de ces archipels de villes voisines dont, l'un des premiers, aura parlé l'historien Richard Häpke; et donc dans le mouvement, plus ou moins éloigné dans le temps, souvent très éloigné dans

---

(1) P. Chombart de Lauwe, *Paris et l'agglomération parisienne*, Paris, P.U.F., 1952, t. I, p. 106.
(2) Suzanne Frère et Charles Bettelheim, *Une ville française moyenne, Auxerre en 1950*, Paris, Armand Colin, Cahiers des Sciences Politiques, no 17, 1951.
(3) Pierre Clément et Nelly Xydias, *Vienne-sur-le-Rhône. Sociologie d'une cité française*, Paris, Armand Colin, Cahiers des Sciences Politiques, no 71, 1955.

le temps, qui anime ce complexe. Est-il indifférent, n'est-il pas essentiel au contraire, si l'on enregistre tel échange campagne-ville, telle rivalité industrielle ou marchande, de savoir qu'il s'agit d'un mouvement jeune en plein élan ou d'une fin de course, d'une lointaine résurgence ou d'un monotone recommencement?

Concluons d'un mot : Lucien Febvre, durant les dix dernières années de sa vie, aura répété : « histoire science du passé, science du présent ». L'histoire, dialectique de la durée, n'est-elle pas à sa façon explication du social dans toute sa réalité? et donc de l'actuel? Sa leçon valant en ce domaine comme une mise en garde contre l'événement : ne pas penser dans le seul temps court, ne pas croire que les seuls acteurs qui font du bruit soient les plus authentiques; il en est d'autres et silencieux — mais qui ne le savait déjà?

III

COMMUNICATION ET MATHÉMATIQUES SOCIALES

Peut-être avons-nous eu tort de nous attarder à la frontière agitée du temps court. Le débat s'y déroule, en vérité, sans gros intérêt, du moins sans utile surprise. Le débat essentiel est ailleurs, chez nos voisins qu'emporte l'expérience la plus neuve des sciences sociales, sous le double signe de la « communication » et de la mathématique.

Mais ici le dossier ne sera pas facile à plaider, je veux dire qu'il sera peu aisé de prouver qu'aucune étude sociale n'échappe au temps de l'histoire, à propos de tentatives qui, apparemment au moins, se situent absolument en dehors de lui.

Dans cette discussion, en tout cas, le lecteur fera

bien, s'il veut nous suivre (pour nous approuver ou se séparer de notre point de vue), de peser à son tour, et un à un, les termes d'un vocabulaire, pas entièrement neuf, certes, mais repris, rajeuni dans des discussions nouvelles et qui se poursuivent sous nos yeux. Rien à redire, évidemment, au sujet de l'événement, ou de la longue durée. Pas grand-chose au sujet des *structures*, bien que le mot — et la chose — ne soit pas à l'abri des incertitudes et des discussions (1). Inutile aussi d'insister beaucoup sur les mots de *synchronie* et *diachronie*; ils se définissent d'eux-mêmes, bien que leur rôle, dans une étude concrète du social, soit moins facile à cerner qu'il n'y paraît. En effet, dans le langage de l'histoire (tel que je l'imagine), il ne peut guère y avoir de synchronie parfaite : un arrêt instantané, suspendant toutes les durées, est presque absurde en soi, ou, ce qui revient au même, très factice; de même une descente selon la pente du temps n'est pensable que sous la forme d'une multiplicité de descentes, selon les diverses et innombrables rivières du temps.

Ces brefs rappels et mises en garde suffiront, pour l'instant. Mais il faut être plus explicite en ce qui concerne *l'histoire inconsciente*, les *modèles*, les *mathématiques sociales*. Ces commentaires nécessaires se rejoignent d'ailleurs, ou — je l'espère — ne tarderont pas à se rejoindre, dans une problématique commune aux sciences sociales.

*L'histoire inconsciente*, c'est, bien entendu, l'histoire des formes inconscientes du social. « Les hommes font l'histoire, mais ils ignorent qu'ils la font (2). » La formule de Marx éclaire, mais n'explique pas le problème. En fait, sous un nom nouveau, c'est, une fois de plus, tout le problème du temps court, du « microtemps », de l'événementiel qui se repose à nous. Les hommes ont toujours eu l'impression, en vivant leur

<hr />

(1) Voir le Colloque sur les Structures, VI<sup>e</sup> Section de l'École pratique des Hautes Études, résumé dactylographié, 1958.
(2) Cité par Claude Lévi-Strauss, *Anthropologie structurale*, *op. cit.*, p. 30-31.

temps, d'en saisir le déroulement au jour le jour. Cette histoire consciente, claire, est-elle abusive, comme bien des historiens, depuis longtemps déjà, s'accordent à le penser? La linguistique croyait, hier, tout tirer des mots. L'histoire a eu l'illusion, elle, de tout tirer des événements. Plus d'un de nos contemporains croirait volontiers que tout est venu des accords de Yalta ou de Potsdam, des accidents de Dien-Bien-Phu ou de Sakhiet-Sidi-Youssef, ou de cet autre événement, autrement important, il est vrai, le lancement des spoutniks. L'histoire inconsciente se déroule au delà de ces lumières, de leurs flashes. Admettez donc qu'existe, à une certaine distance, un inconscient social. Admettez, par surcroît, en attendant mieux, que cet inconscient soit considéré comme plus riche, scientifiquement, que la surface miroitante à laquelle nos yeux sont habitués; plus riche scientifiquement, c'est-à-dire plus simple, plus aisé à exploiter — sinon à découvrir. Mais le départ entre surface claire et profondeurs obscures — entre bruit et silence — est difficile, aléatoire. Ajoutons que l'histoire « inconsciente », domaine à moitié du temps conjoncturel et, par excellence, du temps structurel, est souvent plus nettement perçue qu'on ne veut bien le dire. Chacun de nous a le sentiment, au delà de sa propre vie, d'une histoire de masse dont il reconnaît mieux, il est vrai, la puissance et les poussées que les lois ou la direction. Et cette conscience ne date pas seulement d'hier (ainsi en ce qui concerne l'histoire économique), si elle est, aujourd'hui, de plus en plus vive. La révolution, car c'est une révolution en esprit, a consisté à aborder de front cette demi-obscurité, à lui faire sa place de plus en plus large à côté, voire au détriment, de l'événementiel.

Dans cette prospection où l'histoire n'est pas seule (au contraire, elle n'a fait que suivre en ce domaine et adapter à son usage les points de vue des nouvelles sciences sociales), des instruments nouveaux de connaissance et d'investigation ont été construits : ainsi, plus ou moins perfectionnés, parfois artisanaux encore, les *modèles*. Les modèles ne sont que des hypothèses, des systèmes d'explications solidement liées selon la forme de l'équation ou de la fonction : ceci égale cela, ou détermine cela. Telle réalité n'apparaît pas sans que telle autre ne l'accompagne et, de celle-ci à celle-là, des rapports étroits et constants se révèlent. Le modèle établi avec soin permettra donc de mettre en cause, hors du milieu social observé — à partir duquel il a été, en somme, créé — d'autres milieux sociaux de même nature, à travers temps et espace. C'est sa valeur récurrente.

Ces systèmes d'explications varient à l'infini suivant le tempérament, le calcul ou le but des utilisateurs : simples ou complexes, qualitatifs ou quantitatifs, statiques ou dynamiques, mécaniques ou statistiques. Je reprends à C. Lévi-Strauss cette dernière distinction. Mécanique, le modèle serait à la dimension même de la réalité directement observée, réalité de petites dimensions n'intéressant que des groupes minuscules d'hommes (ainsi procèdent les ethnologues à propos des sociétés primitives). Pour les vastes sociétés, où les grands nombres interviennent, le calcul des moyennes s'impose : elles conduisent aux modèles statistiques. Mais peu importent ces définitions, parfois discutables !

L'essentiel, pour ma part, c'est, avant d'établir un programme commun des sciences sociales, de préciser le rôle et les limites du modèle, que certaines initiatives risquent de grossir abusivement. D'où la nécessité de confronter les modèles, eux aussi, avec l'idée de durée; car de la durée qu'ils impliquent dépendent assez étroitement, à mon sens, leur signification et leur valeur d'explication.

Pour être plus clair, prenons des exemples parmi des modèles historiques (1), j'entends fabriqués par des

---

(1) Il serait tentant de faire une place aux « modèles » des économistes qui, en vérité, ont commandé notre imitation.

historiens, modèles assez grossiers, rudimentaires, rarement poussés jusqu'à la rigueur d'une véritable règle scientifique et jamais soucieux de déboucher sur un langage mathématique révolutionnaire — modèles toutefois à leur façon.

Nous avons parlé plus haut du capitalisme marchand entre XIVe et XVIIIe siècles : il s'agit là d'un modèle, entre plusieurs, que l'on peut dégager de l'œuvre de Marx. Il ne s'applique pleinement qu'à une famille donnée de sociétés, pendant un temps donné, s'il laisse la porte ouverte à toutes les extrapolations.

Il en va autrement déjà du modèle que j'ai esquissé, dans un livre ancien (1), d'un cycle de développement économique, à propos des villes italiennes entre XVIe et XVIIIe siècles, tour à tour marchandes, « industrielles », puis spécialisées dans le commerce de la banque ; cette dernière activité, la plus lente à s'épanouir, la plus lente aussi à s'effacer. Plus restreinte, en fait, que la structure du capitalisme marchand, cette esquisse serait, plus facilement que celle-là, extensible dans la durée et dans l'espace. Elle enregistre un phénomène (certains diraient une structure dynamique, mais toutes les structures de l'histoire sont au moins élémentairement dynamiques) apte à se reproduire dans un nombre de circonstances aisées à retrouver. Peut-être en serait-il de même de ce modèle, esquissé par Frank Spooner et par moi-même (2) à propos de l'histoire des métaux précieux, avant, pendant et après le XVIe siècle : or, argent, cuivre — et crédit, ce substitut agile du métal — sont, eux aussi, des joueurs ; la « stratégie » de l'un pèse sur la « stratégie » de l'autre. Il ne sera pas difficile de transporter ce modèle hors du siècle privilégié et particulièrement mouvementé, le XVIe, que nous avons choisi pour notre observation. Des économistes n'ont-ils pas essayé, dans le cas

(1) *La Méditerranée et le monde méditerranéen à l'époque de Philippe II*, Paris, Armand Colin, 1949, p. 264 et suiv.

(2) Fernand Braudel et Frank Spooner, *Les métaux monétaires et l'économie du XVIe siècle. Rapports au Congrès international de Rome*, 1955, vol. IV, p. 233-264.

particulier des pays sous-développés d'aujourd'hui,
de vérifier la vieille théorie quantitative de la monnaie,
modèle, elle aussi, à sa façon (1)?

Mais les possibilités de durée de tous ces modèles
sont brèves encore si on les compare à celles du modèle
imaginé par un jeune historien sociologue américain,
Sigmund Diamond (2). Frappé du double langage de la
classe dominante des grands financiers américains
contemporains de Pierpont Morgan, langage intérieur
à la classe et langage extérieur (ce dernier, au vrai,
plaidoirie vis-à-vis de l'opinion publique à qui l'on
représente le succès du financier comme le triomphe
typique du *self-made man*, la condition de la fortune
de la nation elle-même), frappé de ce double langage,
il y voit la réaction habituelle à toute classe dominante
qui sent son prestige atteint et ses privilèges menacés;
il lui faut, pour se masquer, confondre son sort avec
celui de la Cité ou de la Nation, son intérêt particulier avec l'intérêt public. S. Diamond expliquerait
volontiers, de la même manière, l'évolution de l'idée
de dynastie ou d'empire, dynastie anglaise, empire
romain... Le modèle ainsi conçu est évidemment
capable de courir les siècles. Il suppose certaines
conditions sociales précises, mais dont l'histoire a été
prodigue : il est valable par suite pour une durée
beaucoup plus longue que les modèles précédents,
mais en même temps il met en cause des réalités plus
précises, plus étroites.

A la limite, comme diraient les mathématiciens,
ce genre de modèle rejoindrait les modèles favoris,
quasi intemporels, des sociologues mathématiciens.
Quasi intemporels, c'est-à-dire, en vérité, circulant
par les routes obscures et inédites de la très longue
durée.

Les explications qui précèdent ne sont qu'une

(1) Alexandre Chabert, *Structure économique et théorie moné-
taire*, Paris, Armand Colin, Publ. du Centre d'Études économiques, 1956.
(2) Sigmund Diamond, *The Reputation of the American Busi-
nessman*, Cambridge (Massachusetts), 1955.

insuffisante introduction à la science et à la théorie des modèles. Et il s'en faut que les historiens occupent là des positions d'avant-garde. Leurs modèles ne sont guère que des faisceaux d'explications. Nos collègues sont autrement ambitieux et avancés dans la recherche, qui essaient de rejoindre les théories et les langages de l'information, de la communication ou des mathématiques qualitatives. Leur mérite — qui est grand — étant d'accueillir dans leur domaine ce langage subtil, les mathématiques, mais qui risque à la moindre inattention d'échapper à notre contrôle et de courir, Dieu sait où! Information, communication, mathématiques qualitatives, tout se rassemble assez bien sous le vocable autrement large des mathématiques sociales. Encore faut-il, comme nous le pourrons, éclairer notre lanterne.

Les mathématiques sociales (1), ce sont au moins trois langages et qui peuvent encore se mêler et n'excluent pas une suite. Les mathématiciens ne sont pas à bout d'imagination. En tout cas, il n'y a pas *une* mathématique, *la* mathématique (ou alors c'est une revendication). « On ne doit pas dire l'algèbre, la géométrie, mais une algèbre, une géométrie » (Th. Guilbaud), ce qui ne simplifie pas nos problèmes, ni les leurs. Trois langages donc : celui des faits de nécessité (l'un est donné, l'autre suit), c'est le domaine des mathématiques traditionnelles; le langage des faits aléatoires, depuis Pascal — c'est le domaine du calcul des probabilités; le langage enfin des faits conditionnés, ni déterminés, ni aléatoires, mais soumis à certaines contraintes, à des règles de jeux, dans l'axe de la « stratégie » des jeux de Von Neumann et

---

(1) Voir spécialement Claude Lévi-Strauss, *Bulletin International des Sciences sociales*, UNESCO, VI, no 4, et plus généralement tout ce numéro d'un grand intérêt, intitulé : *Les mathématiques et les sciences sociales*.

Morgenstern (1), cette stratégie triomphante qui n'en est pas restée aux seuls principes et hardiesses de ses fondateurs. La stratégie des jeux, par l'utilisation des ensembles, des groupes, du calcul même des probabilités, ouvre la voie aux mathématiques « quantitatives ». Dès lors le passage de l'observation à la formulation mathématique ne se fait plus obligatoirement par la voie difficile des mesures et des longs calculs statistiques. De l'analyse du social on peut passer directement à une formulation mathématique, à la machine à calculer, dirons-nous.

Évidemment, il faut préparer la besogne de cette machine qui n'avale ni ne triture toutes les nourritures. C'est d'ailleurs en fonction de véritables machines, de leurs règles de fonctionnement, pour les *communications* au sens le plus matériel du mot, que s'est ébauchée et développée une science de l'information. L'auteur de cet article n'est nullement un spécialiste en ces domaines difficiles. Les recherches en vue de la fabrication d'une machine à traduire, qu'il a suivies de loin, mais tout de même suivies, le jette, comme quelques autres, dans un abîme de réflexions. Cependant un double fait demeure : 1° de telles machines, de telles possibilités mathématiques existent; 2° il faut préparer le social aux mathématiques du social, qui ne sont plus seulement nos vieilles mathématiques habituelles : courbes de prix, de salaires, de naissances...

Or, si le mécanisme mathématique nouveau nous échappe très souvent, la préparation de la réalité sociale pour son usage, son taraudage, son découpage, ne peuvent tromper notre attention. Le traitement préalable, jusqu'ici, a presque toujours été le même : choisir une unité restreinte d'observation, ainsi une tribu « primitive », ainsi un « isolat » démographique, où l'on puisse presque tout examiner et toucher direc-

---

(1) *The Theory of Games and economic Behaviour*, Princeton, 1944. Cf. le compte rendu brillant de Jean Fourastié, *Critique*, oct. 1951, n° 51.

tement du doigt; établir ensuite entre les éléments distingués toutes les relations, tous les jeux possibles Ces rapports rigoureusement déterminés donnent les équations mêmes dont les mathématiques tireront toutes les conclusions et prolongements possibles pour aboutir à un *modèle* qui les résume toutes, ou plutôt tienne compte de toutes.

En ces domaines s'ouvrent évidemment mille possibilités de recherches. Mais un exemple vaudra mieux qu'un long discours. Claude Lévi-Strauss s'offre à nous comme un excellent guide, suivons-le. Il nous introduira dans un secteur de ces recherches, disons celui d'une science de la *communication* (1).

« Dans toute société, écrit Cl. Lévi-Strauss (2), la communication s'opère au moins à trois niveaux : communication des femmes; communication des biens et des services; communication des messages. » Admettons que ce soient là, à des niveaux différents, des *langages* différents, mais des langages. Dès lors, n'aurons-nous pas le droit de les traiter comme des langages, ou même comme *le* langage, et de les associer, de façon directe ou indirecte, aux progrès sensationnels de la linguistique ou mieux de la phonologie, qui « ne peut manquer de jouer, vis-à-vis des sciences sociales, le même rôle rénovateur que la physique nucléaire, par exemple, a joué pour l'ensemble des sciences exactes » (3) ? C'est beaucoup dire, mais il faut beaucoup dire, quelquefois. Comme l'histoire prise au piège de l'événement, la linguistique prise au piège des mots (relation des mots à l'objet, évolution historique des mots) s'en est dégagée par la révolution phonologique. En deçà du mot, elle s'est attachée au schéma de son qu'est le phonème, indifférente dès lors à son sens, mais attentive à sa place, aux sons qui

---

(1) Toutes les remarques qui suivent sont extraites de son dernier ouvrage, l'*Anthropologie structurale*, *op. cit.*

(2) *Ibid.*, p. 326.

(3) *Ibid.*, p. 39.

l'accompagnent, aux groupements de ces sons, aux
structures infra-phonémiques, à toute la réalité sous-
jacente, *inconsciente* de la langue. Sur quelques dizaines
de phonèmes que l'on retrouve ainsi dans toutes les
langues du monde, le nouveau travail mathématique
s'est mis en place, et voici la linguistique, au moins une
partie de la linguistique qui, au cours de ces vingt
dernières années, s'échappe du monde des sciences
sociales pour franchir « le col des sciences exactes ».

Étendre le sens du langage aux structures élémentaires de parenté, aux mythes, au cérémonial, aux
échanges économiques, c'est rechercher cette route
du col difficile mais salutaire, et c'est la prouesse qu'a
réalisée Claude Lévi-Strauss, à propos d'abord de
l'échange matrimonial, ce langage premier, essentiel
aux communications humaines, au point qu'il n'y a pas
de sociétés, primitives ou non, où l'inceste, le mariage
à l'intérieur de l'étroite cellule familiale, ne soit
prohibé. Donc, un langage. Sous ce langage, il a
cherché un élément de base correspondant si l'on
veut au phonème, cet élément, cet « atome » de parenté
dont notre guide a fait état dans sa thèse de 1949 (1),
sous sa plus simple expression : entendez l'homme,
l'épouse, l'enfant, plus l'oncle maternel de l'enfant.
A partir de cet élément quadrangulaire et de tous les
systèmes de mariages connus en ces mondes primitifs —
et ils sont nombreux — les mathématiciens cherche-
ront les combinaisons et solutions possibles. Aidé
du mathématicien André Weill, Lévi-Strauss a réussi
à traduire en termes mathématiques l'observation
de l'anthropologue. Le modèle dégagé doit prouver
la validité, la stabilité du système, signaler les solutions
que ce dernier implique.

On voit quelle est la démarche de cette recherche :
dépasser la surface de l'observation pour atteindre
la zone des éléments inconscients ou peu conscients,
puis réduire cette réalité en éléments menus, en touches

---

(1) *Les structures élémentaires de la parenté*, Paris, P.U.F.,
1949. Voir *Anthropologie structurale*, p. 47-62.

fines, identiques, dont on puisse analyser précisément les rapports. C'est à cet étage « microsociologique (d'un certain genre, c'est moi qui ajoute cette réserve) qu'on espère apercevoir les lois de structure les plus générales, comme le linguiste découvre les siennes à l'étage infraphonémique et le physicien à l'étage inframoléculaire, c'est-à-dire au niveau de l'atome » (1). Le jeu peut se poursuivre, évidemment, dans bien d'autres directions. Ainsi, quoi de plus didactique que de voir Lévi-Strauss aux prises, cette fois, avec les mythes et, manière de rire, avec la cuisine (cet autre langage) : il réduira les mythes à une série de cellules élémentaires, les *mythèmes*; il réduira (sans trop y croire) le langage des livres de cuisine en *gustèmes*. Chaque fois, il est à la recherche de niveaux en profondeur, subconscients : je ne me préoccupe pas, en parlant, des phonèmes de mon discours; à table, sauf exception, je ne me préoccupe pas davantage, culinairement, de « gustèmes », si gustèmes il y a. Et chaque fois, cependant, le jeu de rapports subtils et précis me tient compagnie. Ces rapports simples et mystérieux, le dernier mot de la recherche sociologique serait-il de les saisir sous tous les langages, pour les traduire en alphabet Morse, je veux dire l'universel langage mathématique? C'est l'ambition des nouvelles mathématiques sociales. Mais puis-je dire, sans sourire, que c'est là une autre histoire?

Réintroduisons en effet la durée. J'ai dit que les modèles étaient de durée variable : ils valent le temps que vaut la réalité qu'ils enregistrent. Et ce temps, pour l'observateur du social, est primordial, car plus significatifs encore que les structures profondes de la vie sont leurs points de rupture, leur brusque ou lente détérioration sous l'effet de pressions contradictoires.

J'ai comparé parfois les modèles à des navires. L'intérêt pour moi, le navire construit, est de le mettre

_____

(1) *Anthropologie...*, p. 42-43.

à l'eau, de voir s'il flotte, puis de lui faire monter ou descendre, à mon gré, les eaux du temps. Le naufrage est toujours le moment le plus significatif. Ainsi l'explication imaginée par F. Spooner et moi-même pour les jeux entre métaux précieux, ne me semble guère valable avant le xv^e siècle. En deçà, les chocs des métaux sont d'une violence que l'observation ultérieure n'avait pas signalée. Alors, à nous d'en chercher la cause. Comme il est nécessaire de voir pourquoi, vers l'aval cette fois, la navigation de notre vaisseau trop simple devient difficile, puis impossible, avec le xviii^e siècle et la poussée anormale du crédit. Pour moi, la recherche doit être sans fin conduite de la réalité sociale au modèle, puis de celui-ci à celle-là et ainsi de suite, par une suite de retouches, de voyages patiemment renouvelés. Le modèle est ainsi, tour à tour, essai d'explication de la structure, instrument de contrôle, de comparaison, vérification de la solidité et de la vie même d'une structure donnée. Si je fabriquais un modèle à partir de l'actuel, j'aimerais le replacer aussitôt dans la réalité, puis le faire remonter dans le temps, si possible, jusqu'à sa naissance. Après quoi, je supputerais sa vie probable, jusqu'à la prochaine rupture, d'après le mouvement concomitant d'autres réalités sociales. A moins que, m'en servant comme d'un élément de comparaison, je ne le promène dans le temps ou l'espace, à la recherche d'autres réalités capables de s'éclairer grâce à lui d'un jour nouveau.

Ai-je tort de penser que les modèles des mathématiques qualitatives, tels qu'on nous les a présentés jusqu'ici (1), se prêteraient mal à de tels voyages, avant tout parce qu'ils circulent sur une seule des innombrables routes du temps, celle de la longue, *très longue* durée, à l'abri des accidents, des conjonctures, des ruptures? Je reviendrai, une fois de plus, à

---

(1) Je dis bien mathématiques qualitatives, selon la stratégie des jeux. Sur les modèles classiques et tels que les élaborent les économistes, une discussion différente serait à engager.

C. Lévi-Strauss parce que sa tentative, en ces domaines, me paraît la plus intelligente, la plus claire, la mieux enracinée aussi dans l'expérience sociale dont tout doit partir, où tout doit revenir. Chaque fois, remarquons-le, il met en cause un phénomène d'une extrême lenteur, comme intemporel. Tous les systèmes de parenté se perpétuent parce qu'il n'y a pas de vie humaine possible au delà d'un certain taux de consanguinité, qu'il faut qu'un petit groupe d'hommes, pour vivre, s'ouvre sur le monde extérieur : la prohibition de l'inceste est une réalité de longue durée. Les mythes, lents à se développer, correspondent, eux aussi, à des structures d'une extrême longévité. On peut, sans se préoccuper de choisir la plus ancienne, collectionner les versions du mythe d'Œdipe, le problème étant de ranger les diverses variations et de mettre en lumière, au-dessous d'elles, une articulation profonde qui les commande. Mais supposons que notre collègue s'intéresse non pas à un mythe, mais aux images, aux interprétations successives du « machiavélisme », qu'il recherche les éléments de base d'une doctrine assez simple et très répandue, à partir de son lancement réel vers le milieu du XVIe siècle. A chaque instant, ici, que de ruptures, que de renversements, jusque dans la structure même du machiavélisme, car ce système n'a pas la solidité théâtrale, quasi éternelle du mythe; il est sensible aux incidences et rebondissements, aux intempéries multiples de l'histoire. D'un mot, il n'est pas seulement sur les routes tranquilles et monotones de la longue durée... Ainsi le procédé que recommande Lévi-Strauss dans la recherche des structures mathématisables, ne se situe pas seulement à l'étage microsociologique, mais à la rencontre de l'infiniment petit et de la très longue durée.

Au demeurant, les révolutionnaires mathématiques qualitatives sont-elles condamnées à suivre ces seules routes de la très longue durée? Auquel cas nous ne retrouverions, après ce jeu serré, que des vérités qui sont un peu trop celles de l'homme éternel. Vérités premières, aphorismes de la sagesse des nations,

diront des esprits chagrins. Vérités essentielles, répon-
drons-nous, et qui peuvent éclairer d'une lumière
nouvelle les bases mêmes de toute vie sociale. Mais là
n'est pas l'ensemble du débat.

Je ne crois pas, en fait, que ces tentatives — ou des
tentatives analogues — ne puissent pas être poursuivies hors de la très longue durée. Ce qu'on fournit
aux mathématiques sociales qualitatives, ce ne sont
pas des chiffres, mais des rapports, des relations qui
doivent être assez rigoureusement définis pour que
l'on puisse les affecter d'un signe mathématique à
partir duquel seront étudiées toutes les possibilités
mathématiques de ces signes, sans plus même se
préoccuper de la réalité sociale qu'ils représentent.
Toute la valeur des conclusions dépend donc de la
valeur de l'observation initiale, du choix qui isole les
éléments essentiels de la réalité observée et détermine
leurs rapports au sein de cette réalité. On conçoit dès
lors la préférence des mathématiques sociales pour
les modèles que Cl. Lévi-Strauss appelle mécaniques,
c'est-à-dire établis à partir de groupes étroits où
chaque individu, pour ainsi dire, est directement
observable et où une vie sociale très homogène permet
de définir à coup sûr des relations humaines, simples
et concrètes, peu variables.

Les modèles dits statistiques s'adressent au contraire
aux sociétés larges et complexes où l'observation ne
peut être conduite que grâce aux moyennes, c'est-à-
dire aux mathématiques traditionnelles. Mais, ces
moyennes établies, si l'observateur est capable d'établir, à l'échelle des groupes et non plus des individus,
ces rapports de base dont nous parlions et qui sont
nécessaires aux élaborations des mathématiques qualitatives, rien n'empêche dès lors d'y recourir. Il n'y a
pas eu encore, que je sache, de tentatives de ce genre.
Mais nous sommes au début d'expériences. Pour
l'instant, qu'il s'agisse de psychologie, d'économie,
d'anthropologie, toutes les expériences ont été faites
dans le sens que j'ai défini à propos de Lévi-Strauss.
Mais les mathématiques sociales qualitatives n'auront

fait leur preuve que lorsqu'elles se seront attaquées à une société moderne, à ses problèmes enchevêtrés, à ses vitesses différentes de vie. Gageons que l'aventure tentera un de nos sociologues mathématiciens; gageons aussi qu'elle provoquera une révision obligatoire des méthodes jusqu'ici observées par les mathématiques nouvelles, car celles-ci ne peuvent se confiner dans ce que j'appellerai cette fois la trop longue durée : elles doivent retrouver le jeu multiple de la vie, tous ses mouvements, toutes ses durées, toutes ses ruptures, toutes ses variations.

IV

TEMPS DE L'HISTORIEN, TEMPS DU SOCIOLOGUE

Au terme d'une incursion au pays des intemporelles mathématiques sociales, me voilà revenu au temps, à la durée. Et, historien incorrigible, je m'étonne, une fois de plus, que les sociologues aient pu s'en échapper. Mais c'est que leur temps n'est pas le nôtre : il est beaucoup moins impérieux, moins concret aussi, jamais au cœur de leurs problèmes et de leurs réflexions.

En fait, l'historien ne sort jamais du temps de l'histoire : le temps colle à sa pensée comme la terre à la bêche du jardinier. Il rêve, bien sûr, de s'en échapper. L'angoisse de 1940 aidant, Gaston Roupnel (1) a écrit à ce propos des mots qui font souffrir tout historien sincère. C'est le sens également d'une réflexion ancienne de Paul Lacombe, historien de grande classe, lui aussi : « le temps n'est rien en soi, objectivement, il n'est rien qu'une idée à nous » (2)... Mais s'agit-il

---

(1) *Histoire et Destin*, Paris, Bernard Grasset, 1943, *passim*, notamment p. 169.
(2) *Revue de synthèse historique*, 1900, p. 32.

là de vraies évasions? J'ai personnellement, au cours d'une captivité assez morose, beaucoup lutté pour échapper à la chronique de ces années difficiles (1940-1945). Refuser les événements et le temps des événements, c'était se mettre en marge, à l'abri, pour les regarder d'un peu loin, les mieux juger et n'y point trop croire. Du temps court, passer au temps moins court et au temps très long (s'il existe, ce dernier ne peut être que le temps des sages); puis, arrivé à ce terme, s'arrêter, tout considérer à nouveau et reconstruire, voir tout tourner autour de soi : l'opération a de quoi tenter un historien.

Mais ces fuites successives ne le rejettent pas, en définitive, hors du temps du monde, du temps de l'histoire, impérieux parce qu'irréversible et parce qu'il court au rythme même de la rotation de la Terre. En fait, les durées que nous distinguons sont solidaires les unes des autres : ce n'est pas la durée qui est tellement création de notre esprit, mais les morcellements de cette durée. Or, ces fragments se rejoignent au terme de notre travail. Longue durée, conjoncture, événement s'emboîtent sans difficulté, car tous se mesurent à une même échelle. Aussi bien, participer en esprit à l'un de ces temps, c'est participer à tous. Le philosophe, attentif à l'aspect subjectif, intérieur de la notion du temps, ne sent jamais ce poids du temps de l'histoire, d'un temps concret, universel, tel ce temps de la conjoncture qu'Ernest Labrousse dessine au seuil de son livre (1), comme un voyageur partout identique à lui-même, qui court le monde, impose les mêmes contraintes, quel que soit le pays où il débarque, le régime politique ou l'ordre social qu'il investit.

Pour l'historien, tout commence, tout finit par le temps, un temps mathématique et démiurge, dont il serait facile de sourire, temps comme extérieur aux hommes, « exogène », diraient les économistes,

_____

(1) Ernest Labrousse, *La crise de l'économie française à la veille de la Révolution française*, Paris, P.U.F., 1944, Introduction.

qui les pousse, les contraint, emporte leurs temps particuliers aux couleurs diverses : oui, le temps impérieux du monde.

Les sociologues, bien entendu, n'acceptent pas cette notion trop simple. Ils sont beaucoup plus proches de la *Dialectique de la durée*, telle que la présente Gaston Bachelard (1). Le temps social est simplement une dimension particulière de telle réalité sociale que je contemple. Intérieur à cette réalité comme il peut l'être à tel individu, il est un des signes — entre autres — dont elle s'affecte, une des propriétés qui la marquent comme un être particulier. Le sociologue n'est pas gêné par ce temps complaisant qu'il peut à volonté couper, écluser, remettre en mouvement. Le temps de l'histoire se prêterait moins, je le répète, au double jeu agile de la synchronie et de la diachronie : il ne permet guère d'imaginer la vie comme un mécanisme dont on peut arrêter le mouvement pour en présenter, à loisir, une image immobile.

Ce désaccord est plus profond qu'il n'y paraît : le temps des sociologues ne peut être le nôtre; la structure profonde de notre métier y répugne. Notre temps est mesure, comme celui des économistes. Quand un sociologue nous dit qu'une structure ne cesse de se détruire que pour se reconstituer, nous acceptons volontiers l'explication que l'observation historique confirme au demeurant. Mais nous voudrions, dans l'axe de nos exigences habituelles, savoir la durée précise de ces mouvements, positifs ou négatifs. Les cycles économiques, flux et reflux de la vie matérielle, se mesurent. Une crise structurelle sociale doit également se repérer dans le temps, à travers le temps, se situer exactement, en elle-même et plus encore par rapport aux mouvements des structures concomitantes. Ce qui intéresse passionnément un historien, c'est l'entrecroisement de ces mouvements, leur interaction et leurs points de rupture : toutes choses qui ne peuvent s'enregistrer que par rapport au temps

(1) Paris, P.U.F., 2e éd., 1950.

uniforme des historiens, mesure générale de tous
ces phénomènes, et non au temps social multiforme,
mesure particulière à chacun de ces phénomènes.

Ces réflexions à contre-pied, un historien les formule,
à tort ou à raison, même lorsqu'il pénètre dans la
sociologie accueillante, presque fraternelle de Georges
Gurvitch. Un philosophe (1) ne le définissait-il pas,
hier, comme celui qui « accule la sociologie à l'histoire »? Or, même chez lui, l'historien ne reconnaît
ni ses durées, ni ses temporalités. Le vaste édifice
social (dirons-nous le modèle?) de Georges Gurvitch
s'organise selon cinq architectures essentielles (2) :
les paliers en profondeur, les sociabilités, les groupes
sociaux, les sociétés globales — les temps, ce dernier
échafaudage, celui des temporalités, le plus neuf,
étant aussi le dernier construit et comme surajouté
à l'ensemble.

Les temporalités de Georges Gurvitch sont multiples. Il en distingue toute une série : le temps de
longue durée et au ralenti, le temps trompe-l'œil ou
le temps surprise, le temps de battement irrégulier,
le temps cyclique ou de danse sur place, le temps en
retard sur lui-même, le temps d'alternance entre retard
et avance, le temps en avance sur lui-même, le temps
explosif (3)... Comment l'historien se laisserait-il
convaincre ? Avec cette gamme de couleurs, il lui
serait impossible de reconstituer la lumière blanche,
unitaire, qui lui est indispensable. Il s'aperçoit vite,
aussi, que ce temps caméléon marque sans plus, d'un
signe supplémentaire, d'une touche de couleur, les

---

(1) Gilles Granger, *Événement et Structure dans les sciences
de l'homme*, Cahiers de l'Institut de Science économique
appliquée, Série M, nº 1, p. 41-42.
(2) Voir mon article, trop polémique sans doute, « Georges
Gurvitch et la discontinuité du Social », *Annales E.S.C.*, 1953,
3, p. 347-361.
(3) Cf. Georges Gurvitch, *Déterminismes sociaux et Liberté
humaine*, Paris, P.U.F., 1955, p. 38-40 et *passim*.

catégories antérieurement distinguées. Dans la cité de notre ami, le temps, dernier venu, se loge tout naturellement chez les autres; il se met à la dimension de ces domiciles et de leurs exigences, selon les « paliers », les sociabilités, les groupes, les sociétés globales. C'est une manière différente de récrire, sans les modifier, les mêmes équations. Chaque réalité sociale sécrète son temps ou ses échelles de temps, comme de vulgaires coquilles. Mais qu'y gagnons-nous, historiens? L'immense architecture de cette cité idéale reste immobile. L'histoire en est absente. Le temps du monde, le temps historique s'y trouve, mais comme le vent chez Éole, enfermé dans une peau de bouc. Ce n'est pas à l'histoire qu'en ont, finalement et inconsciemment, les sociologues, mais au temps de l'histoire, — cette réalité qui reste violente, même si l'on cherche à l'aménager, à la diversifier. Cette contrainte à laquelle l'historien n'échappe jamais, les sociologues, eux, y échappent presque toujours : ils s'évadent, ou dans l'instant, toujours actuel, comme suspendu au-dessus du temps, ou dans les phénomènes de répétition qui ne sont d'aucun âge; donc par une démarche opposée de l'esprit, qui les cantonne soit dans l'événementiel le plus strict, soit dans la durée la plus longue. Cette évasion est-elle licite? Là est le vrai débat entre historiens et sociologues, même entre historiens d'opinions différentes.

Je ne sais si cet article trop clair, trop appuyé, selon l'habitude des historiens, sur des exemples, aura l'accord des sociologues et de nos autres voisins. J'en doute. Il n'est guère utile en tout cas de répéter, en guise de conclusion, son *leitmotiv* exposé avec insistance. Si l'histoire est appelée, par nature, à porter une attention privilégiée à la durée, à *tous* les mouvements entre quoi elle peut se décomposer, la longue durée nous paraît, dans cet éventail, la ligne la plus utile pour une observation et une réflexion communes aux sciences sociales. Est-ce trop demander à nos voisins que de souhaiter qu'à un moment de leurs raisonnements, ils ramènent à cet axe leurs constatations ou leurs recherches?

Pour les historiens, qui ne seront pas tous de mon avis, il s'ensuivrait un renversement de la vapeur : c'est vers l'histoire courte que va d'instinct leur préférence. Celle-ci a la complicité des sacro-saints programmes de l'Université. Jean-Paul Sartre, dans de récents articles (1), renforce leur point de vue quand, voulant protester contre ce qui, dans le marxisme, est à la fois trop simple et trop pesant, il le fait au nom du biographique, de la réalité foisonnante de l'événementiel. Tout n'est pas dit quand on aura « situé » Flaubert comme un bourgeois, ou Tintoretto comme un petit bourgeois. J'en suis bien d'accord. Mais chaque fois l'étude du cas concret — Flaubert, Valéry, ou la politique extérieure de la Gironde — ramène finalement Jean-Paul Sartre au contexte structural et profond. Cette recherche va de la surface à la profondeur de l'histoire et rejoint mes propres préoccupations. Elle les rejoindrait mieux encore si le sablier était renversé dans les deux sens — de l'événement à la structure, puis des structures et des modèles à l'événement.

Le marxisme est un peuple de modèles. Sartre proteste contre la rigidité, le schématisme, l'insuffisance du modèle, au nom du particulier et de l'individuel. Je protesterai comme lui (à telles ou telles nuances près), non contre le modèle, mais contre l'utilisation que l'on en fait, que l'on s'est cru autorisé à en faire. Le génie de Marx, le secret de son pouvoir prolongé tient à ce qu'il a été le premier à fabriquer de vrais modèles sociaux, et à partir de la longue durée historique. Ces modèles, on les a figés dans leur simplicité en leur donnant valeur de loi, d'explication préalable, automatique, applicable en tous lieux, à

(1) Jean-Paul Sartre, « Fragment d'un livre à paraître sur le Tintoret », *Les Temps Modernes*, nov. 1957, et article cité précédemment.

toutes les sociétés. Alors qu'en les ramenant sur les fleuves changeants du temps leur trame serait mise en évidence car elle est solide et bien tissée, elle réapparaîtrait sans cesse, mais nuancée, tour à tour estompée ou avivée par la présence d'autres structures, susceptibles, elles aussi, d'être définies par d'autres règles, et donc d'autres modèles. Ainsi a-t-on limité le pouvoir créateur de la plus puissante analyse sociale du siècle dernier. Elle ne saurait retrouver force et jeunesse que dans la longue durée... Ajouterai-je que le marxisme actuel me paraît l'image même du péril qui guette toute science sociale éprise du modèle à l'état pur, du modèle pour le modèle?

Ce que je voudrais souligner aussi pour conclure, c'est que la longue durée n'est qu'une des possibilités de langage commun en vue d'une confrontation des sciences sociales. Il en est d'autres. J'ai signalé, bien ou mal, les tentatives des nouvelles mathématiques sociales. Les nouvelles me séduisent, mais les anciennes, dont le triomphe est patent en économie — la plus avancée peut-être des sciences de l'homme — ne méritent pas telle ou telle réflexion désabusée. D'immenses calculs nous attendent dans ce domaine classique, mais il y a des équipes de calculateurs et des machines à calculer, de jour en jour plus perfectionnées. Je crois à l'utilité des longues statistiques, à la nécessaire remontée de ces calculs et recherches vers un passé chaque jour plus reculé. Le XVIIIe siècle européen, dans son entier, est semé de nos chantiers, mais déjà le XVIIe, et plus encore le XVIe. Des statistiques d'une longueur inouïe nous ouvrent, par leur langage universel, les profondeurs du passé chinois (1). Sans doute la statistique simplifie-t-elle pour mieux connaître. Mais toute science va ainsi du compliqué au simple.

Cependant, que l'on n'oublie pas un dernier lan-

---

(1) Otto Berkelbach, Van der Sprenkel, « Population Statistics of Ming China », *B.S.O.A.S.*, 1953; — Marianne Rieger, « Zur Finanz-und Agrargeschichte der Ming Dynastie 1368-1643 », *Sinica*, 1932.

gage, une dernière famille de modèles, à vrai dire :
la réduction nécessaire de toute réalité sociale à l'espace
qu'elle occupe. Disons la géographie, l'écologie, sans
trop nous arrêter à ces différences de vocabulaire.
La géographie se pense trop souvent comme un
monde en soi, et c'est dommage. Elle aurait besoin
d'un Vidal de La Blache qui, cette fois, au lieu de
penser temps et espace, penserait espace et réalité
sociale. C'est aux problèmes d'ensemble des sciences
de l'homme que, dès lors, serait donné le pas dans
la recherche géographique. Écologie : le mot, pour le
sociologue, sans qu'il se l'avoue toujours, est une
façon de ne pas dire géographie, et, du coup, d'esquiver les problèmes que pose l'espace et, plus encore,
qu'il révèle à l'observation attentive. Les modèles
spatiaux, ce sont ces cartes où la réalité sociale se
projette et partiellement s'explique, modèles au vrai
pour tous les mouvements de la durée (et surtout
de la longue durée), pour toutes les catégories du social.
Mais la science sociale les ignore de façon étonnante.
J'ai souvent pensé qu'une des supériorités françaises
dans les sciences sociales était cette école géographique
de Vidal de La Blache dont nous ne nous consolerions
pas de voir trahis l'esprit et les leçons. Il faut que
toutes les sciences sociales de leur côté fassent place
à une « conception [de plus en] plus géographique de
l'humanité » (1), comme Vidal de La Blache le demandait déjà en 1903.


Pratiquement — car cet article a un but pratique —
je souhaiterais que les sciences sociales, provisoirement,
cessent de tant discuter sur leurs frontières réciproques, sur ce qui est ou n'est pas science sociale,
ce qui est ou n'est pas structure... Qu'elles tâchent
plutôt de tracer, à travers nos recherches, les lignes,
si lignes il y a, qui orienteraient une recherche collec-

(1) P. Vidal de La Blache, *Revue de synthèse historique*
1903, p. 239.

tive, les thèmes aussi qui permettraient d'atteindre une première convergence. Ces lignes, je les appelle personnellement : mathématisation, réduction à l'espace, longue durée... Mais je serais curieux de connaître celles que proposeraient d'autres spécialistes. Car cet article, est-il besoin de le dire, n'a pas été par hasard placé sous la rubrique *Débats et Combats* (1). Il prétend poser, non résoudre des problèmes où malheureusement chacun de nous, pour ce qui ne concerne pas sa spécialité, s'expose à des risques évidents. Ces pages sont un appel à la discussion.

(1) Rubrique bien connue des *Annales (E.S.C.)*.

# UNITÉ ET DIVERSITÉ
## DES SCIENCES DE L'HOMME (1)

Au premier coup d'œil — du moins si l'on participe tant soit peu à leur marche — au premier coup d'œil, les sciences humaines nous frappent non par leur unité, difficile à formuler et à promouvoir, mais bien par leur diversité foncière, ancienne, affirmée, pour tout dire *structurelle*. Elles sont d'abord elles-mêmes, étroitement, et se présentent comme autant de patries, de langages et aussi, ce qui est moins justifiable, comme autant de carrières, avec leurs règles, leurs clôtures savantes, leurs lieux communs, irréductibles les uns aux autres.

Certes, une image n'est pas un raisonnement, mais elle se substitue d'elle-même à toute explication, pour en abréger les difficultés et en cacher les faiblesses. Alors, supposons, pour être bref, que les sciences humaines s'intéressent toutes à un seul et même paysage : celui des actions passées, présentes, futures de l'homme. Supposons qu'un tel paysage, par surcroît, soit cohérent, ce qu'il faudrait évidemment démontrer. Vis-à-vis de ce panorama, les sciences de l'homme seraient autant d'observatoires, avec leurs vues particulières, leurs croquis perspectifs différents, leurs couleurs, leurs chroniques. Par malheur, les fragments de paysage que chacune découpe ne sont

(1) *Revue de l'enseignement supérieur*, n° 1, 1960, p. 17-22.

pas jointifs, ne s'appellent pas l'un l'autre, comme
les cubes d'un puzzle enfantin qui réclament une
image d'ensemble et ne valent qu'en fonction de cette
image préétablie. Chaque fois, d'un observatoire à
l'autre, l'homme apparaît différent. Et chaque secteur ainsi reconnu est régulièrement promu à la
dignité de paysage d'ensemble, même si l'observateur est prudent, et il l'est généralement. Mais ses
propres explications ne cessent de l'entraîner trop
loin, par un jeu insidieux, poursuivi même à son insu
L'économiste distingue les structures économiques et
suppose les structures non-économiques qui les entourent, les portent, les contraignent. Rien de plus
anodin et apparemment de plus licite, mais, du coup,
il a reconstitué le puzzle à sa façon. Le démographe
n'agit pas autrement, qui prétend tout contrôler, et
même expliquer, par ses seuls critères. Il a ses tests,
efficaces, habituels: ils lui suffiront pour saisir l'homme
en son entier, ou, du moins, pour présenter l'homme
qu'il saisit comme l'homme intégral ou essentiel. Le
sociologue, l'historien, le géographe, le psychologue,
l'ethnographe sont souvent plus naïfs encore. Bref, un
fait est évident: chaque science sociale est impérialiste,
même si elle se défend de l'être; elle tend à présenter
ses conclusions comme une vision globale de l'homme.

L'observateur de bonne foi et, qui plus est, supposé
sans expérience préalable, libre de tout engagement,
cet observateur se demandera immanquablement quels
rapports peuvent exister entre les vues que chaque
science lui offre, entre les explications dont on le
presse, ou les théories — ces super-explications —
qu'on lui impose. Si encore il était possible à ce
témoin naïf, aux yeux neufs, d'aller jeter un coup
d'œil dans le paysage lui-même! Il se ferait une raison... Mais la « réalité » des sciences de l'homme
n'est pas ce paysage dont nous parlions, faute d'une
meilleure image, ou alors c'est un paysage recréé,
comme le paysage même des sciences de la nature. La
réalité à l'état brut n'est qu'une masse d'observations
à organiser.

D'ailleurs, quitter les observatoires des sciences de l'homme, ce serait renoncer à une immense expérience, se condamner à tout refaire par soi-même. Or, qui cheminerait seul dans cette nuit, qui serait capable aujourd'hui, par ses propres moyens, de ressaisir, pour les dépasser, les connaissances acquises, les soulever à bout de bras, les animer d'une même vie, leur imposer un seul langage, et un langage scientifique? Ce ne sont pas tant les connaissances à accumuler qui s'opposeraient à l'entreprise, mais bien leur utilisation; il y faudrait cette adresse nécessaire, cette vivacité que chacun d'entre nous, vaille que vaille, a acquise, mais dans son seul métier, au prix souvent d'un long apprentissage. La vie est trop courte pour permettre à l'un d'entre nous l'acquisition de multiples maîtrises. L'économiste restera économiste, le sociologue sociologue, le géographe géographe, etc. Mieux vaut sans doute qu'il en soit ainsi, diront les sages, que chacun parle sa langue maternelle et discute de ce qu'il connaît : sa boutique, son métier...

Peut-être. Mais les sciences humaines, au fur et à mesure qu'elles étendent et perfectionnent leur propre contrôle, vérifient d'autant mieux leurs faiblesses. Plus elles prétendent à l'efficacité, plus facilement elles se heurtent à une réalité sociale hostile. Chacun de leurs échecs — dans le domaine pratique des applications — devient alors un instrument de vérification de leur valeur, voire de leur raison d'être. Ces sciences, si elles étaient parfaites, devraient d'ailleurs se rejoindre, automatiquement, du fait même de leur progrès. Les règles tendancielles qu'elles distinguent, leurs calculs, les prévisions qu'elles croient pouvoir en tirer, toutes ces explications devraient s'ajouter les unes aux autres pour rendre clairs, dans la masse énorme des faits humains, les mêmes lignes essentielles, les mêmes mouvements profonds, les mêmes tendances. Or nous savons qu'il n'en est rien et que la société qui nous entoure nous reste mal connue, déroutante, dans la grande majorité de ses gestes imprévisible.

Rien ne prouve mieux cette sorte d'irréductibilité actuelle des sciences de l'homme l'une à l'autre que les dialogues tentés, ici ou là, par-dessus les frontières. Je crois que l'histoire se prête volontiers à ces discussions et à ces rencontres, une certaine histoire s'entend (non la traditionnelle qui domine notre enseignement et le dominera longtemps encore, en raison d'une inertie contre laquelle on peut pester, mais qui a la vie dure, en raison de l'appui des savants âgés et des institutions qui s'ouvrent devant nous, lorsque nous ne sommes plus des révolutionnaires dangereux, mais embourgeoisés — car il y a une terrible bourgeoisie de l'esprit). Oui, l'histoire se prête à ces dialogues. Elle est peu structurée, ouverte aux sciences voisines. Mais les dialogues s'avèrent souvent bien inutiles. Quel sociologue ne dira, sur l'histoire, cent contre-vérités? Il a devant lui Lucien Febvre, il l'interpelle comme s'il s'agissait de Charles Seignobos. Il faut que l'histoire soit ce qu'elle était hier, cette petite science de la contingence, du récit particularisé, du temps reconstruit et, pour toutes ces raisons et quelques autres, une « science » plus qu'à demi absurde. Si l'histoire se prétend étude du présent par l'étude du passé, spéculation sur la durée ou mieux sur les diverses formes de la durée, le sociologue et le philosophe sourient, haussent les épaules. C'est négliger, et sans appel, les tendances de l'histoire actuelle et les antécédents importants de ces tendances, oublier combien, depuis vingt ans ou trente ans, des historiens ont rompu avec une érudition facile et de courte portée. Qu'une thèse en Sorbonne (celle d'Alphonse Dupront), s'intitule *Le mythe de Croisade. Essai de sociologie religieuse*, ce fait indique tout de même, à lui seul, que cette recherche des psychismes sociaux, des réalités sous-jacentes, des « paliers en profondeur », en un mot de cette histoire que d'aucuns appellent « inconsciente », n'est pas un simple programme théorique.

Et nous pourrions donner d'autres réalisations et novations, d'innombrables preuves! Pourtant, ne nous plaignons pas outre mesure; le problème n'est pas, une fois de plus, de définir l'histoire, face à ceux qui ne veulent pas la comprendre selon notre goût, ni de rédiger, contre eux, un interminable cahier de doléances. D'ailleurs, les torts sont partagés. La « réciprocité des perspectives » est évidente.

Nous aussi, historiens, nous voyons à notre façon, qui n'est pas la bonne, et avec un évident retard, ces sciences, nos voisines. Et ainsi, de maison à maison proche, l'incompréhension s'affirme. Au vrai, une connaissance efficace de ces recherches diverses exigerait une longue familiarité, une participation active, des abandons de préjugés et d'habitudes. C'est beaucoup demander. Il ne suffirait pas, en effet, pour y réussir, de s'insérer un instant dans telles ou telles recherches d'avant-garde ou de sociologie ou d'économie politique — ce qui, en somme, est assez facile — mais bien de voir comment ces recherches se rattachent à un ensemble et en indiquent les mouvements nouveaux, ce qui n'est pas à la portée de tout le monde. Car il ne suffit pas de lire la thèse d'Alphonse Dupront, il importe aussi de la rattacher à Lucien Febvre, à Marc Bloch, à l'abbé Bremond et à quelques autres. Car il ne suffit pas de suivre la pensée autoritaire de François Perroux, mais tout aussitôt de la situer exactement, de reconnaître d'où elle vient et par quelles chaînes d'acquiescements et de négations elle s'intègre dans l'ensemble, en mouvement toujours, de la pensée économique.

Je protestais dernièrement, en toute bonne foi, contre les enquêtes sociales sur le vif, prisonnières d'un irréel présent, irréel parce que trop bref — je protestais aussi, par la même occasion, contre une économie politique insuffisamment attentive à la « longue durée », car trop attachée à des tâches gouvernementales limitées, elles aussi, à la douteuse réalité présente (1). Or la sociologie sur le vif n'est pas,

(1) Cf. mon article : « Histoire et sciences sociales : la longue durée » (*Annales*, *E. S. C.*, 1958, et les réponses de MM. Rostow et Kula, *ibid.*, 1959 et 1960).

me rétorque-t-on avec raison, à la proue des recherches sociales et, à leur tour, W. Rostow et W. Kula
m'affirment que l'économie, dans ses recherches les
plus récentes et les plus valables, essaie de s'intégrer
les problèmes du temps long et même qu'elle s'en
nourrit. Ainsi la difficulté est générale. Si l'on n'y
prend garde, dans ces colloques par-dessus nos clôtures, d'omissions en simplifications, quelques retards
aidant, nous ne discuterons pas, malgré les apparences,
entre contemporains. Nos conversations et nos discussions, et même nos très problématiques ententes,
retarderont sur le temps de l'esprit. Il faut mettre nos
montres à l'heure, ou alors se résigner à d'inutiles,
à d'invraisemblables quiproquos. Autant miser sur
le vaudeville.

Je ne crois d'ailleurs pas que le marché commun
des sciences de l'homme puisse se faire, s'il se constitue
jamais, par une série d'accords bilatéraux, par des
unions douanières partielles dont le cercle ensuite
s'étendrait peu à peu. Deux sciences proches se repous-
sent, comme chargées de la même électricité. L'union
« universitaire » de la géographie et de l'histoire, qui
avait fait hier leur double splendeur, s'est terminée
par un divorce nécessaire. Discuter avec un historien
ou un géographe, mais c'est, pour un économiste ou
un sociologue, se sentir plus économiste ou sociologue
que la veille. En vérité, ces unions limitées exigent
trop des conjoints. La sagesse consisterait à ce que
nous abaissions tous ensemble nos traditionnels droits
de douane. La circulation des idées et des techniques
s'en trouverait favorisée et, en passant de l'une à
l'autre des sciences de l'homme, idées et techniques se
modifieraient sans doute, mais créeraient, esquis-
seraient au moins un langage commun. Un grand
pas serait fait si certains mots, d'un de nos petits
pays à l'autre, avaient à peu près le même sens, ou
la même résonance. L'histoire a l'avantage et l'infirmité d'employer le langage courant — entendez le
langage littéraire. Henri Pirenne lui a souvent recom-
mandé de conserver ce privilège. De ce fait, notre

discipline est la plus littéraire, la plus lisible des sciences de l'homme, la plus ouverte au grand public. Mais une recherche scientifique commune exige un certain vocabulaire « de base ». On y parviendrait en laissant, plus qu'aujourd'hui, nos mots, nos formules et même nos slogans, passer d'une discipline à l'autre.

Ainsi Claude Lévi-Strauss s'efforce de montrer ce que donnerait, dans les sciences de l'homme, l'intrusion des mathématiques sociales (ou qualitatives), intrusion à la fois d'un langage, d'un esprit, de techniques. Demain, sans doute faudra-t-il distinguer dans de nouvelles vues d'ensemble ce qu'il y a et ce qu'il n'y a pas de mathématisable dans les sciences de l'homme, et rien ne dit que l'on ne sera pas obligé d'opter alors entre ces deux routes.

Mais prenons un exemple moins important et, pour tout dire, moins dramatique. Dans l'économie politique d'aujourd'hui, l'essentiel est sans doute la « modélisation », la fabrique de « modèles ». Du présent trop complexe, l'important est de dégager les lignes simples de rapports assez constants de structures. Au départ, les précautions sont si nombreuses que le modèle, malgré la simplification, plonge dans le réel, en résume les articulations, en dépasse, mais à bon droit, les contingences. Ainsi ont fait Léontieff et ses imitateurs. Dès lors, rien de plus licite que de raisonner dans le cadre du modèle ainsi construit et selon les moyens du pur calcul. Sous son nom assez nouveau, le « modèle » n'est d'ailleurs qu'une forme tangible des moyens les plus classiques du raisonnement. Nous avons tous procédé par « modèle », sans trop le savoir, comme M. Jourdain parlait en prose. En fait, le modèle se retrouve dans toutes les sciences de l'homme. Une carte géographique est un modèle. Les grilles des psychanalistes, que le jeune critique littéraire volontiers glisse sous les œuvres des grands maîtres de notre littérature (voyez le petit ouvrage exact et perfide de Roland Barthes sur Michelet), ces grilles sont des « modèles ». La sociologie multiple

de Georges Gurvitch est un entassement de modèles.
L'histoire, elle aussi, a ses modèles; comment leur
fermerait-elle ses portes? Je lisais dernièrement un
admirable article de notre collègue de Nuremberg,
Hermann Kellenbenz, sur l'histoire des « entrepreneurs » dans l'Allemagne du Sud, entre le xv$^e$ et
le xviii$^e$ siècle — article poussé dans la ligne même du
Centre d'études des Entreprises qu'anime, à Harvard,
la généreuse et forte personnalité d'Arthur Cole. Au
vrai, cet article et l'œuvre multiple d'Arthur Cole sont
la reprise, par des historiens, du « modèle » de Schumpeter. Pour ce dernier, « l'entrepreneur », au sens
noble du mot, est « l'artisan, l'élément créateur des
progrès économiques, des combinaisons neuves entre
capital, terre et travail ». Et il en a été ainsi à travers
le temps entier de l'histoire. « La définition de Schumpeter, note H. Kellenbenz, est, avant tout, un modèle,
un type idéal. » Or l'historien aux prises avec
un modèle se plaît toujours à le ramener aux contingences, à le faire flotter, comme un navire sur les
eaux particulières du temps. Les entrepreneurs en
Allemagne méridionale, du xv$^e$ au xviii$^e$ siècle, seront
donc de nature, de type différents, comme il était aisé
de le prévoir. Mais, à ce jeu, l'historien détruit, sans
fin, les bénéfices de la « modélisation », il démonte
le navire. Il ne reviendrait à la règle que s'il recons-
truisait le navire, ou un autre navire, ou si, cette fois
dans la ligne de l'histoire, il *rapportait* les différents
« modèles » identifiés dans leurs singularités, les expli-
quant ensuite, tous à la fois, par leur succession
même.

La « modélisation » sortirait ainsi notre discipline
de son goût du particulier qui ne saurait suffire. Le
mouvement même de l'histoire est vaste explication.
Serions-nous tenté de le dire si jamais, par exemple,
une discussion s'engageait, au sujet des grilles des
psychanalystes, entre critiques littéraires, historiens et
sociologues : ces grilles valent-elles, ou non, pour
*toutes* les époques? Et leur évolution, si évolution il

y a, n'est-elle pas, autant que la grille elle-même, la ligne majeure de la recherche?

J'assistais dernièrement, à la Faculté des lettres de Lyon, à une soutenance de thèse sur *L'École et l'Éducation en Espagne, de 1874 à 1902* (1), donc sur cette immense guerre de religion autour de l'école que le XIX<sup>e</sup> siècle nous a léguée. L'Espagne offre un cas, entre plusieurs autres, de ce conflit multiple, religieux dans son essence. Rien ne s'opposerait à une modélisation de cette famille de débats. Supposez la chose réalisée et les éléments bien en place : ici, la nécessité d'une instruction de masse, là les passions antagonistes vives et aveugles, là les Églises, l'État, le budget... Toute cette construction théorique nous servirait à mieux comprendre l'unité d'une longue crise, certainement pas encore close. Si nous revenions alors, armés de ce modèle, à l'Espagne entre 1874 et 1902, notre premier soin, historiens, serait de particulariser le modèle, d'en démonter les mécanismes, pour les vérifier et surtout les compliquer à loisir, les rendre à une vie diverse et particulière, les dérober à la simplification scientifique. Mais ensuite, quel avantage si l'on osait revenir au modèle, ou aux divers modèles, pour en déceler l'évolution, si évolution il y a !

Arrêtons-nous ; la démonstration est faite : le modèle voyage assurément à travers toutes les sciences de l'homme et de façon utile, même dans ces eaux qui *a priori* ne lui semblent pas favorables.


De pareils voyages peuvent se multiplier. Mais ce sont des moyens mineurs de rapprochement et d'accord, tout au plus quelques fils noués, ici ou là. Or, toujours en se plaçant dans le cadre entier des sciences de l'homme, il est possible de faire davantage, d'organiser des mouvements d'ensemble, des confluences qui ne bousculent pas tout, mais soient capables de modi-

---

(1) Thèse d'Yvonne Turin, Presses Universitaires de France, Paris, 453 pages, in-8°.

fier profondément les problématiques et les comportements.

Nos collègues polonais désignent ces mouvements
concertés sous le nom commode « d'études complexes ». « On entend sous cette appellation, précise
Aleksander Gieysztor, le travail de divers spécialistes
sur un sujet limité par un, deux ou même trois principes de la classification des phénomènes sociaux :
géographique, chronologique, ou selon la nature
même du sujet. » Ce sont ainsi des « études complexes »
que les *area studies* de nos collègues américains. Le
principe en est de réunir plusieurs sciences humaines
pour étudier et définir les grandes *aires culturelles*
du monde actuel, spécialement ces monstres : Russie,
Chine, Amériques, Inde, je n'ose dire Europe.

Dans le vaste monde des sciences humaines, on a
donc déjà concerté, organisé des rencontres, des
coalitions, des œuvres communes. Et ces tentatives
ne sont même pas tout à fait neuves. Je leur vois, au
moins, un précédent d'importance : les *Semaines de
synthèse* d'Henri Berr, une fois de plus authentique
précurseur de tant de mouvements actuels. Récentes
ou anciennes, peu importe au demeurant! Ces expériences demandent à être poursuivies et, puisque leur
succès — au moins dans la tâche d'unification des
sciences sociales — s'avère très discutable, à être
reprises, après un examen minutieux. Sans doute est-il
possible, dès maintenant, d'indiquer quelques règles
importantes : à l'avance, elles dominent les débats.

Il faut bien admettre, tout d'abord, que ces essais
peuvent un jour déplacer les frontières, les centres de
gravité, les problématiques, les prés carrés traditionnels. Et ceci pour toutes les sciences humaines sans
exception. Il faudrait donc, partout, un certain abandon de l'esprit « nationaliste ». Puis reconnaître que,
les jalons ne pouvant se planter au petit bonheur, ils
doivent être à l'avance alignés et, du même coup, se
trouvent dessinés les axes de ralliement et de regrou-
pement, ces réductions à l'espace, au temps, dont

parlait A. Gieysztor, mais également au nombre, au biologique.

Enfin, et surtout, c'est bien *toutes* les sciences de l'homme qu'il faut mettre en cause, les plus classiques, les plus anciennes et les plus neuves. Les dernières se désignent plutôt sous le nom de sciences sociales : elles se voudraient les quatre ou cinq « grands » de notre monde. Or je soutiens que pour une unité à construire toutes les recherches ont leur intérêt, aussi bien l'épigraphie grecque que la philosophie, ou la biologie d'Henri Laugier, ou les sondages d'opinion, s'ils sont conduits par un homme d'esprit, comme Lazarsfeld. Il nous faut, à nous aussi, un concile œcuménique.

L'échec des *area studies* — sur le plan normatif s'entend, car les travaux qu'elles ont su inspirer et mener à bien sont considérables — cet échec devrait nous servir de leçon. Nos collègues d'Harvard, de Columbia, de la courageuse équipe de Seattle n'ont peut-être pas assez élargi le cercle de leurs convocations. Se risquant dans l'étroite actualité, ils n'ont, pour saisir la Chine ou l'Inde, que rarement fait appel à des historiens, jamais, à ma connaissance du moins, à des géographes. Sociologues, économistes (au sens large), psychologues, linguistes sont-ils capables, à eux seuls, de mobiliser l'ensemble de l'humain scientifique? Je ne le pense pas. Or cette mobilisation générale, je le répète, est la seule qui puisse être efficace, en ce moment du moins.

J'ai déjà soutenu bien des fois cette thèse. Je profite de l'audience que m'offre la *Revue de l'enseignement supérieur* pour la répéter à nouveau. La France ne possède ni les meilleurs économistes, ni les meilleurs historiens, ni les meilleurs sociologues du monde. Mais nous possédons l'un des meilleurs ensembles de chercheurs. D'autre part, les fruits de la politique du C.N.R.S. sont, sur un point au moins, indiscutables : nous disposons, à peu près dans chaque discipline, d'hommes jeunes, dont tout l'entraînement et l'ambition ont été consacrés à la recherche. C'est la

seule chose qu'il serait vraiment impossible d'impro-
viser. Demain, la *Maison des Sciences de l'Homme* va
regrouper en un seul ensemble tous les centres et
laboratoires valables, à Paris, en ce vaste domaine.
Toutes ces forces jeunes, tous ces moyens nouveaux
sont à portée de main, alors que nous avons, précieux
entre tous, sans doute unique au monde, l'indispensable encadrement de toutes les « sciences » classiques
de l'homme, sans quoi rien de décisif n'est possible.
Ne laissons donc pas échapper cette double ou triple
chance. Précipitons le mouvement qui, partout dans
le monde, se dessine vers l'unité et, si nécessaire,
brûlons l'étape, dès que ce sera possible et intellec-
tuellement profitable. Demain, il serait déjà trop
tard.

# HISTOIRE ET SOCIOLOGIE (1)

Quelques remarques préalables situeront, je l'espère, le présent chapitre. J'y entends par *sociologie*, assez souvent, presque toujours, cette science globale que voulaient faire d'elle, au début de ce siècle, Émile Durkheim et François Simiand — cette science qu'elle n'est pas encore, mais vers quoi elle ne cessera de tendre, même si elle ne doit jamais pleinement y parvenir. J'entends par *histoire* une recherche scientifiquement conduite, disons à la rigueur une *science*, mais complexe : il n'y a pas *une* histoire, *un* métier d'historien, mais des métiers, des histoires, une somme de curiosités, de points de vue, de possibilités, somme à laquelle demain d'autres curiosités, d'autres points de vue, d'autres possibilités s'ajouteront encore. Me ferai-je mieux comprendre d'un sociologue — qui a tendance, comme les philosophes, à voir dans l'histoire une discipline aux règles et méthodes parfaitement et, une fois pour toutes, définies — en disant qu'il y a autant de façons, discutables et discutées, d'aborder le passé que d'attitudes en face du présent? Que l'histoire peut même se considérer comme une certaine étude du présent?

(1) Chapitre IV de l'Introduction du *Traité de Sociologie*, publié sous la direction de Georges Gurvitch, Paris, P.U.F., 2 vol., 516 et 466 p., in-8°; 1re édition 1958-1960, 3e édition, 1967-1968.

Ceci dit, que l'on ne s'attende pas à trouver ici
une réponse, ou même un essai de réponse aux habituelles interrogations sur les rapports entre histoire
et sociologie, ou une suite à la polémique, reprise sans
fin et jamais la même, entre ces voisins qui ne peuvent
ni s'ignorer, ni se connaître parfaitement et qui, dans
leurs disputes, quand ils se définissent, le font uni-
latéralement. Il y a de fausses polémiques, comme
il y a de faux problèmes. En tout cas, c'est presque
toujours un faux dialogue que celui du sociologue
et de l'historien. Quand François Simiand polémique
contre Charles Seignobos, il croit parler avec l'histoire,
alors qu'il parle avec une certaine histoire, celle qu'on
a baptisée, avec Henri Berr, *historisante* (1). Quand
il s'oppose, à la même époque, à Henri Hauser, il
a en face de lui le plus brillant historien de sa génération, certes, mais trop brillant, trop habile avocat,
enfoncé dans des succès précoces et dans les règles
anciennes de son métier. C'est à Paul Lacombe qu'il
aurait dû s'adresser pour avoir un adversaire à sa
taille. Mais ne risquait-il pas, justement, de s'accorder
avec lui?

Or la polémique n'est possible que si les adversaires
s'y prêtent, consentent « à se battre au sabre » (2),
pour parler comme un historien irrité et amusé qui
ripostait, voilà longtemps, en 1900, à son critique,
précisément Paul Lacombe lui-même. Ce passionné
d'histoire, dans sa volonté de faire une « histoire-
science », pouvait, je l'imagine, s'entendre avec
François Simiand sociologue. Un peu d'attention
aurait suffi. Paul Lacombe n'allait-il pas, dans son
désir de sortir des impasses et difficultés insolubles

---

(1) La célèbre controverse est cependant engagée aussi à
propos du livre de Paul Lacombe, *De l'histoire considérée comme
science*, Paris, 1894. L'article de François Simiand, « Méthode
historique et science sociale », *Revue de synthèse historique*, 1903,
pp. 1-22 et pp. 129-157, porte, en effet, en sous-titre, *Étude
critique d'après les ouvrages récents de M. Lacombe et de M. Seignobos*. Mais l'ouvrage de Paul Lacombe n'est pratiquement
pas mis en cause.

(2) Xénopol, in *Revue de synthèse historique*, 1900, p. 135, nº 2.

de notre métier, jusqu'à s'évader du temps : « Le temps! disait-il, mais il n'est rien en soi objectivement, il n'est rien qu'une idée à nous... » (1). Malheureusement, François Simiand ne mettra en cause Paul Lacombe qu'incidemment et foncera contre d'autres adversaires irréductibles. En vérité, il y a toujours *une* histoire qui peut s'accorder avec *une* sociologie — ou à l'inverse, évidemment, s'entre-dévorer avec elle. Georges Gurvitch (2), dans son article de polémique historico-sociologique, le plus récent en date dans ce genre — à ma connaissance du moins —, refuse de s'entendre avec Henri Marrou, mais s'entendrait plus aisément avec moi... Encore faudrait-il y regarder de près : entre historien et sociologue, peut-être n'y a-t-il ni dispute, ni entente parfaite.

I

Première et essentielle précaution : essayons de présenter rapidement l'histoire, mais dans ses définitions les plus récentes, car toute science ne cesse de se définir à nouveau, de se chercher. Chaque historien est forcément sensible aux changements qu'il apporte, même involontairement, à un métier flexible et qui évolue de lui-même, sous le poids de connaissances, de tâches, d'engouements nouveaux, du fait aussi du mouvement général des sciences de l'homme. Toutes les sciences sociales se contaminent les unes les autres et l'histoire n'échappe pas à ces épidémies. D'où ses changements d'être, ou de manières, ou de visage.

Si notre rétrospective commence avec ce siècle, nous aurons à notre disposition dix analyses au moins, et mille portraits de l'histoire, sans compter les positions qui se dessinent dans les œuvres même des histo-

---

(1) « La science de l'histoire d'après M. Xénopol », *Revue de synthèse historique*, 1900, p. 32.
(2) « Continuité et discontinuité en histoire et en sociologie », *Annales E.S.C.*, 1957, pp. 73-84.

riens, ceux-ci étant volontiers portés à croire qu'ils marquent mieux leurs interprétations et leurs points de vue dans un ouvrage que dans une discussion précise et formelle de leur pensée (d'où le reproche amusé des philosophes, pour qui les historiens ne savent jamais très exactement l'histoire qu'ils font)...

Au début de la série, plaçons, puisque tout le monde le fait encore, la classique *Introduction aux sciences historiques* de Charles-Victor Langlois et Charles Seignobos (1). Signalons, à ses côtés, l'article jeune du jeune Paul Mantoux (1903) (2); puis, bien plus tard, après le classique Raymond Aron, *Introduction à la philosophie de l'histoire* (3), point de vue d'un philosophe sur l'histoire, arrivons au *Métier d'historien* de Marc Bloch (4), ouvrage posthume et incomplet (sans doute assez éloigné de celui qu'eût fait paraître son auteur, si la mort ne l'avait tragiquement surpris). Arrivons ensuite aux étincelants *Combats pour l'histoire* de Lucien Febvre, recueil d'articles qu'il a réunis lui-même (5). N'oublions pas, au passage, l'essai très rapide de Louis Halphen (6), ni le livre vif de Philippe Ariès (7), ni la plaidoirie existentialiste d'Éric Dardel (8), ni tel article d'André Piganiol (9), ni le discours d'Henri Marrou (10), intéressant et fin,

---

(1) Y ajouter, Charles Seignobos, *La méthode historique appliquée aux sciences sociales*, Paris, 1901.
(2) « Histoire et sociologie », *Revue de synthèse historique*, 1903, pp. 121-140.
(3) Paris, 1948, 2e éd. La première édition est de 1938.
(4) *Apologie pour l'histoire ou métier d'historien*, 1re éd., 1949, Paris (3e éd., 1959). Sur ce beau livre voir la note pénétrante de J. Stengers, « Marc Bloch et l'Histoire », *Annales E.S.C.*, 1953, pp. 329-337.
(5) Paris, 1953.
(6) *Introduction à l'histoire*, Paris, 1946.
(7) *Le temps de l'histoire*, Paris, 1954.
(8) *Histoire, science du concret*, Paris, 1946.
(9) « Qu'est-ce que l'histoire? », *Revue de métaphysique et de morale*, 1955, pp. 225-247
(10) *De la connaissance historique*, 1954. A compléter par les beaux bulletins que donne H.-J. Marrou sur l'historiographie, dans la *Revue historique*, 1953, pp. 256-270; 1957, pp. 270-289.

à mon goût trop attentif, peut-être, aux seuls spectacles d'une histoire de l'Antiquité et trop enfoncé dans la pensée de Max Weber, préoccupé par suite, au delà de toute mesure, de l'objectivité de l'histoire. Objectivité, subjectivité en matière sociale : ce problème qui a passionné le XIXᵉ siècle, découvreur des méthodes scientifiques, est-il aujourd'hui primordial? En tout cas il ne nous est pas spécifique. Il y a là une infirmité de l'esprit scientifique que l'on ne peut surmonter, Henri Marrou le dit avec raison, qu'en redoublant de prudence et d'honnêteté. Mais de grâce, ne grossissons pas outre mesure le rôle de l'Historien, même avec un H majuscule!

Abrégée, incomplète, limitée à dessein à la seule littérature française du sujet, cette très courte bibliographie permettrait cependant de faire le point des polémiques révolues : elle les jalonne d'assez près. Mais il s'en faut, par contre, que les livres et articles signalés disent la multiplicité actuelle et foncière de l'histoire — et pourtant c'est l'essentiel. Le mouvement profond de l'histoire d'aujourd'hui, si je ne m'abuse, n'est pas de choisir entre des routes et des points de vue différents, mais d'accepter, d'additionner ces définitions successives dans lesquelles on a tenté, en vain, de l'enfermer. Car toutes les histoires sont nôtres.

Au début de ce siècle, on répétait volontiers, bien après Michelet, que l'histoire était « résurrection du passé ». Beau thème, beau programme! La « tâche de l'histoire est de commémorer le passé, tout le passé », écrivait Paul Mantoux, en 1908. Voire : de ce passé, en fait, que retenait-on? Notre jeune historien de 1903 répondait, sans hésiter : « Ce qui est particulier, ce qui n'arrive qu'une fois est du domaine de l'histoire » (1). Réponse classique, image de l'histoire que proposent volontiers, à l'exclusion de toute autre, philosophes et sociologues. Émile Bréhier, l'historien de la philosophie, sur le bateau qui nous emportait

_____

(1) *Art. cit.*, p. 122.

vers le Brésil en 1936, n'en voulait pas démordre,
au cours de nos amicales discussions. Ce qui se répétait dans la vie passée était, pour lui, du domaine de
la sociologie, de la boutique de nos voisins. Tout
le passé n'était donc pas à nous. Mais ne discutons
pas. Je me suis, comme tout historien, attaché, moi
aussi, aux faits singuliers, à ces fleurs d'un jour, si
vite fanées et que l'on ne tient pas deux fois entre ses
doigts. Bien plus, je crois qu'il y a toujours, dans une
société, vivante ou défunte, des milliers et des milliers
de singularités. Et surtout, si l'on saisit cette société
dans son ensemble, on peut affirmer qu'elle ne répé-
tera jamais ce qu'elle est en son entier : elle s'offre
comme un *équilibre* provisoire, mais original, unique.

J'approuve donc Philippe Ariès d'axer son histoire
sur une reconnaissance des différences entre les âges
et les réalités sociales. Mais l'histoire n'est pas seulement la différence, le singulier, l'inédit — ce que l'on
ne verra pas deux fois. Et d'ailleurs l'inédit n'est
jamais parfaitement inédit. Il cohabite avec le répété
ou le régulier. Paul Lacombe disait, au sujet de Pavie
(24 février 1525) ou mieux de Rocroi (19 mai 1643),
que certains incidents de ces batailles « relèvent d'un
système d'armement, de tactique, d'habitudes et de
mœurs guerrières qu'on retrouve dans bon nombre
d'autres combats de l'époque » (1). Pavie, c'est, d'une
certaine façon, le début de la guerre moderne, un
événement, mais dans une famille d'événements. Au
vrai, comment croire à cette histoire exclusive des
événements uniques? François Simiand (2), citant
Paul Lacombe, en tombait d'accord et reprenait à
son compte l'affirmation de l'historien : « Il n'est
pas de fait où ne puisse se distinguer une part d'individuel et une part de social, une part de contingence
et une part de régularité. » Ainsi, dès le début de ce
siècle, une protestation, un doute au moins s'élevait
contre une histoire restreinte aux événements singuliers,

(1) Voir ci-dessus *art. cit.*, note 1, p. 99.
(2) *Art. cit.*, p. 18.

et de ce fait prestigieux, à cette histoire « linéaire », « éventuelle », *événementielle*, finira par dire Paul Lacombe.

Dépasser l'événement, c'était dépasser le temps court qui le contient, celui de la chronique, ou du journalisme — ces prises de conscience des contemporains, rapides, au jour le jour, dont les traces nous rendent, si vive, la chaleur des événements et des existences passés. Autant se demander si, au delà des événements, il n'y a pas une histoire inconsciente cette fois, ou mieux, plus ou moins consciente, qui, en grande partie, échappe à la lucidité des acteurs, les responsables ou les victimes : ils font l'histoire, mais l'histoire les emporte.

Cette recherche d'une histoire non événementielle s'est imposée de façon impérieuse au contact des autres sciences de l'homme, contact inévitable (les polémiques en sont la preuve) et qui, en France, s'est organisé, au delà de 1900, grâce à la merveilleuse *Revue de synthèse historique* d'Henri Berr dont la lecture, rétrospectivement, est si émouvante; puis, au delà de 1929, grâce à la vigoureuse et très efficace campagne des *Annales* de Lucien Febvre et Marc Bloch.

L'histoire s'est employée, dès lors, à saisir les faits de répétition aussi bien que les singuliers, les réalités conscientes aussi bien que les inconscientes. L'historien, dès lors, s'est voulu et s'est fait économiste, sociologue, anthropologue, démographe, psychologue, linguiste... Ces nouvelles liaisons d'esprit ont été, en même temps, liaisons d'amitié et de cœur. Les amis de Lucien Febvre et de Marc Bloch, fondateurs, animateurs eux aussi des *Annales*, constituèrent un colloque permanent des sciences de l'homme, d'Albert Demangeon et de Jules Sion, les géographes, à Maurice Halbwachs, le sociologue, de Charles Blondel et d'Henri Wallon, les psychologues, à François Simiand, le philosophe-sociologue-économiste. Avec eux, l'histoire s'est saisie, bien ou mal, mais de façon décidée, de toutes les sciences de l'humain; elle s'est voulue, avec ses chefs de file, une impossible science globale de l'homme. Ce faisant, elle s'est abandonnée à un impérialisme juvénile, mais au même titre et de la même façon que presque toutes les sciences humaines d'alors, petites nations au vrai qui, chacune pour son compte, rêvaient de tout manger, de tout bousculer, de tout dominer.

Depuis lors, l'histoire a continué dans cette même ligne à se nourrir des autres sciences de l'homme. Le mouvement ne s'est pas arrêté, s'il s'est, comme il fallait s'y attendre, transformé. Le chemin est long (1) de *Métier d'historien*, testament de Marc Bloch, aux *Annales* d'après-guerre, conduites sous la seule direction, en fait, de Lucien Febvre. A peine les historiens, trop peu soucieux de méthode et d'orientation, l'auront-ils remarqué. Cependant, au delà de 1945, la question à nouveau s'est posée : quels étaient le rôle, l'utilité de l'histoire? Était-elle, devait-elle être seulement l'étude exclusive du passé? Si, pour les années écoulées, elle s'acharnait à lier la gerbe de toutes les sciences de l'homme ne s'ensuivrait-il pas, pour elle, d'inévitables conséquences? A l'intérieur de son domaine, elle était toutes les sciences de l'homme. Mais où s'arrête le passé?

Tout est histoire, dit-on pour en sourire. Claude Lévi-Strauss écrivait dernièrement encore : « Car tout est histoire, ce qui a été dit hier est histoire, ce qui a été dit il y a une minute est histoire » (2). J'ajouterai ce qui a été dit, ou pensé, ou agi, ou seulement vécu. Mais si l'histoire, omniprésente, met en cause le social en son entier, c'est toujours à partir de ce mouvement même du temps qui, sans cesse, entraîne la vie, mais la dérobe à elle-même, éteint et rallume ses flammes. L'histoire est une dialectique de la durée; par elle, grâce à elle, elle est étude du social, de tout le social, et donc du passé, et donc aussi du présent, l'un et l'autre inséparables. Lucien Febvre l'aura dit

(1) Voyez combien paraîtra sage et comme d'un autre âge, l'article de Jean Meuvret, «Histoire et sociologie», *Revue historique*, 1938.
(2) *Anthropologie structurale*, Paris, 1958, p. 17.

et répété pendant les dix dernières années de sa vie :
« L'histoire, science du passé, science du présent. »

On comprendra que l'auteur de ce chapitre, héritier
des *Annales* de Marc Bloch et de Lucien Febvre, se
sente dans une position assez particulière pour rencontrer, « sabre en main », le sociologue qui lui repro-
cherait ou de ne pas penser comme lui, ou de trop
penser comme lui. L'histoire m'apparaît comme une
dimension de la science sociale, elle fait corps avec
celle-ci. Le temps, la durée, l'histoire s'imposent en
fait, ou devraient s'imposer à toutes les sciences de
l'homme. Ses tendances ne sont pas d'opposition,
mais de convergence.


## II


J'ai déjà écrit (1), un peu contre Georges Gurvitch,
que sociologie et histoire étaient une seule aventure
de l'esprit, non pas l'envers et l'endroit d'une même
étoffe, mais cette étoffe même, dans toute l'épaisseur
de ses fils. Cette affirmation, bien entendu, reste
discutable et ne saurait être poursuivie de bout en
bout. Mais elle répond, chez moi, à un désir d'unification, même autoritaire, des diverses sciences de
l'homme, pour les soumettre moins à un marché
commun qu'à une problématique commune, qui les
libérerait de quantité de faux problèmes, de connaissances inutiles et préparerait, après les élagages et
mises au point qui s'imposent, une future et nouvelle
divergence, capable alors d'être féconde et créatrice.
Car un nouveau lancement des sciences de l'homme
s'impose.

Il n'est guère niable que, fréquemment, histoire et
sociologie se rejoignent, s'identifient, se confondent.
Les raisons en sont simples; d'une part, il y a cet

(1) *Annales E.S.C.*, 1957, p. 73.

impérialisme, ce gonflement de l'histoire; de l'autre,
cette identité de nature : histoire et sociologie sont les
seules sciences *globales*, susceptibles d'étendre leur
curiosité à n'importe quel aspect du social. L'histoire,
dans la mesure où elle est toutes les sciences de l'homme
dans l'immense domaine du passé, l'histoire est synthèse, elle est orchestre. Et si l'étude de la durée
*sous toutes ses formes* lui ouvre, comme je le pense,
les portes de l'actuel, alors elle est à toutes les places
du festin. Et elle s'y trouve régulièrement aux côtés
de la sociologie, qui elle aussi est synthèse par vocation
et que la dialectique de la durée oblige à se tourner
vers le passé — qu'elle le veuille ou non.

Même si, selon la vieille formule, on considère la
sociologie comme cette « science des faits dont l'ensemble constitue la vie collective des hommes », même
si on la voit, par prédilection, à la recherche des structures nouvelles qui s'élaborent dans la chaleur et la
complexité de la vie actuelle — tout, du social, ne
va-t-il pas relever de sa curiosité et de son jugement?
Le collectif, mais il faut bien le séparer de l'individuel,
ou le retrouver dans l'individuel : la dichotomie est
toujours à reprendre. La novation, mais il n'y a de
novation que par rapport à ce qui est ancien et ne veut
pas toujours mourir dans le feu de l'actuel où tout
brûle, le bois nouveau, le bois ancien, celui-ci pas
plus vite que celui-là.

Donc, le sociologue, sur les chantiers et dans les
travaux de l'histoire, ne peut être dépaysé : il retrouve
ses matériaux, ses outils, son vocabulaire, ses problèmes, ses incertitudes mêmes. Évidemment, l'identité
n'est pas complète et souvent se dissimule : il y a
le jeu des formations, des apprentissages, des carrières,
des héritages, la texture du métier, les techniques
différentes d'information qu'impose la variété des
sources documentaires (mais ceci est vrai à l'intérieur
même de l'histoire : l'étude du Moyen Age, celle du
XIXᵉ, exigent une attitude différente en face du document). L'histoire, si l'on peut dire, est l'un des métiers
les moins structurés de la science sociale, donc des

plus flexibles, des plus ouverts. Les sciences sociales, chez nous, sont peut-être présentes plus souvent encore que dans la sociologie elle-même, dont c'est la vocation cependant de les contenir toutes. Il y a une histoire économique dont la richesse fait honte, j'en suis sûr, à la très maigre et anémique sociologie économique. Il y a une merveilleuse histoire géographique et une vigoureuse géographie historique qui ne peuvent se mettre en balance avec l'écologie pointilliste des sociologues. Il y a une démographie historique (elle est histoire, ou elle n'est pas) au regard de laquelle la morphologie sociale est chose légère. Il y a de même une histoire sociale, médiocre, mais qui ne trouverait guère à s'enrichir au contact des mauvaises études de la sociologie typologique (pour ne pas dire ce qui serait pléonasme : la sociologie sociale). Et il est bien probable que l'histoire quantitative, dans la ligne des programmes d'Ernest Labrousse et de ses élèves (Congrès historique de Rome, 1955), va, dans le domaine de l'étude des classes sociales, prendre une avance décisive sur la sociologie abstraite, trop préoccupée, à mon avis, du concept de classes sociales chez Marx ou ses émules.

Mais arrêtons-nous là. Il serait trop facile de faire correspondre, terme à terme, ce que tentent les sociologues et ce que nous faisons, historiens; la sociologie de la connaissance et l'histoire des idées; la micro-sociologie et la sociométrie d'une part et, de l'autre, l'histoire de surface, dite événementielle, cette micro-histoire où voisinent le fait divers et l'événement éclatant, explosif, *sociodrame* à vrai dire et qui peut s'étendre aux dimensions d'une nation ou d'un monde... A un certain moment même, je ne vois plus, avec netteté, la différence qu'il peut y avoir entre ces activités mitoyennes, entre sociologie de l'art et histoire de l'art, entre sociologie du travail et histoire du travail, sociologie littéraire et histoire littéraire, entre histoire religieuse au niveau d'Henri Bremond et sociologie religieuse au niveau exceptionnellement brillant de Gabriel Le Bras et de ses disciples... Et

les différences, quand elles existent, ne pourraient-elles
être comblées par un alignement du moins brillant
sur le plus brillant des partenaires? Ainsi l'historien
n'est pas assez attentif aux signes sociaux, aux symboles, aux rôles sociaux réguliers et sous-jacents.
Mais de nombreux exemples le prouvent, un petit
effort suffirait pour que l'historien voie ces problèmes
apparaître sous ses propres lunettes. Il s'agit là de
décalages, d'inattentions, non d'impératifs ou d'exclusives de métier.

Autre signe fraternel de ces correspondances : le
vocabulaire tend à s'identifier d'une science à l'autre.
Les historiens parlent de crise structurale; les économistes de crise structurelle, Lévi-Strauss revient
à structurale dans son dernier livre, l'*Anthropologie
structurale* (1). Dirons-nous, de même, conjonctural,
qui sonne mal, ou conjoncturel? Événementiel, qu'a
créé Paul Lacombe (il hésitait, je l'ai dit, entre éventuel
et événementiel), qu'a adopté François Simiand et
qui a rebondi chez les historiens, il y a une dizaine
d'années, a été lancé, dès lors, sur une orbite commune.
Le mot de *palier* est sorti de la pensée de Georges
Gurvitch et s'acclimate, tant bien que mal, chez nous.
Nous dirons qu'il y a des paliers de la réalité historique, plus encore des paliers de l'explication historique et, par suite, des paliers possibles de l'entente
ou de la polémique historico-sociologique : on peut
se disputer, ou se réconcilier, en changeant d'étage...

Mais laissons ce jeu qu'il serait facile de poursuivre.
Mieux vaut en montrer l'intérêt. Le vocabulaire est
le même, ou devient le même, parce que, de plus en
plus, la problématique est la même, sous le signe
commode de deux mots, victorieux pour l'instant :
*modèle* et *structure*. Le modèle a fait son apparition
dans les eaux vives de l'histoire, « outil artisanal »,
mais au service des tâches les plus ambitieuses; *la*,
ou *les* structures nous assiègent : on ne parle que trop
de structures, même dans les *Annales*, disait Lucien

(1) *Op. cit.*, Paris, 1958.

Febvre (1), au cours d'un de ses derniers écrits. En fait, la science sociale doit, vaille que vaille, construire le modèle, l'explication générale et particulière du social, substituer, à une réalité empirique et déconcertante, une image qui soit plus claire, plus facile à exploiter scientifiquement. Il lui faut choisir, tronquer, reconstruire, doser, accepter les contradictions et presque les rechercher. Le social a-t-il, ou non, cette structure étagée, « feuilletée », pour reprendre le mot du D$^r$ Roumeguère (2)? La réalité change-t-elle avec chaque étage ou palier? Alors elle est discontinue « à la verticale ». Est-elle structurée sur toute son épaisseur, ou sur une certaine épaisseur seulement? Hors des enveloppes dures des structures se situeraient des zones libres, inorganisées de la réalité. Le structuré et le non-structuré, os et chair du social. Mais le mouvement qui entraîne la société est-il lui aussi structuré, si l'on peut dire, selon le schéma d'une structure baptisée « dynamique »? Ou, si l'on veut, y a-t-il une régularité, des phases nécessairement répétées dans tous les phénomènes d'évolution historique? Le « mouvement de l'histoire » n'agirait pas à l'aveugle...

En vérité, ces problèmes se rejoignent et s'imbriquent, ou devraient se rejoindre et s'engrener. Par un paradoxe apparent, l'historien, ici, serait plus simplificateur peut-être que le sociologue. Il a beau prétendre, en effet, à la limite, que l'actuel est aussi de son domaine, il l'étudie mal et moins souvent que le social révolu, décanté, simplifié pour mille raisons qu'il est inutile de souligner. Le présent, au contraire, est un rappel au multiple, au compliqué, au « pluridimensionnel ». Ce rappel, peut-être l'entend-il, le perçoit-il moins bien que le sociologue, observateur des effervescences de l'actuel?

---

(1) Préface à Huguette et Pierre Chaunu, *Séville et l'Atlantique*, t. I, Paris, 1959, p. XI : « Et puis, « structures »? Mot à la mode, je le sais; il s'étale même, parfois dans les *Annales*, un peu trop à mon goût. »
(2) Colloque de l'École des Hautes Études, VI$^e$ Section, sur les structures, résumé dactylographié, 1958.

III

De ce tour d'horizon, ressort une impression d'analogie, d'identité assez forte. Les deux métiers, dans leur ensemble, ont mêmes limites, même circonférence. Peu importe si le secteur historique est, ici, mieux labouré, là le secteur sociologique : un peu d'attention ou de travail et les domaines se correspondraient mieux et connaîtraient, sans peine, les mêmes réussites.

Cette analogie ne saurait être récusée — et encore — que si le sociologue ne voulait pas de l'intrusion de l'historien dans l'actuel. Mais serait-il possible, ensuite, de tout ramener, de nos oppositions, à un douteux contraste entre hier et aujourd'hui? Des deux voisins, l'un s'introduit dans le passé qui, après tout, n'est pas son domaine spécifique, au nom si l'on veut, de la répétition; l'autre pénètre dans le présent au nom d'une durée créatrice de structurations et destructurations, de permanences aussi. Répétition et comparaison d'un côté, durée et dynamisme de l'autre, sont des prises sur le réel, des outils que chacun peut utiliser. Entre réel vécu et réel qui se vit ou va se vivre, la limite est-elle si nette? Les premiers sociologues savaient bien que l'actuel ne soutenait qu'une partie de leur construction. Force nous est, disait François Simiand, « de chercher les faits et les cas d'expérience dans la relation du passé de l'humanité » (1).

Je crois moins encore à une opposition des styles. L'histoire est-elle plus continuiste, la sociologie plus discontinuiste? On l'a soutenu, mais que voilà une question mal posée! Il faudrait, pour en avoir le cœur net, mettre face à face les œuvres elles-mêmes, voir si ces oppositions sont internes ou externes à nos métiers respectifs. N'oublions-pas, en plus, que la discontinuité, aujourd'hui, ne fait qu'aborder en clair la réflexion historique. Marc Bloch, pour en avoir posé prématurément le grand problème, à la veille de

(1) *Art. cit.*, p. 2.

la guerre de 1939, aura déchaîné l'une des discussions les plus vaines qui furent, au pays des historiens.

En vérité, chaque historien a son style, comme chaque sociologue. Georges Gurvitch pousse jusqu'à l'excès et au scrupule son désir d'une sociologie compliquée, hyper-empirique, à l'image d'une réalité qu'il juge, non sans raison, foisonnante. Claude Lévi-Strauss écarte, détruit ce foisonnement pour découvrir la ligne profonde, mais étroite, des permanences humaines. Faut-il à tout prix choisir et décider qui est, des deux, *le* sociologue? Question de style, je le répète, et de tempérament. Lucien Febvre a eu, lui aussi, le souci du foisonnant, du divers, et son style, comme à deux voix, plus et mieux qu'un autre, s'est prêté à ces dessins compliqués, repris à plaisir. Fustel est autrement simple, soucieux de la ligne tracée d'un seul mouvement de la main. Michelet explose en lignes multiples. Pirenne ou Marc Bloch seraient bien plus continuistes que Lucien Febvre. Mais, autant qu'à leurs tempéraments, ne le doivent-ils pas au spectacle qu'ils contemplent : un Moyen Age occidental où le document se dérobe? Avec le XV$^e$ siècle et plus encore le XVI$^e$, mille voix s'élèvent qui, plus tôt, ne se font pas entendre. Les grands bavardages de l'époque contemporaine commencent. En bref, pour moi, il n'y a pas un style de l'histoire, dont elle ne saurait sortir. De même pour la sociologie. Durkheim est d'une simplicité autoritaire, linéaire. Halbwachs aussi qui classe, une fois pour toutes. Marcel Mauss est plus divers, mais nous ne le lisons guère — et pour cause : nous entendons sa pensée, répercutée par ses disciples et qui se mêle ainsi, vivante, au droit fil de la recherche actuelle.

Au total, les différences que nous cherchons, dans notre mitoyenneté, ne sont pas selon ces formules ou distinctions faciles. C'est au cœur de l'histoire qu'il faut porter le débat (ou mieux notre enquête, car ce n'est pas une polémique qu'il nous faut ranimer), aux divers paliers de la connaissance et du travail historique tout d'abord — dans la ligne, ensuite, de la durée, des temps et temporalités de l'histoire.

IV

L'histoire se situe à des paliers différents, je dirais volontiers trois paliers, mais c'est façon de parler, en simplifiant beaucoup. C'est dix, cent paliers qu'il faudrait mettre en cause, dix, cent durées diverses. En surface, une histoire événementielle s'inscrit dans le temps court : c'est une micro-histoire. A mi-pente, une histoire conjoncturelle suit un rythme plus large et plus lent. On l'a surtout étudiée jusqu'ici sur le plan de la vie matérielle, des cycles ou intercycles économiques. (Le chef-d'œuvre de cette histoire est le livre d'Ernest Labrousse (1) sur la crise, en réalité demi-intercycle (1774-1791), qui sert de rampe de lancement à la Révolution française). Au delà de ce « récitatif » de la conjoncture, l'histoire structurale, ou de longue durée, met en cause des siècles entiers; elle est à la limite du mouvant et de l'immobile et, par ses valeurs longtemps fixes, elle fait figure d'invariant vis-à-vis des autres histoires, plus vives à s'écouler et à s'accomplir, et qui, en somme, gravitent autour d'elle.

En résumé, trois séries de niveaux historiques, avec lesquels, malheureusement, la sociologie n'est pas encore en contact. Or, à ces différents niveaux, le dialogue avec l'histoire ne saurait être de même allure ou, pour le moins, de même animation. Il y a, sans doute, une sociologie de l'histoire et de la connaissance historique à chacun de ces trois niveaux, mais cette sociologie reste à construire. Nous ne pouvons, historiens, que l'imaginer.

Une sociologie de l'événementiel serait l'étude de ces mécanismes prompts, toujours en place, nerveux, qui enregistrent, au jour le jour, la soi-disant histoire du monde en train de se faire, cette histoire, en partie abusive, dans laquelle les événements s'accrochent

_____

(1) *La crise de l'économie française à la veille de la Révolution*, Paris, 1944.

les uns aux autres, se commandent, dans laquelle les grands hommes sont vus régulièrement comme des chefs d'orchestre autoritaires. Cette sociologie de l'événementiel, ce serait, aussi, la reprise du dialogue ancien (le répété, l'inédit); ce serait, également, la confrontation de l'histoire traditionnelle d'une part, de la micro-sociologie et de la sociométrie de l'autre : celles-ci sont-elles, comme je le pense, et pourquoi, plus riches que l'histoire superficielle? Comment déterminer la place de cette large nappe d'histoire dans le complexe d'une société aux prises avec le temps?... Tout cela déborde, si je ne me trompe, les querelles anciennes. Le fait divers (sinon l'événement, ce sociodrame) est répétition, régularité, multitude et rien ne dit, de façon absolue, que son niveau soit sans fertilité, ou valeur, scientifique. Il faudrait y regarder de près.

Si, à propos de l'événement, notre imagination sociologique ne chôme guère, par contre, tout est à construire, j'allais dire à inventer, en ce qui concerne la conjoncture, ce personnage ignoré, ou presque, de la sociologie. Est-il assez fort — ou non — pour brouiller les jeux en profondeur, favoriser ou défavoriser les liens collectifs, resserrer ceux-ci, tendre, briser ceux-là? François Simiand n'a fait qu'ébaucher une sociologie du temps conjoncturel selon les flux et reflux de la vie matérielle. L'essor (la phase A) et la facilité qu'il offre, du moins en certains secteurs, maintiendrait-il, ou non, les jeux sociaux et les structures en place? Avec le reflux de chaque phase B, la vie matérielle (et pas seulement elle, bien sûr) se restructure, cherche d'autres équilibres, les invente, mobilise des forces d'ingéniosité ou, du moins, leur laisse libre carrière... Mais, en ces domaines, les travaux des historiens et des économistes n'ont pas accumulé encore assez de données, ni dessiné assez de cadres valables, pour que l'on reprenne, ou que l'on prolonge l'esquisse de Simiand. D'ailleurs, l'histoire conjoncturelle ne sera complète que si, à la conjoncture économique, s'ajoute l'étude de la conjoncture

sociale et des autres situations concomitantes du repli
ou de l'essor. C'est l'entrecroisement des conjonctures
simultanées qui sera sociologie efficace...

Sur le plan de l'histoire de longue durée, histoire
et sociologie ne se rejoignent pas, ne s'épaulent pas,
ce serait trop peu dire : elles se confondent. La longue
durée, c'est l'histoire interminable, inusable des structures et groupes de structures. Pour l'historien, une
structure n'est pas seulement architecture, assemblage,
elle est permanence et souvent plus que séculaire
(le temps est structure) : ce gros personnage traverse
d'immenses espaces de temps sans s'altérer; s'il se
détériore à ce long voyage, il se recompose chemin
faisant, rétablit sa santé, et finalement, ses traits ne
s'altèrent que lentement...

J'ai essayé de montrer (1), je n'ose dire de démontrer
que toute la recherche neuve de Claude Lévi-Strauss
— communication et mathématiques sociales mêlées
— n'est couronnée de succès que lorsque ses *modèles*
naviguent sur les eaux de la longue durée. Quelle que
soit l'ouverture choisie à son cheminement — la micro-
sociologie ou tel autre étage — c'est seulement quand
il atteint ce rez-de-chaussée du temps, à moitié ensom-
meillé, que la structure se dégage : liens primitifs
de parenté, mythes, cérémonials, institutions relèvent
du flux le plus lent de l'histoire. La mode, chez les
physiciens, est de parler *d'apesanteur*. Une structure
est un corps soustrait à la pesanteur, à l'accélération
de l'histoire.

Mais l'historien fidèle à l'enseignement de Lucien
Febvre et de Marcel Mauss voudra toujours saisir
l'ensemble, la *totalité* du social. Le voici amené à
rapprocher étages, durées, temps divers, structures,
conjonctures, événements. Cet ensemble reconstitue
à ses yeux un équilibre global assez précaire et qui ne
peut se maintenir sans de constants ajustements,
chocs ou glissements. Dans sa totalité, le social aux

(1) F. Braudel, «Histoire et sciences sociales: la longue durée»,
*Annales E.S.C.*, 1958, 4. Voir ci-dessus, p. 41.

prises avec son devenir est idéalement, à chaque coupe
*synchronique* de son histoire, une image sans fin différente, bien que cette image répète mille détails et
réalités antérieurs. Qui le nierait? C'est pourquoi
l'idée d'une structure globale de la société inquiète
et gêne l'historien, même si, entre structure globale
et réalité globale, subsiste, comme de juste, un décalage considérable. Ce que, dans le débat, l'historien
voudrait sauver, c'est l'incertitude du mouvement
de la masse, ses possibilités diverses de glissement, des
libertés, certaines explications particulières, « fonc-
tionnelles », filles de l'instant ou du moment. A ce
stade de la « totalité » — je n'ose dire de la « totalisa-
tion » — au moment en somme de prononcer le dernier
mot, l'historien reviendrait ainsi vers les positions
antisociologiques de ses maîtres. Toute société, elle
aussi, est unique, même si beaucoup de ses matériaux
sont anciens; elle s'explique hors de son temps, sans
doute, mais aussi à l'intérieur de son temps propre;
elle est bien selon l'esprit même d'Henri Hauser et
de Lucien Febvre « fille de son temps », le temps bien
entendu qui l'englobe; fonction de ce temps et pas
seulement des durées qu'elle partage avec d'autres
expériences sociales.

V

Me suis-je laissé prendre à des illusions faciles? J'ai
montré le métier d'historien débordant ses limites
anciennes, mettant en cause le champ même, ou peu
s'en faut, de la science sociale, poussant sa curiosité
dans toutes les directions. Avec le début de ce siècle,
vers la psychologie : c'est l'époque où Werner Sombart affirme que le capitalisme est d'abord esprit.
(Bien plus tard, toujours dans cette même ligne de
conquête, Lucien Febvre parlera d'outillage mental.)
Puis, aux environs des années 30, vers l'économie
politique conjoncturelle que François Simiand révèle

aux historiens français. Et, depuis très longtemps, vers
la géographie... On remarquera combien le marxisme
aura peu, en ce siècle, assiégé notre métier. Mais ses
infiltrations, ses tentations, ses influences auront été
multiples et fortes : il a seulement manqué, en ce
premier XXe siècle, un chef-d'œuvre d'histoire marxiste
qui eût servi de modèle et de ralliement : nous l'attendons encore. Cette énorme influence a pourtant joué
son rôle parmi les nombreuses transformations de
notre métier qui ont obligé l'historien à se déprendre
de ses habitudes, à en contracter de nouvelles, à sortir
de lui-même, de ses apprentissages, voire de ses réussites personnelles.

A ces migrations et métamorphoses, il y a cependant une limite secrète, exigeante (1). L'historien ne
sort jamais du temps de l'histoire: ce temps colle à sa
pensée, comme la terre à la bêche du jardinier. Il rêve,
bien sûr, de s'en échapper. L'angoisse de 1940 aidant,
Gaston Roupnel (2) a écrit, à ce propos, des mots
qui font souffrir tout historien sincère. J'ai cité aussi
la réflexion ancienne de Paul Lacombe, historien :
« le temps n'est rien en soi, objectivement » (3). Mais
s'agit-il là de vraies évasions? J'ai personnellement, au
cours d'une captivité assez morose, beaucoup lutté
pour échapper à la chronique de ces années difficiles
(1940-1945). Refuser les événements et le temps des
événements, c'était se mettre en marge, à l'abri, pour
les regarder d'un peu loin, les mieux juger et n'y
point trop croire. Du temps court, passer au temps
moins court et au temps très long (s'il existe, ce dernier
ne peut être que le temps des sages), puis, arrivé à ce
terme, s'arrêter, tout considérer à nouveau et reconstruire, voir tout tourner autour de soi : l'opération
a de quoi tenter un historien.

(1) Le lecteur remarquera que les trois pages qui suivent
reproduisent un passage de l'article sur la longue durée (ci-
dessus, pp. 75-78), publié la même année dans les *Annales*.
Le supprimer d'un côté ou de l'autre serait rompre l'unité d'un
raisonnement.
(2) *Histoire et destin*, Paris, 1943, *passim*.
(3) Voir ci-dessus, p. 99, note 1.

Mais ces fuites successives ne le rejettent pas, en définitive, hors du temps du monde, du temps de l'histoire, impérieux parce qu'irréversible et parce qu'il court au rythme même de la rotation de la terre. En fait, les durées que nous distinguons sont solidaires les unes des autres : ce n'est pas la durée qui est tellement création de notre esprit, mais les morcellements de cette durée. Or, ces fragments se rejoignent au terme de notre travail. Longue durée, conjoncture, événement s'emboîtent sans difficulté, car tous se mesurent à une même échelle. Aussi bien, participer en esprit à l'un de ces temps, c'est participer à tous. Le philosophe, attentif à l'aspect subjectif, intérieur de la notion de temps, ne sent jamais ce poids du temps de l'histoire, d'un temps concret, universel, tel ce temps de la conjoncture qu'Ernest Labrousse dessine au seuil de son livre comme un voyageur partout identique à lui-même, qui court le monde, impose ses contraintes identiques, quel que soit le pays où il débarque, le régime politique ou l'ordre social qu'il investit.

Pour l'historien, tout commence, tout finit, par le temps, un temps mathématique et démiurge, dont il serait facile de sourire, temps comme extérieur aux hommes, qui les pousse, les contraint, emporte leurs temps particuliers aux couleurs diverses : le temps impérieux du monde.

Les sociologues, bien entendu, n'acceptent pas cette notion trop simple. Ils sont beaucoup plus proches de la *Dialectique de la durée*, telle que la présente Gaston Bachelard (1). Le temps social est simplement une dimension particulière de telle réalité sociale que je contemple. Intérieur à cette réalité comme il peut l'être à tel individu, il est un des signes — entre autres — dont elle s'affecte, une des propriétés qui la marquent comme un être particulier. Le sociologue n'est pas gêné par ce temps complaisant qu'il peut à volonté couper, écluser, remettre en mouvement. Le temps de

(1) 2ᵉ éd., 1950.

l'histoire se prêterait moins au double jeu agile de la synchronie et de la diachronie : il ne permet guère d'imaginer la vie comme un mécanisme dont on peut arrêter le mouvement pour en présenter, à loisir, une image immobile.

Ce désaccord est plus profond qu'il n'y paraît : le temps des sociologues ne peut être le nôtre; la structure profonde de notre métier, si je ne me trompe, y répugne. Notre temps est mesure, comme celui des économistes. Quand un sociologue nous dit qu'une structure ne cesse de se détruire pour se reconstituer, nous acceptons volontiers l'explication que l'observation historique confirme d'ailleurs. Mais nous voudrions dans l'axe de nos exigences habituelles, savoir la durée précise de ces mouvements, positifs ou négatifs. Les cycles économiques, flux et reflux de la vie matérielle, se mesurent. Une crise structurelle sociale doit également se repérer dans le temps, à travers le temps, se situer exactement, en elle-même et plus encore par rapport aux mouvements des structures concomitantes. Ce qui intéresse passionnément un historien, c'est l'entrecroisement de ces mouvements, leur interaction, et leurs points de rupture : toutes choses qui ne peuvent s'enregistrer que par rapport au temps uniforme des historiens, mesure générale de tous ces phénomènes, et non au temps social multiforme, mesure particulière à chacun de ces phénomènes.

Ces réflexions à contre-pied, un historien les formulera, à tort ou à raison, même lorsqu'il pénètre dans la sociologie accueillante, presque fraternelle de Georges Gurvitch. Un philosophe (1) ne le définissait-il pas, hier, comme celui qui « accule la sociologie à l'histoire »? Or, même chez lui, l'historien ne reconnaît ni ses durées, ni ses temporalités. Le vaste édifice social de Georges Gurvitch s'organise selon cinq archi-

---

(1) Gilles Granger, « Événement et structure dans les sciences de l'homme », *Cahiers de l'Institut de Science économique appliquée*, Série M, n° 1, pp. 41-42.

tectures essentielles : les paliers en profondeur, les sociabilités, les groupes sociaux, les sociétés globales, les temps, ce dernier échafaudage, celui des temporalités, le plus neuf, étant aussi le dernier construit et comme surajouté à l'ensemble.

Les temporalités de Georges Gurvitch sont multiples. Il en distingue toute une série : le temps de longue durée et au ralenti, le temps trompe-l'œil ou le temps surprise, le temps de battement irrégulier, le temps cyclique ou de danse sur place, le temps en retard sur lui-même, le temps d'alternance entre retard et avance, le temps en avance sur lui-même, le temps explosif (2)... Comment l'historien se laisserait-il convaincre? Avec cette gamme de couleurs, il lui serait impossible de reconstituer la lumière blanche unitaire qui lui est indispensable. Il s'aperçoit vite, aussi, que ce temps caméléon marque sans plus, d'un signe supplémentaire, d'une touche de couleur, les catégories antérieurement distinguées. Dans la cité de notre ami, le temps, dernier venu, se loge tout naturellement chez les autres; il se met à la dimension de ces domiciles et de leurs exigences, selon les paliers, les sociabilités, les groupes, les sociétés globales. C'est une manière différente de récrire, sans les modifier, les mêmes équations. Chaque réalité sociale sécrète son temps ou ses échelles de temps comme des coquilles. Mais qu'y gagnons-nous, historiens? L'immense architecture de cette cité idéale reste immobile. L'histoire en est absente. Le temps du monde, le temps historique s'y trouve, comme le vent chez Éole, enfermé dans une peau de bouc. Ce n'est pas à l'histoire qu'en ont, finalement et inconsciemment, les sociologues, mais au temps de l'histoire — cette réalité qui reste violente, même si l'on cherche à l'aménager, à la diversifier, cette contrainte à laquelle l'historien n'échappe jamais. Les sociologues, eux, y échappent presque toujours : ils s'évadent, ou dans

(2) Cf. Georges Gurvitch, *Déterminismes sociaux et liberté humaine*, Paris, 1955, pp. 38-40 et *passim*.

l'instant, toujours actuel, comme suspendu au-dessus
du temps, ou dans des phénomènes de répétition qui
ne sont d'aucun âge; donc par une démarche opposée
de l'esprit qui les cantonne soit dans l'événementiel le
plus strict, soit dans la durée la plus longue. Cette
évasion est-elle licite? Là est le vrai débat entre historiens et sociologues.

VI

Je ne crois pas qu'il soit possible d'esquiver
l'histoire. Il faut que le sociologue y prenne garde.
La philosophie (d'où il vient et où il reste) ne le
prépare que trop bien à ne pas sentir cette nécessité
concrète de l'histoire. Les techniques de l'enquête
sur l'actuel risquent de consommer cet éloignement.
Tous ces enquêteurs sur le vif, un peu pressés et que
bousculent encore leurs employeurs, feront bien aussi
de se méfier d'une observation rapide, à fleur de peau.
Une sociologie événementielle encombre nos bibliothèques, les cartons des gouvernements et des entreprises. Loin de moi l'idée de m'insurger contre cette
vogue ou de la déclarer inutile. Mais scientifiquement
que peut-elle valoir, si elle n'enregistre pas le sens, la
rapidité ou la lenteur, la montée ou la chute du mouvement qui entraîne tout phénomène social, si elle
ne se rattache pas au mouvement de l'histoire, à sa
dialectique percutante qui court du passé au présent
et jusqu'à l'avenir même?
Je voudrais que les jeunes sociologues prennent, sur
leurs années d'apprentissage, le temps nécessaire pour
étudier, même dans le plus modeste des dépôts d'archives, la plus simple des questions d'histoire, qu'ils
aient, une fois au moins, hors des manuels stérilisants,
un contact avec un métier simple, mais que l'on ne
comprend qu'à le pratiquer — comme tous les autres
métiers sans doute. Il n'y aura de science sociale, à mon
sens, que dans une réconciliation, une pratique simul-
tanée de nos divers métiers. Les dresser l'un contre

l'autre, chose facile, mais cette dispute se joue sur de bien vieux airs. C'est d'une musique nouvelle que nous avons besoin.

## BIBLIOGRAPHIE SÉLECTIONNÉE

1. Plus encore que les livres cités au cours de cet article qui illustrent les conflits entre l'histoire et la sociologie, je conseillerais à de jeunes sociologues de lire certains ouvrages capables de leur faire prendre un contact direct avec l'histoire et, plus particulièrement, avec cette forme de l'histoire qui est voisine de leur propre métier.

Les titres indiqués ci-dessous sont une sélection entre d'innombrables sélections possibles qui varieront toujours suivant les goûts et curiosités de chacun.

Vidal de La Blache (P.), *La France, tableau géographique*, Paris, 1906.

Bloch (M.), *Les caractères originaux de l'histoire rurale française*, Paris-Oslo, 1931; *La société féodale*, Paris 1940, vol. I et II, 2ᵉ éd., 1949.

Febvre (L.), *Rabelais et les problèmes de l'incroyance au XVIᵉ siècle*, Paris, 1943.

Dupront (A.), *Le mythe de Croisade. Étude de sociologie religieuse*, Paris, 1956.

Francastel (P.), *Peinture et société*, Lyon, 1941.

Braudel (F.), *La Méditerranée et le monde méditerranéen à l'époque de Philippe II*, Paris, 1949.

Curtius (E.), *Le Moyen Age latin*, Paris, 1956.

Huizinga, *Le déclin du Moyen Age*, trad. française, Paris, 1948.

Labrousse (E.), *La crise de l'économie française à la veille de la Révolution*, Paris, 1944.

Lefebvre (G.), *La Grande Peur*, Paris, 1932.

2. Les études méthodologiques sur l'histoire sont légion. Rappelons certains écrits que nous avons cités :

Ariès (P.), *Le temps de l'histoire*, Paris, 1954.

Bloch (M.), *Métier d'historien*, Paris, 1949, 3ᵉ éd., 1959.

Braudel (F.), « Histoire et sciences sociales: la longue durée »,
*Annales E.S.C.*, 1958, et ci-dessus, p. 41 et 59.

Febvre (L.), *Combats pour l'histoire*, Paris, 1953.

Marrou (H.-J.), *De la connaissance historique*, Paris, 1954.

Piganiol (A.), « Qu'est-ce que l'histoire? », dans *Revue de
métaphysique et de morale*, Paris, 1955, pp. 225-247.

Simiand (F.), « Méthode historique et science sociale », dans
*Revue de synthèse historique*, 1903, pp. 1-22 et 129-157.

# POUR UNE ÉCONOMIE HISTORIQUE (1)

Les résultats acquis par les recherches d'histoire économique sont-ils assez denses déjà pour qu'il soit licite de les dépasser, en pensée du moins, et de dégager, au delà des cas particuliers, des règles tendancielles? En d'autres termes, l'ébauche d'une économie historique attentive aux vastes ensembles, au général, au permanent, peut-elle être utile aux recherches d'économie, aux solutions de larges problèmes actuels, ou, qui plus est, à la formulation de ces problèmes? Les physiciens, de temps à autre, rencontrent des difficultés dont les mathématiciens, seuls, avec leurs règles particulières, peuvent trouver la solution. Aurions-nous, historiens, à faire une démarche analogue auprès de nos collègues économistes? La comparaison est trop avantageuse sans doute. J'imagine que si l'on voulait une image plus modeste et peut-être plus juste, on pourrait nous comparer, historiens, à ces voyageurs qui notent les accidents de la route, les couleurs du paysage, et que des ressemblances, des rapprochements conduiraient, pour sortir de leurs doutes, chez des amis géographes. Nous avons le sentiment, en effet, au cours de nos voyages à travers le temps des hommes, d'avoir deviné des réalités économiques, stables celles-ci, fluctuantes celles-là,

(1) *Revue économique* 1950, I, mai, 85, pp. 37-44.

rythmées ou non... Illusions, reconnaissances inutiles, ou bien travail déjà valable? Nous ne pouvons en juger seuls.

J'ai donc l'impression qu'un dialogue peut et doit s'engager entre les diverses sciences humaines, sociologie, histoire, économie. Pour chacune d'elles, des bouleversements peuvent s'ensuivre. Je suis prêt, par avance, à accueillir ces bouleversements en ce qui concerne l'histoire et, par conséquent, ce n'est pas une méthode que je serais désireux ou capable de définir, dans ces quelques lignes que j'ai accepté, non sans appréhension, de donner à la *Revue économique*. Tout au plus voudrais-je signaler quelques questions que je souhaiterais voir repenser par des économistes, pour qu'elles reviennent à l'histoire transformées, éclaircies, élargies, ou peut-être à l'inverse, ramenées au néant — mais, même dans ce cas, il s'agirait d'un progrès, d'un pas en avant. Il va sans dire que je n'ai pas la prétention de poser tous les problèmes, ni même les problèmes essentiels qui auraient avantage à subir l'examen confronté des deux méthodes, l'historique et l'économique. Il y en aurait mille autres. J'en livrerai ici, simplement, quelques-uns qui me préoccupent personnellement, auxquels j'ai eu l'occasion de rêver, tout en pratiquant le métier d'historien. Peut-être rejoindront-ils les préoccupations de quelques économistes, bien que nos points de vue me paraissent très éloignés encore les uns des autres.

I

On pense toujours aux difficultés du métier d'historien. Sans vouloir les nier, n'est-il pas possible de signaler pour une fois ses irremplaçables commodités? Au premier examen, ne pouvons-nous pas dégager l'essentiel d'une situation historique quant à son devenir? Des forces aux prises, nous savons celles qui l'emporteront. Nous discernons à l'avance les événements importants, ceux qui auront des conséquences, à qui l'avenir finalement sera livré. Privilège immense! Qui saurait, dans les faits mêlés de la vie actuelle, distinguer aussi sûrement le durable et l'éphémère? Pour les contemporains, les faits se présentent trop souvent, hélas, sur un même plan d'importance, et les très grands événements, constructeurs de l'avenir, font si peu de bruit — ils arrivent sur des pattes de tourterelles, disait Nietzsche — qu'on en devine rarement la présence. D'où l'effort d'un Colin Clark ajoutant aux données actuelles de l'économie des prolongements prophétiques vers l'avenir, façon de distinguer, à l'avance, les coulées essentielles d'événements qui fabriquent et emportent notre vie. Toutes choses renversées, une rêverie d'historien!...

C'est donc la troupe des événements vainqueurs dans la rivalité de la vie que l'historien aperçoit du premier coup d'œil; mais ces événements, ils se replacent, ils s'ordonnent dans le cadre des possibilités multiples, contradictoires, entre lesquelles la vie finalement a fait son choix : pour une possibilité qui s'est accomplie, dix, cent, mille se sont évanouies et certaines, innombrables, ne nous apparaissent même pas, trop humbles, trop dérobées pour s'imposer d'emblée à l'histoire. Il faut pourtant tenter de les y réintroduire, car ces mouvements perdants sont les forces multiples, matérielles et immatérielles, qui à chaque instant ont freiné les grands élans de l'évolution, retardé leur épanouissement, parfois mis un terme prématuré à leur course. Il est indispensable de les connaître.

Nous dirons donc qu'il est nécessaire aux historiens d'aller à contre-pente, de réagir contre les facilités de leur métier, de ne pas étudier seulement le progrès, le mouvement vainqueur, mais aussi son opposé, ce foisonnement d'expériences contraires qui ne furent pas brisées sans peine — dirons-nous *l'inertie*, sans donner au mot telle ou telle valeur péjorative? C'est, en un sens, un problème de cette sorte qu'étudie Lucien Febvre dans son *Rabelais*, lorsqu'il se demande

si l'incroyance à qui un grand avenir est réservé —
je dirais, pour préciser l'exemple, l'incroyance réflé-
chie, à racines intellectuelles —, si l'incroyance est une
spéculation possible dans la première moitié du
XVIᵉ siècle, si l'outillage mental du siècle (entendez
son inertie face à l'incroyance) en autorise la naissance
et la formulation claire.

Ces problèmes d'inertie, de freinage, nous les retrou-
vons dans le domaine économique, et, d'ordinaire,
plus clairement posés sinon plus aisés à résoudre.
Sous les noms de capitalisme, d'économie internationale, de *Weltwirtschaft* (avec tout ce que le mot
comporte de trouble et de riche dans la pensée allemande), n'a-t-on pas décrit des évolutions de pointe,
des superlatifs, des exceptions souvent? Dans sa
magnifique histoire des céréales dans la Grèce antique,
Alfred Jardé, après avoir songé aux formes « modernes » du commerce des grains, aux négociants
d'Alexandrie, maîtres des trafics nourriciers, imagine
tel berger du Péloponèse ou de l'Épire, qui vit de son
champ, de ses oliviers, qui, les jours de fête, tue un
cochon de lait de son propre troupeau... Exemple de
milliers et milliers d'économies closes ou à demi
closes, hors de l'économie internationale de leur
temps et qui, à leur façon, en contraignent l'expansion
et les rythmes. Inerties? Il y a encore celles qu'à chaque
âge imposent ses moyens, sa puissance, ses rapidités,
ou mieux ses lenteurs relatives. Toute étude du passé
doit nécessairement comporter une mesure minutieuse
de ce qui, à telle époque précise, pèse exactement sur
sa vie, obstacles géographiques, obstacles techniques,
obstacles sociaux, administratifs... Pour préciser ma
pensée, puis-je confier que si j'entreprenais l'étude —
qui me tente — de la France des guerres de Religion,
je partirais d'une impression qui paraîtra peut-être,
au premier abord, arbitraire, et dont je suis sûr qu'elle
ne l'est pas. Les quelques courses que j'ai pu faire à
travers cette France-là me l'ont fait imaginer comme la
Chine entre les deux guerres mondiales : un immense
pays où les hommes se perdent d'autant mieux que la

France du XVIᵉ siècle n'a pas la surabondance démographique du monde chinois, mais l'image est bonne d'un grand espace disloqué par la guerre, nationale et étrangère. Tout s'y retrouve : villes assiégées, apeurées, tueries, dilution des armées flottantes entre provinces, dislocations régionales, reconstructions, miracles, surprises... Je ne dis pas que la comparaison se maintiendrait longtemps, jusqu'au bout de mon étude. Mais que c'est de là qu'il faudrait partir, d'une étude de ce climat de vie, de cette immensité, des freinages innombrables qu'ils entraînent, pour comprendre tout le reste, y compris l'économie et la politique.

Ces exemples ne posent pas le problème. Ils le font apparaître cependant dans quelques-unes de ses lignes maîtresses. Toutes les existences, toutes les expériences sont prisonnières d'une enveloppe trop épaisse pour être brisée d'un coup, limite de puissance de l'outillage qui ne permet que certains mouvements, voire certaines attitudes et novations idéologiques. Limite épaisse, désespérante et raisonnable à la fois, bonne et mauvaise, empêchant le meilleur ou le pire, pour parler un instant en moraliste. Presque toujours, elle joue contre le progrès social le plus indispensable, mais il arrive aussi qu'elle freine la guerre — je songe au XVIᵉ siècle avec ses luttes essoufflées, coupées de pauses — ou qu'elle interdise le chômage en ce même XVIᵉ siècle, où les activités de production sont émiettées en organismes minuscules et nombreux, d'une étonnante résistance aux crises.

Cette étude des limites, des inerties — recherche indispensable ou qui devrait l'être pour l'historien obligé de compter avec des réalités d'autrefois auxquelles il convient de rendre leur mesure véritable —, cette étude n'est-elle pas aussi du ressort de l'économiste dans ses tâches les plus actuelles? La civilisation économique d'aujourd'hui a ses limites, ses moments d'inertie. Sans doute est-il difficile à l'économiste d'extraire ces problèmes de leur contexte ou historique, ou social. A lui de nous dire, cependant, comment il faudrait les formuler au mieux, ou alors qu'il

nous démontre en quoi ce sont là de faux problèmes,
sans intérêt. Un économiste que j'interrogeais
récemment me répondait que pour l'étude de ces
freinages, de ces viscosités, de ces résistances, il
comptait surtout sur les historiens. Est-ce bien sûr?
N'y a-t-il pas là, au contraire, des éléments économiquement discernables et mesurables souvent, ne
serait-ce que dans la durée?

II

L'historien traditionnel est attentif au temps bref
de l'histoire, celui des biographies et des événements.
Ce temps-là n'est guère celui qui intéresse les historiens économistes ou sociaux. Sociétés, civilisations,
économies, institutions politiques vivent à un rythme
moins précipité. On n'étonnera pas les économistes
qui, ici, nous ont fourni nos méthodes, si à notre tour
nous parlons de cycles, d'intercycles, de mouvements
périodiques dont la phase va de cinq à dix, vingt,
trente, voire cinquante années. Mais là encore, de
notre point de vue, ne s'agit-il pas toujours d'une histoire à ondes courtes?
Au-dessous de ces ondes, dans le domaine des phénomènes de tendance (la tendance séculaire des économistes), s'étale, avec des pentes imperceptibles, une
histoire lente à se déformer et, par suite, à se révéler
à l'observation. C'est elle que nous désignons dans
notre langage imparfait sous le nom d'histoire structurale, celle-ci s'opposant moins à une histoire événementielle qu'à une histoire conjoncturale, à ondes
relativement courtes. On n'imagine les discussions (1)
et les mises en demeure que pourraient réclamer ces
quelques lignes.
Mais supposons ces discussions dépassées et, sinon

_____

(1) Ne serait-ce que de grammaire, ne vaudrait-il pas mieux
dire : *conjoncturel* et *structurel?*

définie, du moins suffisamment appréhendée cette histoire de profondeur. Elle est aussi une histoire économique (la démographie avec, à travers le temps, ses télé-commandements, en serait une bonne, voire trop bonne démonstration). Mais on ne saurait enregistrer valablement les larges oscillations structurales de l'économie que si nous disposions d'une très longue série rétrospective de documentation — et statistique, de préférence. On sait bien que ce n'est pas le cas et que nous travaillons et spéculons sur des séries relativement brèves et particulières, comme les séries de prix et de salaires. Cependant n'y aurait-il pas intérêt à envisager systématiquement le passé bien ou peu connu par larges unités de temps, non plus par années ou dizaines d'années, mais par siècles entiers? Occasion de rêver ou de penser utilement?

A supposer qu'il y ait des entités, des zones économiques à limites relativement fixes, une méthode géographique d'observation ne serait-elle pas efficace? Plus que les étapes sociales du capitalisme, par exemple, pour paraphraser le beau titre d'une lumineuse communication d'Henri Pirenne, n'y aurait-il pas intérêt à décrire les étapes géographiques du capitalisme, ou, plus largement encore, à promouvoir systématiquement, dans nos études d'histoire, des recherches de géographie économique — en un mot, à voir comment s'enregistrent dans des espaces économiques donnés, les ondes et les péripéties de l'histoire? J'ai essayé, sans y réussir à moi seul, de montrer ce que pouvait être, à la fin du XVIᵉ siècle, la vie de la Méditerranée. Un de nos bons chercheurs, M. A. Rémond, est sur le point de conclure des études sur la France du XVIIIᵉ siècle et de montrer comment l'économie française se détache alors de la Méditerranée, malgré la montée des trafics, pour se tourner vers l'Océan : ce mouvement de torsion entraînant, à travers routes, marchés et villes, d'importantes transformations. Je pense aussi qu'au début du XIXᵉ siècle encore (1),

(1) Pour suivre ici les travaux en cours d'un jeune économiste, M. François Desaunay, assistant à l'École des Hautes Études.

la France est une série de Frances provinciales, avec
leurs cercles de vie bien organisés, et qui, liées ensemble par la politique et les échanges, se comportent l'une
par rapport à l'autre comme des nations économiques,
avec règlements selon les leçons de nos manuels, et
donc déplacements de numéraire pour rééquilibrer la
balance des comptes. Cette géographie, avec les modi-
fications que lui apporte un siècle fertile en novations,
n'est-ce pas, pour le cas français, un plan valable
de recherches et une façon d'atteindre, en attendant
mieux, ces nappes d'histoire lente dont les modifica-
tions spectaculaires et les crises nous dérobent la vue?

D'autre part, les perspectives longues de l'histoire
suggèrent, de façon peut-être fallacieuse, que la vie
économique obéit à de grands rythmes. Les villes
glorieuses de l'Italie médiévale dont le XVIe siècle ne
marquera pas brutalement le déclin établirent très
souvent leur fortune, à l'origine, grâce aux profits
des transports routiers ou maritimes. Ainsi Asti, ainsi
Venise, ainsi Gênes. L'activité marchande suivit, puis
l'activité industrielle. Enfin, couronnement tardif,
l'activité bancaire. Épreuve inverse, le déclin toucha
successivement, à de très longs intervalles quelquefois,
— et non sans retours — les transports, le commerce,
l'industrie, laissant subsister, longtemps encore, les
fonctions bancaires. Au XVIIIe siècle, Venise et Gênes
sont toujours des places d'argent.

Le schéma est trop simplifié, je n'affirme pas qu'il
soit parfaitement exact, mais je tiens à suggérer ici
plus qu'à démontrer. Pour le compliquer et le rapprocher du réel, il faudrait montrer que chaque activité
nouvelle correspond au renversement d'une barrière,
à une gêne surmontée. Il faudrait indiquer aussi que
ces montées et ces descentes ne sont pas des lignes
trop simples, qu'elles sont brouillées, comme il se doit,
par mille interférences parasitaires. Il faudrait montrer aussi que ces phases successives, des transports
à la banque, ne surgissent pas par rupture brusque.
Au point de départ, comme une graine qui contient
une plante virtuelle, chaque économie urbaine impli-

que à des stades divers toutes les activités, certaines encore à l'état embryonnaire. Enfin, il y aurait danger évident à vouloir tirer une loi d'un exemple et, à supposer que l'on arrive à des conclusions au sujet de ces États en miniature que furent les villes italiennes du Moyen Age (une micro-économie?), à s'en servir pour expliquer, *a priori*, les expériences d'aujourd'hui. Le saut est trop périlleux pour que l'on n'y regarde pas à deux fois.

Cependant, les économistes ne pourraient-ils pas nous aider, une fois de plus? Avons-nous raison de voir dans les transports et ce qui s'y rattache (les prix, les routes, les techniques) une sorte de moteur décisif *à la longue*, et y a-t-il, pour voler un mot aux astronomes, une *précession* de certains mouvements économiques sur les autres, non pas dans la seule et étroite durée des cycles et intercycles, mais sur de très larges périodes?

## III

Autre problème qui nous paraît capital : celui du *continu* et du *discontinu*, pour parler le langage des sociologues. La querelle qu'il soulève vient peut-être de ce que l'on tient rarement compte de la pluralité du temps historique. Le temps qui nous entraîne, entraîne aussi, bien que d'une façon différente, sociétés et civilisations dont la réalité nous dépasse, parce que la durée de leur vie est bien plus longue que la nôtre, et que les jalons, les étapes vers la décrépitude ne sont jamais les mêmes, pour elles et pour nous. Le temps qui est le nôtre, celui de notre expérience, de notre vie, le temps qui ramène les saisons et fait fleurir les roses, qui marque l'écoulement de notre âge, compte aussi les heures d'existence des diverses structures sociales, mais sur un tout autre rythme. Pourtant, si lentes qu'elles soient à vieillir, celles-ci changent, elles aussi; elles finissent par mourir.

Or, qu'est-ce qu'une *discontinuité* sociale, si ce n'est, en langage historique, l'une de ces ruptures structurales, cassures de profondeur, silencieuses, indolores, nous dit-on. On naît avec un état du social (c'est-à-dire, tout à la fois, une mentalité, des cadres, une civilisation et notamment une civilisation économique) que plusieurs générations ont connu avant nous, mais tout peut s'écrouler avant que ne se termine notre vie. D'où des interférences et des surprises.

Ce passage d'un monde à un autre est le très grand drame humain sur lequel nous voudrions des lumières. Quand Sombart et Sayous se querellent pour savoir quand naît le capitalisme moderne, c'est une rupture de cet ordre qu'ils recherchent, sans en prononcer le nom et sans en trouver la date péremptoire. Je ne souhaite pas que l'on nous donne une philosophie de ces catastrophes (ou de la catastrophe faussement typique qu'est la chute du monde romain, qu'on pourrait étudier comme les militaires allemands ont étudié la bataille de Cannes), mais une étude à éclairage multiple de la discontinuité. Les sociologues en discutent déjà, les historiens la découvrent; les économistes y peuvent-ils songer? Ont-ils eu l'occasion, comme nous, de rencontrer la pensée aiguë d'Ignace Meyerson? Ces ruptures en profondeur tronçonnent un des grands destins de l'humanité, son destin essentiel. Tout ce qu'il porte sur son élan s'effondre ou du moins se transforme. Si, comme il est possible, nous venons de traverser une de ces zones décisives, rien ne vaut plus pour demain de nos outils, de nos pensées ou de nos concepts d'hier, tout enseignement fondé sur un retour illusoire à des valeurs anciennes est périmé. L'économie politique que nous avons, tant bien que mal, assimilée aux leçons de nos bons maîtres, ne servira pas à nos vieux jours. Mais justement, de ces discontinuités structurales, même au prix d'hypothèses, les économistes n'ont-ils rien à dire? à *nous* dire?

Comme on le voit, ce qui nous paraît indispensable pour un rebondissement des sciences humaines, c'est moins telle ou telle démarche particulière que l'institution d'un immense débat général — un débat qui ne sera jamais clos, évidemment, puisque l'histoire des idées, y compris l'histoire de l'histoire, est elle aussi un être vivant, qui vit de sa vie propre, indépendante de celle des êtres mêmes qui l'animent. Rien de plus tentant, mais de plus radicalement impossible, que l'illusion de ramener le social si complexe et si déroutant à une seule ligne d'explication. Historiens, nous qui, avec les sociologues, sommes *les seuls* à avoir un droit de regard sur *tout* ce qui relève de l'homme, c'est notre métier, notre tourment aussi, de reconstituer, avec des temps différents et des ordres de faits différents, l'unité de la vie. « L'histoire, c'est l'homme », selon la formule de Lucien Febvre. Encore faut-il, quand nous tentons de reconstituer l'homme, que nous remettions ensemble les réalités qui s'apparentent et se joignent et vivent au même rythme. Sinon le puzzle sera déformé. Mettre face à face une histoire structurale et une histoire conjoncturale, c'est gauchir une explication, ou, si l'on se retourne vers l'événementiel, tailler une explication en pointe. C'est entre masses semblables qu'il faut chercher les corrélations, à chaque étage : premier soin, premières recherches, premières spéculations. Ensuite, d'étage en étage, comme nous pourrons, nous reconstituerons la maison.

# SÉVILLE ET L'ATLANTIQUE
## (1504-1650) (1)

Pour désigner l'œuvre monumentale de Pierre Chaunu (2), il faut une expression qui définisse d'emblée le sens de son entreprise et la nouveauté, à dessein forte et limitée, de l'histoire qu'il nous propose. Disons : *l'histoire sérielle*, puisque Pierre Chaunu lui-même employait dernièrement cette formule (3) et qu'elle éclaire la perspective majeure d'un ouvrage où le lecteur risque, chemin faisant, de se laisser distraire par la multiplicité des chemins offerts, de perdre le fil, puis de s'égarer bel et bien.

J'avoue, l'ayant lu une première fois et de près, plume en main, avoir mieux compris, à la seconde lecture, cet amoncellement d'efforts et de silences inattendus, mais voulus. Dans le cadre d'une histoire sérielle, le livre trouve son unité, sa justification, ses limites acceptées d'avance.

Une œuvre, même de superbes dimensions, reste un choix. L'histoire sérielle, à l'intérieur de laquelle Pierre Chaunu se retranche, a ses exigences. Elle « s'intéresse moins au fait individuel... qu'à l'élément

(1) *Annales E.S.C.*, n° 3, mai-juin 1963, Notes critiques, p. 541-553.
(2) *Séville et l'Atlantique (1550-1650)*, tome I, 1212 p., t. II, 2050 + XV, Paris, S.E.V.P.E.N., 1959.
(3) « Dynamique conjoncturelle et histoire sérielle », *Industrie*, 6 juin 1960.

répété..., intégrable dans une série homogène susceptible de supporter, ensuite, les procédés mathématiques
classiques d'analyse des séries... ». Elle est en conséquence un langage — et très abstrait, désincarné.

Cette histoire réclame, exige la *série*, qui lui donne
son nom et sa raison d'être, une série c'est-à-dire
une succession cohérente, ou rendue cohérente, de
mesures liées les unes aux autres, soit une fonction
du temps historique dont il faudra avec patience
établir le cheminement, puis la signification, d'autant
que le tracé en est parfois incertain, que le calcul
qui intervient dans sa genèse ne la fixe jamais à
l'avance de façon automatique.

Fonction et explication du temps historique ? Ces
images et ces formules ne sont peut-être pas suffisamment claires ou justes. Une telle série de chiffres
exprimant des mesures valables, liées entre elles,
c'est tout aussi bien une route construite à travers
nos connaissances incertaines et qui ne permet guère
qu'un seul voyage, mais privilégié.

Le de trafic Séville avec l'Amérique de 1504 à 1650,
reconstitué en volume et en valeur, telle est la *série*,
historiquement prestigieuse, qui est offerte à notre
connaissance, « une masse continue de données
chiffrées ». Pour l'établir, Huguette et Pierre Chaunu
ont publié de 1955 à 1957, les sept volumes de l'énorme
comptabilité portuaire (1). Ils l'ont à la fois construite et *inventée*. L'essentiel a été pour eux d'établir,
bien avant les débuts du XVIIIᵉ siècle et de ses statistiques faciles, cette route solide de chiffres, « de
reculer sur un point, écrit Pierre Chaunu, ne serait-ce
qu'infime, la frontière des économies mesurables et
de celles qu'il faut abandonner aux seules appré-
ciations qualitatives ».

(1) Huguette et Pierre Chaunu, *Séville et l'Atlantique*. Première partie : Partie statistique (1504-1650), 6 volumes in-8º,
Paris, S.E.V.P.E.N., 1955-1956, plus un Atlas, *Construction
graphique*, in-4º, 1957. La thèse de Pierre Chaunu est la seconde
partie, dite interprétative, de *Séville et l'Atlantique*, d'où la
tomaison peu claire au premier abord, de ses trois volumes :
VIII¹, VIII², VIII² *bis*.

Nous le savions déjà depuis Earl J. Hamilton : la grandeur espagnole, au XVIe siècle, est *mesurable;* nous le savons mieux aujourd'hui. Et des progrès, vu les richesses des archives de la Péninsule, sont encore possibles sur cette route privilégiée des séries.

C'est donc au terme d'un effort prodigieux et novateur, que Pierre Chaunu a bâti, seul cette fois, son énorme thèse de plus de 3 000 pages. Elle nous offre une seule ligne de la grandeur espagnole, une seule ligne de l'économie mondiale, mais c'est là un axe essentiel, dominant, qui introduit un ordre impératif au milieu de mille notions et connaissances acquises. Tous les historiens et économistes qui s'intéressent à la première modernité du monde, lisant ce livre, sont appelés à vérifier et à bousculer leurs explications anciennes. Quand on a la passion de l'histoire, il n'est pas de plus beau spectacle, à condition de le bien situer et de ne pas lui demander plus qu'il ne peut et surtout ne veut nous offrir.

I

STRUCTURE ET CONJONCTURE

Je ne crois pas, malgré les correspondances évidentes et les filiations que Pierre Chaunu se plaît à reconnaître avec son habituelle et trop grande gentillesse, je ne crois pas que l'Atlantique sévillan qu'il nous présente soit une reprise ou un prolongement de *La Méditerranée et le monde méditerranéen à l'époque de Philippe II*, livre paru dix ans plus tôt que le sien, en 1949. Tout d'abord cet Atlantique n'est pas saisi en son entier, mais dans un certain espace arbitraire, des Antilles à l'embouchure du Guadalquivir, ce que l'auteur dit et redit à satiété : est mis en cause, pour reprendre quelques-unes de ses formules, « un Atlantique médian », « le premier

Atlantique clos des Ibériques », « l'Atlantique exclusif
de Séville »...

Plus que d'un espace saisi dans sa réalité géographique brute et complète, c'est d'une réalité humaine
construite qu'il sera question, d'un système routier
qui aboutit à Séville « d'où l'on tient tout... par le
goulot de la bouteille... » et d'où tout repart.

Autre différence fondamentale que voit aussitôt
Pierre Chaunu et qui saute aux yeux : celle qui oppose
le plus vieil espace maritime jamais saisi par l'homme
— la Méditerranée —, tout un passé, un espace alors
(au XVIe siècle) au terme de sa grandeur, et un
espace (l'Atlantique) au passé emprunté et hâtivement
construit...

Sans doute, quand il distingue structure et conjoncture, immobilité et mouvement, Pierre Chaunu se
rattache-t-il un instant à l'exemple que j'ai donné
hier et qui se révèle contagieux dans bon nombre
de thèses récentes. Donc Pierre Chaunu, lui aussi,
s'est laissé séduire par l'efficace dialectique du temps
long et du temps bref. Mais son propos, pour autant,
n'est pas le mien : j'ai cherché dans *La Méditerranée*
à exposer, bien ou mal, à imaginer une histoire
globale, allant des immobilités aux mouvements les
plus vifs de la vie des hommes. Pierre Chaunu n'a
ni cette prétention, ni ce désir. Chez lui, la description
des immobilités majeures (sa première partie), puis
le récitatif conjoncturel (la seconde partie) ne visent
qu'à reconstituer une certaine réalité économique,
découpée dans une histoire globale qu'elle traverse,
mais qui la déborde de toutes parts. Je soupçonne
même Pierre Chaunu d'avoir consciemment préféré
le conjoncturel, plus proche de l'histoire vécue, plus
aisé à saisir, plus scientifique s'il est enclos dans des
courbes, que le structurel, observable à travers la
seule abstraction de la longue durée.

Dans cet Atlantique vu à partir de 1504, l'année
où se met en route le privilège de Séville, une douzaine
d'années après le voyage de Colomb, pas de structures
encore, à vrai dire. Il va falloir les importer, les

construire, en somme. Alors Pierre Chaunu n'a-t-il pas vu dans la séparation de la longue durée et de la fluctuation, une merveilleuse occasion de débarrasser à l'avance son étude conjoncturelle — à quoi aboutit son livre et qui est le cœur de l'entreprise — de tout ce qui en gênait la mise en place ou le commentaire facile ? le mathématicien ne procède pas autrement quand il groupe ou rejette les termes entiers inva-, riables dans un seul membre d'une équation.

Plus clairement, le premier volume de la thèse de Pierre Chaunu, si riche soit-il, est un préalable à la construction sérielle qui va suivre. Si nous le considérons en lui-même, nous y verrons des faiblesses, des lacunes, des silences surprenants, mais ceux-ci s'effacent, se justifient dans la perspective générale de l'œuvre, qui correspond à une intention de l'architecte, ou mieux à une obligation qu'il a choisie.

II

LA STRUCTURATION DE L'ATLANTIQUE MÉDIAN

J'ai eu sans doute trop tendance, dans une première réaction à l'égard de l'œuvre de Pierre Chaunu, à considérer son volume initial comme un livre en soi, qui aurait dû avoir alors ses propres exigences, et surtout sa propre unité. Que ce livre s'intitule de façon ambiguë *Les structures géographiques* n'y change rien. Ce premier livre n'est pas intemporel, et pour Pierre Chaunu, comme pour tous les historiens qui ont approché Lucien Febvre, la géographie, quelle que soit la particularité de son point de vue, est la mise en cause de toute l'expérience vécue des hommes, ceux d'aujourd'hui, comme ceux d'hier. En fait, la géographie n'est pas ici restrictive, mais indicative. Elle conseille, elle justifie un plan régional selon les voisinages de l'espace. Un plan facile,

terriblement monotone et qui ne se préoccupe guère
de grouper les problèmes en faisceaux ou d'introduire,
pour organiser le spectacle, le temps de l'histoire,
ici, cependant, constructeur de structures... A partir
de la page 164, nous allons imperturbablement d'une
escale à la voisine, selon un programme énumératif
dont on ne saurait prendre sérieusement la défense.
Il permet, nous dira-t-on, le déploiement d'un fichier
fastueux. Il est vrai. Mais quel livre Pierre Chaunu
n'aurait-il pas écrit, au seuil de son œuvre et selon
son tempérament même, s'il avait été attentif à la
lente transformation des structures, car celles-ci
bougent, innovent. Un film au ralenti aurait été
préférable à ces vues fixes de lanterne magique.
A plusieurs reprises d'ailleurs, Pierre Chaunu a
multiplié les histoires particulières et, qui plus est,
sacrifié à une géographie typologique qui d'elle-même
transgresse les vérités locales, les regroupe, mais
il l'abandonne, hélas, à la page suivante.

Le voyage, car cette première partie est un lent et
minutieux voyage, s'organise du Vieux vers le Nouveau Monde. Dans quelles conditions s'est établi,
historiquement et géographiquement parlant, le monopole sévillan sur le commerce des Amériques, quels
sont ses limites et surtout ses points faibles ? Comment,
en arrière de ce privilège dominateur, se comporte
le monde ibérique, vu un instant dans ses profondeurs
et ses marges maritimes ? Telles sont les premières
questions auxquelles de très bonnes réponses sont
fournies. Ensuite sont abordées les « îles d'Europe »,
les Canaries (longuement étudiées), Madère, les Açores.
De ces îles, on passe naturellement à celles du Nouveau Monde : Saint-Domingue, Puerto Rico, la
Jamaïque, les Bermudes et la presqu'île de Floride...
Des corps géographiques qu'offre le Nouveau Monde,
il était tentant de distinguer les corps légers (les
« îles continentales ») et les corps pesants (les « continents » : Nouvelle Espagne et Pérou), sans oublier
les isthmes, notamment celui de Panama que notre

auteur proclame, non sans raison, un « isthme de Séville ».

Sur ces questions, vastes ou restreintes, ce livre apporte des lumières souvent inédites. Pierre Chaunu a prodigué là des trésors d'érudition, et chaque fois que ses séries marchandes le lui permettaient à l'avance, il a multiplié les notations décisives, fixé les échanges, signalé la réussite des grandes productions : cuir, or, argent, sucre, tabac... Voilà toute une cartographie des forces et surfaces de production, tout un dictionnaire bourré de renseignements, aisé à consulter. De quoi nous plaignons-nous ?

De ce que ce premier livre, répétons-le, n'ait pas été traité en lui-même; plus précisément qu'il reste hors d'une histoire d'ensemble des *structures*, malgré tant de matériaux offerts et qu'il aurait fallu coordonner, soulever. Pierre Chaunu l'a bien senti dans les cent et quelque premières pages des *Structures* (p. 40 à 163), curieusement consacrées à un récit souvent et surtout événementiel, où Colomb a sa large place, puis les grandes étapes de la conquête, pour aboutir à des considérations importantes et neuves sur la « conquista », en termes d'espace et en termes d'hommes (p. 143 à 159). Mais ce récit utile n'est pas la large animation à laquelle je songe et qui, me semble-t-il, aurait dû éclairer la lente mise en place des structures atlantiques et les difficultés de leur provignement.

L'Atlantique, ses bords européens et américains, ces îles en plein océan ou sur les franges continentales, ces routes d'eau qui vont les joindre — à l'heure des découvertes ce sont des espaces vides : l'homme y est absent, au mieux rare, inutilement présent. Il n'y a eu construction, çà et là, que par accumulation d'hommes, blancs ou noirs ou indiens; par transferts et implantations répétées de biens culturels : bateaux, plantes cultivées, animaux domestiques; à la suite souvent de dénivellations de prix : « le bas prix américain a commandé », pour reprendre un mot d'Ernest Labrousse. Le tout s'organisant à partir de centres privilégiés, enfoncés dans le cadre de structures préexistantes : les religions, les institutions politiques, les administrations, les cadres urbains, et, au-dessus de cet ensemble, un capitalisme marchand ancien, insidieux, agile, capable déjà de franchir, de discipliner l'Océan.

André E. Sayous (1) s'est, il y a longtemps, au travers de ses sondages dans les archives notariales de Séville *(Archivo de Protocolos)*, préoccupé de ces grandes aventures en soulignant l'action novatrice et risquée des marchands génois. Depuis lors, bien des études de détail ont paru. Nous attendons même un livre décisif de Guillermo Lohmann Villena (2). Mais nous avons déjà les études novatrices d'Enrique Otte (3) et les lettres du négociant Simón Ruiz (4) (pour la seconde moitié du XVIe siècle) qui ne demandent qu'à être utilisées (5), ou les précieux papiers de marchands florentins publiés par Federigo Melis (6).

Alors on s'étonne que ce long prologue ne nous apprenne rien, sauf hasard providentiel, sur les marchands, animateurs des trafics sévillans. Pas un mot non plus sur les villes d'Ibérie, matrices des villes du Nouveau Monde, ni sur la typologie urbaine d'un côté et de l'autre de l'Atlantique. Pour finir pas un mot sur la ville même de Séville, au vrai

(1) « La genèse du système capitaliste : la pratique des affaires et leur mentalité dans l'Espagne du XVIe siècle », *Annales d'Histoire économique et sociale*, 1936, pp. 334-354.

(2) Sur *Les Espinosa*, Paris, S.E.V.P.E.N., 1968.

(3) « La Rochelle et l'Espagne. L'expédition de Diego Ingenios à l'île des Perles en 1528 », *Revue d'Histoire économique et sociale*, t. XXXVII, 1959, n° 1.

(4) Notamment, celles qu'utilise H. Lapeyre dans sa thèse : *Une famille de marchands, les Ruiz*, « Affaires et gens d'Affaires », Paris, S.E.V.P.E.N., 1955.

(5) Utilisées par Bennassar, « Facteurs et Sévillans au XVIe siècle », *Annales E.S.C.*, 1957, n° 1, p. 60; et par F. Braudel, « Réalités économiques et prises de conscience. Quelques témoignages sur le XVIe siècle », *ibid.*, 1959, n° 4, p. 732.

(6) *Il Commercio transatlantico di una compagnia fiorentina stabilita a Siviglia*, 1954.

« goulot » de plusieurs bouteilles. Elle ne conduit pas seulement aux Indes, mais à la Méditerranée, aux entrailles de l'Espagne (ce que Pierre Chaunu dit d'ailleurs excellemment), et encore aux pays du Nord, Flandres, Angleterre, Baltique, ce qu'il ne dit pas du tout. C'est même la navigation bordière autour de l'Espagne, de Gibraltar à Londres et à Bruges, qui a permis l'explosion, préparée à l'avance, des Grandes Découvertes. C'est la concentration capitaliste internationale de Séville qui explique, en grande partie, la première Amérique.

Ainsi Séville *tient* à d'autres espaces maritimes, à d'autres circuits de bateaux, de marchandises et d'argent que l'axe Séville-la Vera Cruz et, dans la mesure où l' « Océan ibérique » est un espace « dominant » (au sens où François Perroux emploie les mots de pôle, d'économie dominante), n'était-il pas important de voir les formes « d'asymétrie », de déséquilibre, tous ces complexes d'infériorité visibles, que la supériorité de l'Océan sévillan développe dans les autres espaces de la circulation océanique ? Pierre Chaunu nous dit pourtant, à propos du Pacifique des lointaines Philippines (1), que l'océan Atlantique l'a annexé à sa vie « vorace » : alors comment ne regarde-t-il pas, parlant des structures géographiques, vers la mer du Nord et la Méditerranée d'Alicante, de Gênes et bientôt de Livourne ? Il aurait fallu, évidemment, pour élucider ces problèmes, élargir les recherches d'archives, voir à Séville les richissimes *Protocolos*, à Simancas les innombrables papiers sur Séville et sur les Flandres... Mais Pierre Chaunu s'est tenu, volontairement, à l'intérieur de sa seule histoire sérielle, sans se préoccuper d'autres séries existantes.

Séville, en tout cas, avait des droits à être présente dans sa totalité vivante et pas seulement dans son port, en aval du pont de bateaux qui la relie à Triana ; et pas seulement, dans ses institutions comme la

(1) Pierre Chaunu, *Les Philippines et le Pacifique des îles ibériques XVIᵉ-XVIIIᵉ siècles*, Paris, S.E.V.P.E.N., 1960, in-8º, 301 p.

glorieuse *Casa de la Contratación*, mais aussi dans
ses réalités économiques, sociales, urbaines, dans la
foule de ses marchands, revendeurs, changeurs,
marins, assureurs. Voire dans le mouvement si caractéristique et saccadé de sa vie, commandée par les
flottes qui, tour à tour, l'enrichissent et l'épuisent,
amènent alternativement, sur le marché financier de
la place, ce que les documents de l'époque appellent
la « largesse » et « l'étroitesse » de la monnaie. En
parcourant, à Simancas, le « padrón » de Séville,
ce recensement exhaustif de ses maisons et de ses
habitants, en 1561, j'ai pensé à tout ce dont Pierre
Chaunu s'était privé et nous avait privés...

III

LE TRIOMPHE DU SÉRIEL

Les deux volumes sur la conjoncture (tomes II
et III de l'ouvrage) nous alertent aussitôt par l'in-
solence du singulier. Il s'agit, en fait, au-delà de l'enregistrement des trafics sévillans, de *la* conjoncture
internationale, mondiale, des rythmes d'une *Weltwirtschaft* qui serait étendue à toutes les grandes civilisations et économies du monde et dont Pierre Chaunu,
comme moi-même (mais avec bien des prudences,
t. II, p. 43) affirme qu'elle est *une*. Peut-être même
était-elle déjà une, bien avant le xve siècle finissant,
dans cette planète à part et cohérente depuis des
siècles qu'est le Vieux Monde, de l'Europe à la Chine,
à l'Inde et à l'Afrique des Noirs, grâce aux navigations et caravanes d'un Islam longtemps dominateur. Ce que plus d'un historien non économiste aura
dit, il y a bien des années...
A plus forte raison y a-t-il une conjoncture au
xvie siècle, alors que les cercles s'élargissent, que la
vie s'accélère si fort : alors « l'universalité des fluctuations... semble bien prendre naissance, quelque part

entre Séville et la Vera Cruz ». Bien sûr, cette conjoncture du monde ne bouscule pas tout : « une économie-monde, en profondeur, ne sera possible que beaucoup plus tard, pas avant l'explosion démographique et technique des XIX^e et XX^e siècles... ». Mais enfin, et de l'aveu même de Pierre Chaunu, à sa soutenance, le choix de l'Atlantique « est un choix téméraire, c'est tenter d'expliquer le monde ». J'aime ce mot imprudent.

C'est à cette hauteur en tout cas, celle de la conjoncture mondiale, que la critique de ce livre devra toujours ou revenir ou se hausser. Si Pierre Chaunu dit mille choses (comme déjà dans son tome premier) sur l'empire espagnol, ce n'est pas dans ce cadre, sur lequel nous avons des renseignements nombreux et souvent plus complets, qu'il faut replacer son immense explication. Hors de l'univers hispanique, il importe de saisir la conjoncture du monde.

Il était donc intéressant, utile, après s'être délesté d'explications importantes, tout de même secondes, de laisser carrémnet l'espace pour le temps et d'en marquer dès lors, très à l'aise, exclusivement les phases, les périodes, les rythmes, même les instants, à l'horloge des arrivées et départs des flottes de Séville. Nous disposons à la fois d'une estimation des volumes et de la valeur des cargaisons; allers et retours sont examinés séparément ou cumulativement et les courbes brutes traitées de plusieurs façons différentes (moyennes quinquennales, médianes sur sept ou treize ans).

L'enregistrement, finalement, se présente sous forme d'un écheveau de courbes. Que ces courbes aient été reconstruites, inventées parfois, corrigées souvent, voilà qui révèle le travail préalable nécessaire à la mise en place de tout matériel sériel. L'obstacle le plus difficile à franchir a été l'estimation (variable) de la *tonelada;* il signale à lui seul les dangers et risques qu'il a fallu accepter, côtoyer et, vaille que vaille, surmonter.

Mais cette critique constructive n'intéressera que
les spécialistes. (Sont-ils nombreux?) A accepter les
décisions et conclusions numériques de l'auteur,
l'historien ne risquera pas grand-chose. Il pourra
donc participer sans appréhension au jeu prolongé,
sûrement fastidieux, sûrement nécessaire, auquel
Pierre Chaunu se livre imperturbablement pendant
plus de 2 000 pages. Henri Lapeyre écrivait dernièrement que notre auteur aurait pu abréger et conden-
ser (1). Il est vrai, mais est-ce si facile? Et d'ailleurs
sommes-nous obligés de lire toutes les pages avec
l'attention habituelle? Les plus pressés d'entre nous
peuvent se reporter à l'Atlas qui accompagne ce
livre, les plus intéressés choisir les seules discussions qui leur importent.

En tout cas, Dieu soit loué, les conclusions d'ensemble sont claires et solides.

*Le trend* séculaire dessine deux larges mouvements :
une montée, soit une phase A de 1506 à 1608, une
descente, soit une phase B de 1608 à 1650.

Cependant, c'est à des mesures et à des mouvements
plus courts que Pierre Chaunu arrête de préférence
sa chronologie et son observation, à des périodes
de vingt à cinquante ans au maximum (l'une d'elles
d'ailleurs bien plus courte) et qu'il appelle de façon
abusive, ou du moins ambiguë, des *intercycles*, alors
que ce sont plutôt des demi-Kondratieff. Mais peu
importe le mot; on pardonnera plus facilement à
Pierre Chaunu le terme d'intercycle que celui de décade,
qu'il emploie obstinément à la place de *décennie*.

Donc des intercycles successifs et contradictoires,
cinq au total : 1º à la hausse de 1504 à 1550; 2º à la
baisse de 1550 à 1559-62 (serait-ce ici, comme je le
pense, un intercycle de Labrousse?); 3º à la hausse
de 1559-1562 à 1592; 4º étale, dirons-nous, de 1592
à 1622; 5º franchement à la baisse de 1622 à 1650.

A l'intérieur de ces intercycles, une analyse, qui
ne relève nullement de la chiromancie, donne, une

_____

(1) *Revue Historique*, 1962, p. 327.

fois de plus, la succession de cycles d'une dizaine d'années; il est même possible de déceler des fluctuations plus courtes, des « Kitchin ».

Je ne crois pas, un seul instant, que ces dates et les périodes encadrées soient des mesures subjectives; elles sont, au contraire, des mesures valables avec quoi jauger le temps révolu et sa vie matérielle. Elles ne disent pas plus, pour ce temps écoulé, qu'une température sur la maladie d'un patient, mais autant, ce qui n'est pas un si mince avantage.

L'immense effort d'une histoire sérielle aboutit ainsi à la fixation d'une échelle chronologique avec ses multiples et sous-multiples. Cette échelle ne nous surprend pas dans son articulation majeure. La prospérité du monde se casse en deux de part et d'autre de l'année 1608, quand se retourne le malstrom du *trend* séculaire : en fait, le retournement ne se fait pas en un jour, ni en une année, mais durant une longue période d'indécision, semée d'illusions, de catastrophes sous-jacentes. Dans nos périodisations nécessaires (sans quoi il n'y aurait pas d'histoire générale intelligible), certains préféreront les années annonciatrices, c'est-à-dire les années 1590; d'autres les années de conclusion (ainsi Carlo M. Cipolla 1619 ou 1620, ainsi R. Romano 1619-1623, ainsi moi-même, hier, 1620).

Il est bien évident que le débat reste ouvert, que nous sommes peu habitués (et déjà hier Earl J. Hamilton) à discuter de ces événements exceptionnels que sont les renversements du *trend* séculaire. Un tel événement, plus important en soi, est bien plus difficile à expliquer, dans l'actuelle logique de notre métier, que l'Invincible Armada (sur laquelle Pierre Chaunu, comme sur la piraterie anglaise, confirme ce que nous savions déjà), ou que les débuts de la Guerre dite de Trente Ans. Le *trend* séculaire n'est pas, c'est un fait, un sujet classique de discussion. A Aix, au Congrès de septembre 1962, malgré la présence de l'auteur, les thèses de Mme J. Griziotti-

Kretschmann (1) n'ont pas été discutées, aucun des historiens présents, en dehors de Ruggiero Romano, de Frank Spooner et de moi-même, n'ayant lu son livre rarissime.

C'est un fait qu'un immense virage est pris entre 1590 et 1630 et notre imagination, sinon notre raison, a le champ libre pour l'expliquer : ou les rendements décroissants des mines américaines (explication que retient volontiers Ernest Labrousse), ou la chute verticale de la population indienne de la Nouvelle Espagne et, sans doute, du Pérou... Ainsi ont été abandonnées les anciennes explications : absorption du métal blanc par l'économie grandissante de l'Amérique hispano-portugaise, ou son détournement vers les Philippines et la Chine, ou sa capture par la fraude grandissante en direction du Rio de la Plata... Fraudes, détournements, ont, nous le savons, obéi à la même conjoncture que la route normale. J'avancerais volontiers, sans en être sûr, que la crise d'un certain capitalisme, plus financier et spéculatif encore que marchand, a joué alors son rôle. La fin du XVIe siècle voit une chute des profits, comme le XVIIIe siècle à son déclin. Cause, ou conséquence, il est vrai!

Mais les recherches sont trop insuffisantes encore et la problématique trop désespérément pauvre, en ces domaines, pour que le problème, certes bien posé, puisse être résolu correctement. La pensée économique, même de pointe, ne nous fournit pas encore les cadres explicatifs nécessaires.

Trop vaste problème, penseront les sages. Mais les problèmes limités ne sont pas toujours plus clairs à nos yeux. Ainsi, pour en donner un bon exemple, l'intercycle court de 1550 à 1562, que nous révèle, à Séville, l'enquête de Pierre Chaunu.

C'est là bien plus qu'un coup de semonce, un énorme coup de roulis de toute l'économie « dominante » de Séville, le passage assez dramatique à

_____

(1) *Il Problema del trend secolare nelle fluttuazioni dei prezzi*, Pavie, 1935.

nos yeux de l'époque de Charles Quint que je vois
ensoleillée, à l'époque triste, difficile et maussade de
Philippe II. En France, le passage des années de
François Iᵉʳ aux sombres saisons d'Henri II... Un
historien nous dira peut-être demain que l'intercycle
de Labrousse, à la veille de la Révolution française,
a son équivalent dans cette « crise », à la veille de
nos Guerres de Religion, elles aussi comme la Révolution française drame pour l'Europe entière.

Nous regretterons d'autant plus que Pierre Chaunu
ne soit guère sorti, à ce propos, de ses courbes sévillanes pour mettre en cause une histoire à l'échelle
sérielle de l'Europe et du monde, ou même une
histoire descriptive qui a valeur d'auscultation :
ainsi le brusque arrêt vers la Méditerranée des navigations anglaises, ainsi le succès affirmé (dès 1530
peut-être) des navigations hollandaises de la mer
du Nord à Séville. Pourquoi ne pas chercher si le
cycle sévillan a été commandé par la demande américaine ou les offres de l'économie européenne, et
comment (cette fois et d'autres) il s'est, ou non,
propulsé vers les places européennes ?

IV

L'ENJEU : L'HISTOIRE DE LA PRODUCTION

Il faudrait des pages et des pages pour dire les
richesses de cet interminable récitatif conjoncturel,
ou formuler à son propos nos critiques, nos doutes;
ils ne manquent pas, mais il s'agit de détails. Et le
point essentiel du livre de Pierre Chaunu n'est pas
là. Alors, allons vers cet essentiel, la dernière grande
discussion que nous offre son livre et dont je m'étonne
que les critiques ne l'aient pas encore remarquée.

Une courbe des trafics portuaires porte témoignage
sur la circulation des marchandises et des capitaux
— mais cette circulation que, depuis des années et

des années, l'histoire mathématisante a poursuivie, sans doute parce qu'elle était à notre portée, Pierre Chaunu a soutenu qu'elle portait témoignage aussi sur la production de l'Espagne et, au-delà, de l'Europe. La circulation, comme disaient les vieux écrivains, achève la production, elle en poursuit l'élan. Lors d'ultimes lectures, et notamment celle du livre de Gaston Imbert (1), j'ai été très frappé de l'allure, différente par nature, des mouvements de prix et des mouvements de production. Nous ne connaissons, au XVIᵉ siècle, que quelques courbes de production textile (Hondschoote, Leyde, Venise); toutes ont l'allure classique d'une courbe parabolique, on peut dire d'elles, en bref, qu'elles montent vite, comme à la verticale, et qu'elles retombent vite, à la verticale. La hausse longue des prix semble déclencher leur montée vive, mais toujours en retard sur celle des prix; avec la baisse longue, elles sont précipitées aussitôt vers le reflux, mais toujours en avance...

Or, justement la corrélation entre les courbes de Pierre Chaunu (trafic sévillan) et les courbes des prix de Hamilton n'est pas parfaite, elle non plus. Cette corrélation est positive dans son ensemble. Cependant que de différences! « La courbe séculaire des prix, écrit Pierre Chaunu, a dans son ensemble de 1504 à 1608 et de 1608 à 1650... la même orientation mais, avec une *pente* trois ou quatre fois moindre. Pour la période ascendante multiplication des prix par cinq environ! par quinze ou vingt pour les trafics. Pour la phase descendante, par contre, réduction des trafics de plus du double au simple, tandis que les prix-métal fléchissent de 20 à 30 %... ». Pour moi, c'est un peu comme une preuve, un commencement de preuve que les courbes sévillanes se comportent comme des courbes de production. La démonstration n'est pas faite, mais elle s'aperçoit.

Ai-je tort de penser que c'est là un enjeu capital, et que se dessine une histoire aux cycles divers imbri-

(1) *Des mouvement sde longue durée Kondratieff*, Aix-en-Provence, 1959.

qués dans une dialectique neuve, selon le sens même des recherches théoriques et actuelles d'un Geoffrey Moore par exemple ? Qu'il y aurait intérêt à ne pas limiter l'oscillation cyclique aux seuls mouvements des prix, tellement prioritaires dans la pensée des historiens économistes français ? Les recherches encore inédites, mais de proche publication, de Felipe Ruiz Martín, notre collègue de Bilbao, sur la production textile de Ségovie, de Cordoue, de Tolède, de Cuenca au XVI<sup>e</sup> siècle vont épauler la recherche de Pierre Chaunu : elles dénoncent, en gros, avec les années 1580, une mutation caractéristique du capitalisme international vis-à-vis de l'Espagne, à l'heure où, poussé autant que responsable, l'impérialisme espagnol va tenter des entreprises spectaculaires. Signalons aussi la proche parution dans les *Annales* de la courbe des *asientos* (des emprunts) de la monarchie castillane, par notre collègue de Valence, Alvaro Castillo (1). Toutes ces séries sont à rapprocher, à concerter entre elles si l'on veut saisir l'histoire du monde. Bref, nous avons besoin de sortir des courbes de prix pour atteindre d'autres enregistrements, et peut-être, grâce à eux, de mesurer une production qui jusque-là nous a échappé et à propos de laquelle nous avons les oreilles rebattues par trop d'explications *a priori*.

V

ÉCRIRE LONG OU BIEN ÉCRIRE ?

L'immense labeur de Pierre — et, nous n'avons garde de l'oublier, d'Huguette Chaunu — aboutit à un immense succès. Pas la moindre discussion à ce propos. Cependant ce livre océanique n'est-il pas trop long, trop discursif, d'un mot trop vite écrit ? Pierre Chaunu écrit comme il parle ; il m'eût soumis

(1) « Dette flottante et dette consolidée en Espagne de 1557 à 1600 », *Annales E.S.C.*, 1963, pp. 745-759.

son texte que nous aurions eu quelques belles disputes. Mais tout défaut a ses avantages. A force de parler et d'écrire librement, Pierre Chaunu réussit souvent à trouver la formule claire, excellente.

Son texte fourmille de trouvailles heureuses. Voici (en dehors de Las Palmas) les rades foraines, sans protection, de la Grande Canarie; elles « ne sont accessibles, écrit-il, qu'aux barques qui font du micro-cabotage ». Nous voici, dans ce vaste continent qu'est la Nouvelle-Espagne, à la recherche des mines d'argent situées à la jointure de deux Mexiques, l'humide et l'aride; au long du rebord oriental de la sierra Madre, leur position est logique : « La mine a besoin d'hommes, mais elle craint l'eau. L'ennoyage est le danger que l'on redoute le plus (dès qu'on s'écarte un peu de la surface), le problème technique de l'évacuation des eaux ne sera pas vraiment résolu avant la généralisation des pompes à feu du XIX$^e$ siècle. La meilleure sauvegarde contre l'ennoyage, les mineurs la trouvent dans un climat subaride. Ils s'enfonceraient plus avant encore dans le désert s'ils ne s'y heurtaient à d'autres difficultés : manque d'eau pour les hommes, manque de nourriture... ». Que reprendre à ce texte, ou à tant d'autres que l'on pourrait extraire de ce tome premier, où la géographie a si souvent bien inspiré notre auteur? « Terre de colonisation récente, écrit-il, l'Andalousie continue (au XVI$^e$ siècle) à absorber la substance de l'Espagne du Nord, à s'en nourrir, à s'en accroître » (I, p. 29); il ajoutera plus loin (I, p. 246), poursuivant son idée : « L'Espagne, de 1500 à 1600, est une Espagne qui, achevant sa colonisation interne, s'alourdit vers le Sud ». Ou encore, parlant cette fois de la colonisation du Nouveau Monde : « La première colonisation espagnole est importatrice de blé, donc nécessite une liaison pondéreuse et follement coûteuse. La seconde colonisation cesse d'être, au même degré, importatrice de vivres. Parce que, entre 1520 et 1530, en allant des grandes Antilles vers les plateaux conti-nentaux, le centre de gravité des Indes est passé de

la sphère du manioc, à celle du maïs » (I, p. 518-519).
Médiocrité du manioc comme soutien d'une culture,
magnificence du maïs comme soutien d'une civilisation! Qui donc l'avait aussi bien dit? J'aime
aussi telle ou telle phrase : ainsi cette « navigation
à voiles toute empêtrée dans son passé méditerranéen ». Ou cette phrase de bravoure : « La poussée
démographique, profonde lame de fond, depuis la
fin du XIe siècle, contraint l'Occident chrétien à
l'intelligence et aux solutions neuves ». Ou cette forte
et simple remarque (II, p. 51) : « Il faut situer la
grande révolution des prix du XVIe siècle dans son
contexte et ne pas perdre de vue que la première
phase, qui va de 1500 à 1550, n'a guère fait tout
d'abord que remplir le creux de la longue et dramatique vague qui recouvre la seconde moitié du XIVe
siècle et la totalité du XVe ».

Si ces trouvailles n'étaient perdues au milieu d'une
surabondante écriture, si Pierre Chaunu se contrai-
gnait à écrire court — c'est-à-dire à refaire, sur le
premier jet, cet effort d'élimination et de choix qui
n'est pas seulement affaire de forme — il pourrait
occuper, parmi les jeunes historiens français, cette
première place à laquelle sa puissance de travail et
sa passion de l'histoire lui donnent déjà des droits
évidents.

# Y A-T-IL UNE GÉOGRAPHIE
## DE L'INDIVIDU BIOLOGIQUE? (1)

Le beau livre de Maximilien Sorre, *Les bases biologiques de la Géographie humaine, essai d'une écologie de l'homme* (2) — sur lequel, dans un volume précédent des *Mélanges*, Lucien Febvre a déjà attiré l'attention de nos lecteurs — n'est pas, comme son titre l'indique à l'avance, un ouvrage de conclusion ou d'ensemble sur la géographie humaine. L'œuvre est capitale, d'un intérêt puissant, elle pose beaucoup de problèmes, mais non pas tous les problèmes à la fois. Elle est une découverte, une recherche limitée, exposée dans tous ses détails, une série de prises de contact. D'où ses prudences, ses procédés et ses solutions. Plus qu'une introduction originale et solide, aussi concrète et terre-à-terre que possible, à un traité de géographie humaine générale, qui reste à décrire, disons, une

(1) *Mélanges d'histoire sociale*, tome VI, 1944, p. 1-12.
(2) Paris, Armand Colin, 1943, 440 p., gr. in-8°, 31 figures dans le texte. — Le sous-titre me semble discutable : y a-t-il, sans plus, une écologie de l'homme, machine vivante étudiée en dehors de ses réalités sociales? M. S. écrit, il est vrai, *Essai d'une écologie*, et non pas *Écologie*. — Quant au titre, le mot biologique prête à double sens : il désigne la biologie de l'homme, sans doute, mais l'habitude s'est prise de parler d'une géographie biologique, celle des plantes ou des animaux. Dans le livre I l'un des deux sens, biologie de l'homme; dans les livres II et III les deux sens et spécialement le second. Mais au vrai, les mots de « géographie humaine » eux-mêmes ne sont-ils pas discutables?

première opération, le développement d'un thème
préalable.

L'originalité de cette introduction provient d'une
réduction systématique des problèmes de l'homme au
plan de sa biologie. L'homme, ici, n'est pas étudié
dans toute sa réalité, mais seulement sous un de ses
aspects, en tant que machine vivante, en tant que
plante et animal. L'homme est saisi, pour parler
comme Maximilien Sorre, dans ses réalités d' « homéo-
therme à peau nue ». Il n'y aura donc pas, au centre
de ce livre, l'homme tout court, l'homme vivant,
c'est-à-dire une collection d'êtres, de l'homme social à
l'*homo faber* ou à l'*homo sapiens* — sans oublier
l'homme réalité, ou soi-disant réalité ethnique. Un
seul des côtés (une seule des zones) de l'homme est
considéré : son élémentaire côté d'être biologique,
sensible au chaud, au froid, au vent, à la sécheresse,
à l'insolation, à la pression insuffisante des altitudes,
occupé sans cesse à chercher et à assurer sa nourriture,
obligé de se défendre enfin, surtout aujourd'hui où il
est devenu conscient du péril, contre les maladies qui
lui font partout, et depuis toujours, un impression-
nant cortège... L'homme que l'on étudie est ainsi
ramené aux bases, aux conditions premières de sa vie
et replacé, en tant que tel, dans les conditions géographiques du vaste monde.

On voit le dessein de l'auteur : son propos est de
resserrer son étude pour la rendre plus profonde et
plus efficace. Avant d'aborder les complexes problèmes
de la géographie humaine, qu'il a toujours devant
l'esprit et qui sont un de ses buts lointains, il a voulu
pour les mieux saisir, peut-être pour tourner leurs
obstacles, éclaircir ce qui, touchant aux réalités biologiques de l'homme, le lie à l'espace et explique, par
avance, une part considérable de sa géographie. Gros
problème, en vérité! N'est-ce pas là, avec les prudences
que l'on devine (particulièrement chez un géographe
de l'école française), la recherche d'un déterminisme
biologique — au moins des limites et des contraintes
indéniables de ce déterminisme?

On ne peut pas dire que cette recherche soit entièrement neuve. Et pourtant, elle l'est tout de même, d'une certaine façon — puisqu'elle n'avait jamais, avant Maximilien Sorre, été aussi systématiquement entreprise. L'homme biologique n'est pas un inconnu, nous le savons. Il n'est pas un nouveau venu, non plus, dans le champ de la géographie, mais on ne l'y avait jamais introduit avec cette minutie, ce goût de l'exactitude scientifique, ce souci des problèmes bien posés et des enquêtes clairement conçues, conduites comme des expériences où tout est longuement, objectivement décrit, noté et expliqué. C'est là non seulement l'originalité, mais le grand mérite de ce livre.

L'objet, les problèmes de l'enquête, au départ, ont été empruntés aux livres et aux recherches des naturalistes, des biologues et des médecins. Mais il n'a pas suffi à Maximilien Sorre de résumer les travaux d'autrui. Il lui a fallu encore les transposer et, de façon continue, les *traduire en termes géographiques*; entendez que, chaque fois que la chose a été possible, les problèmes ont été reportés sur la carte pour être ainsi formulés et étudiés, de façon neuve, selon les perspectives et les lois de la géographie, qui sont celles de l'espace des hommes. « Notre enquête, écrit Maximilien Sorre, se ramène au fond à la délimitation et à l'explication d'une aire de dispersion. » Je crois que cette petite phrase lumineuse et simple, que l'on croirait prise à un livre de naturaliste, nous conduit au cœur de l'entreprise. C'est bien cela, en somme, que l'auteur se propose : nous parler de l'écologie de l'homme, comme s'il s'agissait de l'écologie de l'olivier ou de la vigne. Mais, voilà, il s'agit de l'homme et ceci complique tout.

Y a-t-il, en effet, peut-il même y avoir une écologie de l'homme, individu biologique, une géographie humaine qui irait de soi, élémentaire, et qui nous donnerait la clef de beaucoup de problèmes compliqués — à la manière dont les physiologistes d'hier et d'avant-

hier essayaient de prendre à revers, et de résoudre,
les problèmes de la psychologie classique? — Bien
plus, cette géographie de base peut-elle être isolée,
détachée du contexte de la vie? Ajoutons enfin que,
pour être vraiment utile, il faudra non seulement
qu'elle puisse être distinguée et définie, premier stade,
mais encore qu'elle permette, en conclusion, d'éclairer
l'ensemble des problèmes de la géographie humaine
A quoi bon morceler la réalité, en effet, si l'on doit,
à l'arrivée, avoir toujours devant soi les mêmes obstacles qu'au départ? Tel est le programme — je dirais
plus volontiers encore : tel est le très gros enjeu de ce
livre.

Ĺ'ouvrage est divisé en trois parties. L'homme
biologique est étudié successivement dans les cadres
de la géographie physique (livre I), dans les cadres de
la biogéographie (livre II), dans les cadres d'une géographie des maladies infectieuses (livre III).

Ces trois livres sont assez indépendants les uns des
autres et, à eux tous, ils ne recouvrent pas, notons-le
bien, l'ensemble du sujet posé. Maximilien Sorre, en
effet, n'a pas voulu nous offrir une étude exhaustive
ou un manuel scolaire, quelles que soient par ailleurs
la clarté ou la qualité didactique de ses explications.
Il a voulu atteindre par trois routes différentes les
réalités de base d'une géographie biologique. Rien de
plus, et c'est beaucoup. Si je ne me trompe, ce désir
d'ouvrir quelques routes et non toutes les routes possibles, l'a entraîné à simplifier souvent son enquête,
sinon de façon toujours très explicite.

Assurément, sa méthode n'est pas une reconnaissance détaillée des limites, des possibilités, des richesses
de tous les problèmes de son vaste sujet, élément après
élément. Délibérément, il s'arrête à l'étude de zones
privilégiées, distinguées des régions voisines dont il
parle vite, très vite, ou pas du tout. Ajoutons qu'avant
d'entreprendre ces voyages de reconnaissance, Maximilien Sorre explique chaque fois à ses lecteurs — et
c'est le dernier trait de son livre — ce qu'il lui faut
connaître des conditions scientifiques de l'itinéraire à

suivre. D'où de longues introductions, de minutieux rappels de notions utiles, géographiques ou non géographiques, qui laissent parfois l'impression, si nécessaires qu'elles soient, d'être un peu en marge de l'enquête proprement dite. Ainsi, voyons-nous dans les procédés de l'auteur trois opérations assez régulières et qui donnent au livre, par leur juxtaposition, son allure particulière : premier temps, simplification (disons choix de l'itinéraire); deuxième temps, rappel des notions essentielles; troisième temps, étude de la zone privilégiée... Ces remarques nous aideront à mieux résumer un ouvrage qui résiste assez bien, de lui-même, à un inventaire un peu simplifié.

Voici le livre I. Il ne sera pas consacré aux rapports de l'homme et du milieu physique en général, mais aux seuls rapports de l'homme et du climat. La simplification est donc considérable (premier temps), bien que le climat soit, de toute évidence, le facteur essentiel d'une écologie de l'homme. Second temps : le sujet biologique ainsi annoncé ne sera pas immédiatement abordé. Ne faut-il pas s'expliquer tout d'abord sur le climat lui-même?

Depuis une vingtaine d'années, climatologues et géographes se sont efforcés de renouveler cette étude du climat, d'en saisir les réalités en dehors des valeurs moyennes théoriques qui les déforment souvent. Les méthodes graphiques de représentation et de synthèse se sont perfectionnées. Maximilien Sorre a donc jugé prudent de résumer ces travaux importants dans une préface bourrée de faits et d'aperçus utiles. On lira avec profit ce qu'il dit des *climographes* ou *climogrammes*, des *micro-climats* et des types de temps, le but poursuivi étant de saisir le climat réel, à l'état brut en quelque sorte, d'une part en se limitant à un espace aussi étroit que possible, pour ne pas avoir à tenir compte des diversités locales, de l'autre en ne retenant qu'un instant ou que des instants — chacun étudié en lui-même — d'une histoire climatique en perpétuel mouvement. C'est seulement après avoir fait le point en ces problèmes de géographie

physique que Maximilien Sorre étudiera l'influence
de ce climat *réel* sur l'homme biologique.

Ici, le point le plus important a été de déterminer
l'influence thermique du climat — en fait de préciser
quelles sont les températures les plus significatives
pour l'organisme humain —, cette machine homéo-
thermique, créatrice ou destructrice de chaleur interne
selon les conditions du milieu extérieur : créatrice
jusqu'aux environs de 16°, destructrice au-delà de
23°, indifféremment sollicitée dans l'un ou l'autre
sens entre ces deux températures que l'auteur considère, après discussion, comme les plus intéressantes
du point de vue physiologique. Nous aurons donc
une zone du froid au-dessous de 16°, une zone du
chaud au-dessus de 23°, avec toutes les possibilités
désirables de report cartographique... A leur tour,
les autres influences climatiques sont étudiées : action
de la pression atmosphérique (cas particulier de
l'altitude), de la lumière (gros problème de la pigmen-
tation cutanée), de l'humidité de l'air, du vent, de
l'électricité atmosphérique et même des complexes
météoropathologiques plus ou moins expliqués dans
l'état actuel de nos connaissances.

L'aboutissement du premier livre est le gros problème, éminemment géographique, de la formation
et des limites de l'*œkoumène* (1). C'est l'occasion de
mettre en lumière les deux grandes barrières qui
s'opposent au « cosmopolitisme naturel » des hommes,
les limites polaires d'une part, les limites altitudinales
d'autre part. A l'intérieur de cet œkoumène les adaptations humaines du climat ont été et sont très variées,
les plus intéressantes à suivre étant peut-être, aujour-
d'hui, les adaptations de l'homme blanc, puisqu'il
est présent sur le globe entier, du fait de sa puissance
et des triomphes de la colonisation — présent partout,
mais à ses risques et périls physiologiques, sans compter

---

(1) Pour *écologie* et *œkoumène*, je conserve l'orthographe du
livre. Évidemment si l'on voulait discuter!

les autres. Les historiens feront bien de se reporter à l'excellent paragraphe (p. 94-106) consacré à l'acclimatation des Blancs dans les pays tropicaux. Les ouvrages cités dans la bibliographie permettent d'accéder utilement à l'abondante littérature du sujet.

Même méthode avec le livre II, où sont abordés les problèmes complexes d'une biogéographie directement et indirectement mise en cause. Voici, en face de l'homme, et plus ou moins à sa disposition, le monde des végétaux et des animaux : quels rapports de force, de lutte ou d'entraide vont s'établir, quels liens vont se nouer, de caractère géographique, entre ce monde des êtres vivants et la biologie de l'homme? Ainsi se formule le problème de ce second livre, mais vu en général — et non pas tel qu'il sera traité par l'auteur, lequel ne s'intéresse, en effet, à l'exclusion des autres, qu'aux végétaux cultivés et aux animaux domestiqués par l'homme (43 espèces animales, d'après Geoffroy Saint-Hilaire; 600 espèces végétales, d'après Vavilof, sur un total de 2 millions d'espèces animales connues et de 600 000 espèces végétales). Cette orientation de l'enquête nous vaut, sous forme d'une introduction détaillée et souvent très neuve, une longue étude sur ces compagnons vivants de l'homme. Où et quand l'homme s'est-il associé tant de vies parallèles à la sienne, et nous dirions même, si la question n'était pas sans réponse valable, comment y est-il parvenu? Dans quelle mesure la domestication a-t-elle agi sur des êtres arrachés à la vie libre? Comment l'homme a-t-il propagé ses « associés », car, à la différence des associations naturelles, douées d'un dynamisme progressif, ces associations de l'homme ont besoin que celui-ci fasse pour elles la conquête de l'« espace » (2)? Enfin, et c'est un très gros problème encore, par quoi sera menacé et par quoi sauvegardé cet « ordre humain », cet ensemble des associations de l'homme aux prises avec les innombrables forces de la vie et, de ce fait, en état de modification constante? Voilà

(2) Page 188.

quelques-uns des problèmes que Maximilien Sorre a su
présenter avec une clarté et une compétence que
garantissaient ses travaux antérieurs.

Pareilles explications ont forcément entraîné l'auteur très loin dans l'étude de milieux de vie aux luttes
incessantes, souvent imbriquées les unes dans les
autres, jusqu'au cœur de la géographie de ce vaste
combat mené pour certaines vies (celles du cotonnier,
de la vigne, etc.), contre certaines autres vies — en
l'occurrence celles de parasites, aussi nombreux que
tenaces. Admirables problèmes. Mais on ne saurait
résumer pied à pied le texte, ici trop dense, du livre.
Le parasitisme des associations de l'homme peut-il
être en cause et expliqué en quelques lignes, et l'histoire
des grandes luttes contre les fléaux des cultures et les
épizooties (songeons au drame qu'a été, pour la vie
française, la crise du phylloxéra)? Et tout le problème
enfin de cet « ordre humain » (voyez la conclusion
des pages 214-215), problème biologique quand on
considère plantes et animaux, mais aussi *social* dès que
l'homme est en jeu, qu'il s'agisse de l'évolution ou de
l'état présent de cet ordre? Car, à ce jeu, on retrouve
*l'homme social*, pouvait-on l'écarter toujours? l'homme
social, c'est-à-dire les vieilles communautés agraires,
si souvent invoquées à l'aube des domestications et
des réussites agricoles, c'est-à-dire, actuellement, à
l'échelle des vitesses et des fléaux terribles à combattre,
les vastes États modernes et même le monde entier.
Une solidarité mondiale veille, ou s'efforce de veiller,
sur les richesses biologiques de l'humanité, et Maximilien Sorre a su en montrer l'énorme importance.

Durant ces longues explications préalables, l'homme
biologique a été perdu de vue; il reprend brusquement
ses droits dans la seconde partie de ce livre, que je
considérerais volontiers comme le passage le plus
important, je ne dis pas le plus brillant, mais, assurément, le plus riche en aperçus et en enseignements
nouveaux de l'ouvrage entier.

L'homme doit se nourrir au détriment du monde

vivant associé à son existence. Que demandera-t-il, en effet, au monde libre des plantes et des animaux et au monde minéral, en comparaison de ce que lui fournissent ses cultures et ses animaux domestiques? L'étude de ces besoins alimentaires pose de multiples questions. M. Sorre y répond en dressant d'abord la liste des besoins. Après quoi, il énumère les moyens par lesquels l'homme peut y satisfaire : d'où un long passage sur les préparations alimentaires les plus communes (car il n'y a pas de géographie de la bombance, cette exception). D'où encore tout un paragraphe sur l'histoire même de l'alimentation. Ces jalons posés, on aborde l'essentiel de l'enquête, l'essai d'une géographie des régimes alimentaires (p. 264-290) qui, parce qu'il est très fouillé, très riche de faits précis, plonge, lui aussi, jusqu'aux problèmes de l'homme réel, et pas seulement de l'homme biologique. C'est l'homme dans sa complexité — dans toute l'épaisseur de son histoire, dans toute sa cohésion sociale et avec les contraintes de ses usages et de ses préjugés — que doit retrouver et que retrouve une géographie de l'alimentation. Peut-il en être autrement? Par exemple, qu'est-ce si ce n'est un fait social, que ces régimes alimentaires urbains évoqués p. 273 et sq.? Qu'est-ce, si ce n'est un grand fait d'histoire culturelle, que cette propagation, à partir de l'Orient ancien, dans toute la Méditerranée, de l'association du blé, de la vigne et de l'olivier (p. 267 et sq.)? Est-il besoin de dire combien ces pages, sur une géographie alimentaire, sont originales et neuves? D'habitude, hélas! les géographes ne sont guère attentifs, convenons-en, à ce que peuvent manger les hommes... Et sur ce point, les historiens d'aujourd'hui, en France, n'ont pas grand-chose à leur envier. Est-ce pour cette raison que Maximilien Sorre multiplie les recommandations à l'égard de ceux-là, recommandations qui valent aussi pour ceux-ci?

Troisième et dernier livre, le plus brillant de l'ouvrage. Le milieu vivant aide l'homme à vivre, mais il lutte aussi contre lui, il le met sans cesse en

péril. Ici encore attendons-nous aux mêmes simplifications, aux mêmes approches et précautions que
précédemment. L'auteur va choisir parmi les *antagonistes* de l'homme; négligeant les plus gros et tous
ceux qui sont visibles à l'œil nu, il va réserver son
attention aux plus petits, qui sont les plus dangereux
d'ailleurs : des ultra-virus, ces infra-microbes, jusqu'aux diverses bactéries, et, au-delà des douteuses
frontières entre les règnes animal et végétal, jusqu'à
certains champignons microscopiques, comme cette
tribu des *mycobactériacies* (au nom si révélateur de
nos ambiguïtés scientifiques) qui compte, entre autres,
les agents de la tuberculose, de la lèpre et de la
morve.

C'est donc à ces infiniment petits qu'est réservée
la lumière de ce dernier livre. On va, comme de juste,
nous les présenter, puis choisir entre eux de véritables
privilégiés. En effet, les maladies infectieuses se pro-
pagent de différentes façons. Ainsi, la tuberculose se
transmet directement d'individu à individu. Mais
pour d'autres maladies, très nombreuses, l'agent
pathogène, protozoaire ou champignon, par son propre
cycle de vie associe l'homme à d'autres êtres vivants
qui sont les *vecteurs* de la maladie. Agent pathogène,
vecteurs, hommes s'associent dans ces *complexes
pathogènes* que Maximilien Sorre a placés au centre
de son étude, car ce sont ces maladies, disons à *vecteurs*, qu'il analysera de préférence aux autres (1).

Complexe pathogène? A titre d'exemple, le lecteur
pourra se reporter au cas de la maladie du sommeil
(p. 298 et sq.) : elle associe un hématozoaire, *Trypa-
nosoma gambiense*, qui est l'infiniment petit de base,
à la mouche tsé-tsé *(Glossina papalis)* et, enfin,
à l'homme. Aux spécialistes de savoir comment se
comporte, à quelle étape de son développement se

---

(1) Y a-t-il, selon l'hypothèse de Nicolle, suppression dans
certaines maladies du *vecteur*, et transmission directe, ensuite,
du germe pathogène d'homme à homme, ainsi dans les cas de
la tuberculose? Cf. Sorre, p. 293.

trouve l'hématozoaire — et quels sont ses aspects caractéristiques à chacun de ses séjours et changements d'hôte. Au géographe de reporter l'aire de la maladie sur la carte. — Un exemple aussi explicatif serait le cas, plus classique encore, du complexe malarien (p. 301 et sq.). Ici, les agents infectieux sont également des hématozoaires, mais du genre *Plasmodium* et le vecteur est fourni par les anophèles, dont 70 espèces peuvent véhiculer le paludisme. Mêmes remarques et mêmes mécanismes au sujet de la peste, des spirochétoses récurrentes, des leishmanioses ou des rickettsioses, des typhus, de la fièvre pourprée des Indes, du trachome et de quantité d'autres maladies qui relèvent du rayon, si bien fourni, du parasitologue. Mais il est inutile, dans ce compte rendu déjà long, d'apporter d'autres exemples et de montrer, preuves à l'appui et toujours à la suite de l'auteur, comment les complexes pathogènes se croisent, se superposent ou s'imbriquent les uns dans les autres, ni comment ils évoluent. On trouvera, en annexe à cette étude (p. 231), un utile tableau de quelques groupes nosologiques importants et (fig. 22), un planisphère indiquant la localisation de quelques grandes endémies : fièvre jaune, peste, maladie du sommeil, maladie de Chagas, tularémie, etc., avec leurs aires d'extension respectives et les grands centres de leur dispersion. Tableau et carte souligneraient, si besoin en était, la nature exacte des recherches dans lesquelles l'auteur s'est cantonné.

Quelles sont les conditions de vie de ces complexes pathogènes — quelle leur écologie, celle de l'agent et celle du vecteur — quelle aussi l'action de l'homme sur eux : telles sont encore quelques-unes des grandes questions que Maximilien Sorre expose avec son exactitude habituelle. Ensuite, dans le dernier chapitre (une fois encore le plus important), il esquisse la géographie de ces maladies infectieuses, avec des exemples parfois poussés — notamment en ce qui concerne la nosologie, admirablement étudiée, de la Méditerranée (p. 381 et sq.).

L'analyse qui précède n'a pas été complète. Pouvait-elle l'être avec un livre aussi neuf, aussi divers (triple pour le moins), et aussi dense? Pas plus que nous n'avons réussi à le bien analyser et à le suivre pas à pas, nous ne pouvons maintenant le critiquer exactement dans le détail. Indiquons seulement que nous regrettons les restrictions voulues de l'enquête, tout en comprenant certaines nécessités de mise en place. Si Maximilien Sorre voulait nous donner satisfaction, il lui faudrait, en effet, doubler, au bas mot, le gros volume qu'il a écrit.

Y songera-t-il pour une seconde édition?

Je regrette aussi que l'étude du cadre physique, dans le livre I, ait été restreinte à la mise en cause du climat; à côté du « complexe climatique », n'y a-t-il pas un complexe tellurique (sol, sous-sol, relief) et un complexe de l'eau, surtout si l'on ne s'en tient pas aux seules actions *directes* des facteurs physiques sur l'écologie de l'homme? La géographie n'est-elle pas, d'ailleurs, très souvent, l'étude d'influences relayées? Le climat n'agit-il pas, par exemple, sur les problèmes de l'alimentation et des maladies? Et à suivre ces influences indirectes, répercutées, l'ouvrage n'aurait-il pas été plus lié qu'il ne l'est, car il se partage un peu trop, à mon gré, entre les trois enquêtes successives que nous avons signalées.

Mêmes regrets à propos du livre II. Ici auraient été les bienvenus quelques paragraphes sur les plantes et sur les animaux libres, sur le pullulement des animaux sauvages dans les vides ou les régions de l'œkoumène, insuffisamment occupées par l'homme — pullulement dont E.-F. Gautier aimait à parler — ou sur les forêts, ces associations à demi libres, à demi serves, mais incorporées, elles aussi, à l' « ordre humain », dont parle Maximilien Sorre, les arbres (même dans les pays tropicaux) étant, beaucoup plus qu'on ne le pense, sous la dépendance et sous le contrôle de l'homme... En ce qui concerne les chapitres consacrés à l'alimentation, l'auteur nous dit l'essentiel, mais n'y avait-il pas là matière à un vrai livre autonome où il eût été possible, au-delà des remarques générales qu'impose l'échelle du monde, de multiplier les cas particuliers étudiés de près et de reproduire un document aussi intéressant, par exemple, que la carte des fonds de cuisine (1), donnée, pour la France, par le 1ᵉʳ congrès du folklore français?

Pour le dernier livre, enfin, n'avons-nous pas été frustrés d'une partie du sujet? N'a-t-on pas trop insisté sur les maladies parasitaires et, parmi elles, sur les maladies à *vecteurs*; n'a-t-on pas trop vu les problèmes à travers le manuel de Brumpt? N'a-t-on pas trop réduit, en somme, la matière médicale à étudier? Rien n'est dit ou presque de la tuberculose (2), du cancer ou de la syphilis. Le tréponème pâle n'est signalé qu'incidemment (p. 194 et 308), lui dont la carrière a été si brillante depuis son arrivée en Europe, en provenance d'Amérique (3), avec les dernières années du xvᵉ siècle. Je ne crois pas non plus que l'on ait fait place à toutes les remarques utiles de la géographie médicale (et notamment de la *Geomedizin* allemande). Toutes les maladies (ou pour le moins beaucoup de maladies) varient avec l'espace. Certaines occupent des aires si précisément délimitées que ces aires les expliquent, c'est le cas du goître. Le cancer, dans les Indes, présente des formes particulières; en A. E. F., dans les régions riches en sel de magnésium, il n'y aurait pas de cas de cancer

(1) [Puisque Fernand Braudel veut bien rappeler ce travail dont j'ai eu l'idée et qui fut mené sous ma direction (il aurait dû s'intituler, d'ailleurs, *Essai d'une carte des graisses de cuisine en France*; les fonds de cuisine sont autre chose), il serait désirable en effet qu'il fût repris par de bons enquêteurs; les géographes en disposent de toute une armée; il importerait d'ailleurs que leur enquête fût historique en même temps que géographique; l'histoire des substitutions de graisse à graisse serait passionnante (Lucien Febvre).]

(2) Est-ce dans la mesure où ces maladies entraîneraient l'étude d'une action de l'homme sur l'homme, donc une étude *sociale?* Tuberculose, maladie des villes?

(3) Max. Sorre se prononce en effet, sans fournir de preuves personnelles, en faveur de l'origine américaine. Voir p. 342 : « La syphilis paraît sûrement être d'origine américaine, quoi qu'on en ait dit parfois. »

(théorie de Delbet) (1). Il y a en Angleterre et, sans doute, aux États-Unis, des formes de scarlatine et de grippe très dangereuses dont nous ne connaissons pas l'équivalent en France ; de même y rencontre-t-on des formes particulières de pneumonies, si graves d'ailleurs que les travaux sur les pneumocoques ont été très souvent le fait des Anglo-Saxons. Maximilien Sorre s'est efforcé de distinguer son enquête d'un simple ouvrage médical. Mais je ne vois pas bien comment on pourrait exclure d'un livre de géographie les questions que je viens d'indiquer.

C'est aussi en s'établissant sur le terrain de l'histoire que l'on se plaindrait volontiers. L'éclairage historique des problèmes aurait gagné à être moins sommaire et plus systématique. Nous le regrettons tout particulièrement de notre point de vue égoïste. C'est ainsi que, dans le premier livre, le problème n'est pas posé des variations de climat à l'époque historique, que tant d'études posent à nouveau, et il est même un peu vite, ce problème, résolu par la négative dans les dernières pages du livre (2).

(1) Nous n'avons pas pu prendre connaissance du livre de Pierre Delbet : *Politique préventive du cancer*, Paris, Denoël, 1944.

(2) P. 394, à propos de la destruction du premier empire des Mayas et des théories d'E. Huntington.— Le climat changerait-il sous nos yeux? La question est de celles qui doivent tout de même intéresser les climatologues et les géographes. Cette variation du climat, si variation il y a, ne remettrait-elle pas en cause tous les problèmes, tous les ordres, tous les équilibres de la vie? Beaucoup d'auteurs répondent par l'affirmative sous le couvert de preuves et d'autorités assez douteuses, j'en conviens. Selon les plus catégoriques d'entre eux, il y aurait, étalées sur plusieurs siècles à la fois, de lentes modulations de climat passant par de très faibles variations successives et des dénivelées totales assez peu importantes, de périodes sèches et chaudes à des périodes moins chaudes et surtout plus humides. Suffit-il pour trancher la question de répondre par la négative, sans plus, ou même de ne pas poser ou reposer cette question? Il y a cependant l'exemple des avancées et des reculs des glaciers des Alpes (voire du Caucase), le retrait de la banquise arctique, assez net depuis la fin du XIX^e siècle, le long des rivages russes et sibériens... Toute la politique des Soviets dans ce Nord arcti-

Les remarques historiques ne manquent pas dans les chapitres relatifs à l'alimentation (1), mais nous

que nous est présentée comme fondée sur l'hypothèse d'un réchauffement actuel de l'Arctique; est-ce là une erreur? Historiquement, les exemples douteux mais troublants ne manquent pas. Est-ce à cause des hommes seulement qu'au IXe siècle les sources superficielles se tarissent en Sicile? Au XIVe et au XVe siècle, faut-il penser, avec Gaston Roupnel, que les calamités européennes sont imputables finalement à des perturbations de climat? On constate, avec la fin du XVIe siècle, oserai-je dire, une aggravation des conditions climatiques dans la Basse-Toscane, productrice de grains, en tout cas des inondations dévastatrices, des hivers plus rudes, si rigoureux parfois que les oliviers gèlent... De même Huntington a-t-il raison, *malgré tout*, quand il soutient que le premier empire maya a été victime d'un cataclysme, d'un changement climatique? Tel n'est pas l'avis de Maximilien Sorre : « E. Huntington, écrit-il, a cherché l'explication de cette singularité (la disparition de florissants établissements urbains dans les pays du Péten et de l'Usumacinta) dans l'hypothèse de changements de climat entraînant une variation de la morbidité infectieuse. *Cette hypothèse n'est pas nécessaire.* » Je souligne la phrase, mais le fait est-il si sûr? — Dans un cas analogue, pour expliquer la recrudescence de la malaria dans l'Italie du XVIe siècle (et plus généralement dans la Méditerranée de ce temps-là), Philipp Hiltebrandt suppose l'arrivée de germes maléfiques nouveaux, ceux d'une *malaria tropicalis*, en provenance rapide (ultra-rapide même) d'Amérique. A la manière d'Huntington, ne pourrait-on pas penser (surtout s'agissant du XVIIe siècle d'ailleurs) à une augmentation légère des précipitations atmosphériques et à une montée conséquente dans les bas pays méditerranéens des eaux stagnantes, par suite à une multiplication des gîtes anophéliques? Tout en songeant, je le veux bien, à d'autres explications aussi plausibles : l'augmentation des hommes notamment, la multiplication des « bonifications », créatrices (à leurs débuts, surtout, mais plus tard encore quand elles ne sont pas victorieusement achevées) d'une aggravation de la malaria, comme tout remuement du sol en ces zones dangereuses? Bien d'autres petits faits seraient à citer, discutables, obscurs aussi : ils ne résolvent pas le problème contre l'opinion des géographes partisans de l'immuabilité du climat durant les époques historiques; non sans doute, mais, si je ne me trompe, ils le posent avec plus de netteté. Cf. à ce sujet les notes prudentes d'E. de Martonne dans *La France (Géographie Universelle*, 1943*)*, 1re partie, p. 313 : « L'esprit du savant se tourne plutôt vers l'hypothèse d'une périodicité. » Et, p. 314 : « Une périodicité d'environ 30 ans n'est pas loin d'être vraisemblable. »

(1) A noter le paragraphe consacré aux survivances des régimes alimentaires primitifs, p. 239, et la note, p. 240, sur la

ne les trouvons pas encore assez nombreuses, ici non
plus — pas assez poussées, en tout cas. Tant d'exemples
historiques nous semblent, en ces domaines, si révé-
lateurs des réalités mêmes des régimes alimentaires (1)!
Pour les maladies infectieuses, nous ferons la même
critique, d'autant que, sur un exemple (Paludisme
et histoire, p. 392-400), Maximilien Sorre nous a
montré l'intérêt de ces retours au passé. En ce domaine,
on pourrait citer des centaines d'exemples historiques
qui auraient trouvé sans difficulté leur place dans
l'exposé du livre III et qui, le cas échéant, se seraient
prêtés à des interprétations cartographiques utiles :
ainsi, pour les épidémies de peste hors de la Méditerranée et en Méditerranée, je pense notamment à
la peste de Palerme, pendant les années 1590-1600,
sur laquelle nous avons un lot d'observations médica-
les; je songe aussi à cette épidémie de grippe
« anglaise », au $XV^e$ et au $XVI^e$ siècle, curieusement
arrêtée aux pays baltiques dans son expansion vers

primauté ancienne des céréales à bouillie et notamment des
millets: « on pourrait parler... d'un âge des millets ».
(1) Dommage qu'il n'ait pas été parlé des conséquences que
purent avoir certaines grandes révolutions alimentaires de l'époque moderne en Europe. Tableau sommaire de ces révolutions
dans le manuel classique d'histoire économique de Kulischer.
Pour certains aspects sociaux de ces transformations (à propos
du café, du thé, de la bière) voir Henri Brunschwig : La crise de
l'État prussien à la fin du $XVIII^e$ s. et la genèse de la mentalité
romantique. Les historiens français contemporains sont peu attentifs en général à l'histoire de l'alimentation, peut-être aussi inté-
ressante, après tout, que le système de Law ou tout autre grande
question classique. Avons-nous une histoire de la ou mieux
des cuisines françaises? ou par exemple une histoire de l'huile
ou du beurre — voire dans la Méditerranée du $XVI^e$ siècle, une
histoire du beurre rance que l'on a transporté alors par bateaux
de Bône à Alger, de Djerba à Alexandrie, peut-être même jusqu'à
Constantinople ? Beaucoup d'historiens connaissent-ils les
difficultés de la fabrication du biscuit, dans la Méditerranée des
navires ronds et des navires à rames, condition des plus glorieuses
armadas? Pas de blé, pas de flotte, pourrait-on dire. Combien
encore, nous citons au hasard, connaissent telle note révélatrice
de W. Sombart sur l'essor que prirent les industries de conserves
aux $XV^e$ et $XVI^e$ siècles — ou cette histoire nordique et atlantique
du bœuf salé qu'H. Hauser aimait expliquer dans ses cours?

l'Est, ou bien aux poussées du choléra asiatique à travers l'Europe orientale et centrale où, régulièrement, les hauts pays allemands restent indemnes. Des historiens, aujourd'hui surtout, attribuent aux ravages du typhus, endémique en Russie, autant qu'à l'hiver, le grand désastre de 1812... Ces problèmes n'ont-ils pas, eux et bien d'autres, leur intérêt géographique?

Mais ce beau livre ne pose pas que des problèmes intérieurs ou des questions de détail. Il vaut par son ensemble. Il nous oblige, après l'avoir lu et relu, à reconsidérer l'ensemble même de la science géographique. Ce sont là ses problèmes extérieurs.

Les géographes le savent : la géographie (comme l'histoire) est une science très inachevée, bien plus inachevée que ne le sont les autres sciences du social. Peut-être aussi inachevée que l'histoire elle-même, cette autre vieille aventure intellectuelle. Elle non plus, elle n'est ni pleinement assurée de ses méthodes ni, moins encore, en possession d'un domaine parfaitement reconnu. La géographie scientifique ne s'est-elle pas constituée, comme le livre même de Maximilien Sorre, par des conquêtes latérales (par juxtaposition), par des expéditions, non pas dans une sorte de *no man's land*, mais sur des terres voisines et déjà occupées? L'ouvrage de Maximilien Sorre ressemble à cette large conquête des richesses, des sciences de la nature, faite hier par la géographie et réussie par elle. Mais précisément, combien de conquêtes latérales ne sont-elles pas encore à faire aujourd'hui, si l'on veut enrichir au maximum, c'est-à-dire « achever » la géographie ou, pour le moins, préciser son objet? Conquêtes à terminer, celle de l'histoire et de la préhistoire — pas encore réalisée, malgré tout ce qui a été fait dans ce sens (et il a été fait beaucoup), dans certaines thèses et études de géographie régionale. Conquêtes à parfaire aussi, indiscutablement, celles qui réduiraient à l'ordre géographique les acquisitions des économistes (1), des folkloristes, des ethnographes, des ethnologues, et, d'une façon générale, des sociologues.

Tant que ces réductions ne seront pas faites, je doute qu'une géographie humaine viable, sûre de ses méthodes, soit vraiment possible. Inutile, avant ce terme, de reprendre l'entreprise, contestable aujourd'hui, bien que si utile en son temps, de Jean Brunhes. Et ces réductions ne seront possibles et fructueuses — ce qui complique encore le problème — que du jour où seront fixées les lignes maîtresses de la géographie elle-même, ses axes de coordonnées, lignes et axes par rapport auxquels la réduction doit se faire. Prendre son bien chez autrui, oui, bien — mais pour le transformer en richesses nouvelles.

Où je me sépare de Maximilien Sorre, c'est quand il se considère, après tant d'autres, comme rassuré sur le caractère géographique de son entreprise dès lors qu'il aboutit à l'espace — disons à une carte, ou, comme il le dit, à une aire d'extension. Je ne nie certes pas que la géographie ne soit, avant tout, une description de la terre (2) et qu'elle ne soit, à sa façon, une science de l'espace. Qui le nierait d'ailleurs? Mais cette tâche est-elle la seule? La géographie trouve peut-être dans l'espace un but et un moyen, j'entends un système d'analyse et de contrôle. Au vrai, elle a peut-être un second but, une seconde coordonnée — qui est d'aboutir, non pas à l'homme, mais aux hommes, à la société.

La géographie me semble, dans sa plénitude, l'étude spatiale de la société ou, pour aller jusqu'au bout de ma pensée, *l'étude de la société par l'espace*.

On trouve, dans le dernier livre d'Albert Demangeon, cette exhortation : « Renonçons à considérer les hommes comme des individus » (3). Même conseil,

(1) Cf. sur ce point la note de François Perroux, *Cours d'économie politique*, 1re année, p. 137: « Elle [la géographie] définit peu et mal les termes qu'elle emploie », etc.

(2) André Cholley, *Guide de l'étudiant en géographie*, Paris, Presses universitaires, 1943, p. 9. Mais description « homocentrique », p. 121.

(3) Albert Demangeon, *Problèmes*, p. 28.

et plus amplement motivé, on le sait, dans *La Terre et l'évolution humaine*, de Lucien Febvre ; mais ce livre n'est-il pas venu trop tôt (en 1922)? Tout autant que dans les liens de l'espace, l'homme est pris dans les mailles du milieu social — et il n'y aura pas de géographie si elle ne saisit à pleines mains cette réalité sociale, multiple comme l'on sait, à la fois matière d'histoire, d'économie politique, de sociologie, si elle ne recherche pas les grandes lignes de l'effort « des hommes sur les choses » (1) et les contraintes et les créations de la vie collective, souvent visibles sur le sol...

Par suite, toute réduction de faits humains à l'ordre géographique me semble devoir être double pour le moins : réduction à l'espace, oui, bien sûr, mais aussi réduction au social — ce social que le livre de Maximilien Sorre évite, qu'il côtoie, et où il ne s'enfonce que quand il est contraint de le faire par l'unité vivante, infrangible de son sujet. On dirait même que la préoccupation de Maximilien Sorre, en fait, a été de s'arrêter sur cette mauvaise route : ainsi, en ce qui concerne les micro-climats artificiels, qui posent les gros problèmes de la géographie du vêtement et de l'abri (2). Ou encore, s'agissant de l'étude de certaines maladies infectieuses, à peine signalées par son exposé. Son désir a été de s'en tenir, si possible, à une écologie de l'homme en tant qu'individu biologique; mais que peut être souvent cette écologie de l'individu, sinon une abstraction, un chemin trop étroit, impraticable ou, du moins, très difficile?

Cependant, ai-je besoin de le dire, Maximilien Sorre a été parfaitement attentif aux restrictions qu'il s'imposait, et il s'en explique à demi-mot dans sa préface et dans sa conclusion où l'on retrouverait sans peine les termes mêmes dont nous nous servons pour faire la critique de son dessein. N'est-ce pas lui qui écrit (p. 10) : « Encore est-il trop simple de parler

---

(1) Selon l'expression de Maurice Halbwachs.
(2) P. 37-38. Bien caractéristique, le fait que M. S. ait réservé (cf. p. 10) à un autre ouvrage, celui-là à paraître, l'étude du milieu climatique urbain.

de l'homme. C'est les hommes qu'il faut dire — ceux
du présent... ceux du passé... » C'est lui encore
qui écrit, en cette même page de préface : « L'interaction du milieu social et du milieu naturel sera donc
*évoquée*... Il y a des influences que l'on ne peut dissocier. » *Évoquée*, le mot que nous avons souligné,
est bien révélateur, *évoquée* et non pas étudiée délibérément, il s'en faut. Certes, il est toujours injuste
de ne pas se contenter des richesses qu'un ouvrage
vous apporte à profusion, comme celui-ci; disons,
cependant, qu'il est un peu regrettable que ce beau
livre n'ait pas été conçu de façon plus large encore
et expliqué avec plus d'insistance et de clarté dans
son architecture d'ensemble — que l'on aurait sou-
haité plus nette, plus unitaire surtout, mieux organisée
du dedans, peut-être plus ambitieuse, tout simplement.

Mais ce livre aura sa pleine efficacité, tel qu'il est
— si mal choisie, hélas, que soit l'heure de sa parution.
Un riche avenir l'attend. Les sciences géographiques
— et toutes les sciences sociales — auront à le mettre
à profit, et les historiens ne seront pas les derniers
à le consulter. Par la qualité de son écriture, qui fait
songer à Jules Sion, par son talent à évoquer en une
série de touches brèves des paysages éparpillés à
travers le monde entier ou à rendre sensible le climat
d'une époque révolue, par la richesse de son expérience directe et de son acquit scientifique, par son
habileté à sérier les faits et à lier les développements,
à situer un exemple ou un détail d'histoire ou de
légende, par ses retours insistants aux rivages classiques
de la Méditerranée, l'ouvrage, en son esprit et par son
humanisme, est bien dans la tradition brillante de
l'école française de géographie. La vie intellectuelle
est un combat : ce livre nous apporte l'exemple d'une
belle, d'une magnifique entreprise. En ces domaines
si difficiles et si passionnants de la géographie humaine,
aucune œuvre de cette qualité ne nous avait été offerte
depuis longtemps, depuis les *Principes de géographie
humaine* de Vidal de La Blache; depuis *La Terre et
l'évolution humaine* de Lucien Febvre.

# SUR UNE CONCEPTION
# DE L'HISTOIRE SOCIALE (1)

Je suis en retard pour parler du livre compliqué, alerte et ambigu d'Otto Brunner : *Neue Wege der Sozialgeschichte* (2), paru en 1956, mais qui vient seulement de parvenir aux *Annales* (à la suite d'erreurs assez fortuites). Les historiens lecteurs de revues générales connaissaient d'ailleurs, pour les avoir lus et appréciés en leur temps, deux des dix articles réunis dans le présent volume : l'un, sur le problème même d'une histoire sociale de l'Europe, publié par l'*Historische Zeitschrift* (3) en 1954, l'autre dans le *Vierteljahrschrift für Sozial- und Wirtschaftsgeschichte* de la même année (sur la bourgeoisie d'Europe et de Russie) (4). A eux seuls, ils posaient déjà certains problèmes que reprend ce livre, problèmes vastes, assez complexes, et qui finalement mettent en cause la méthodologie entière, voire le sens même des sciences historiques. C'est dire qu'il ne sera pas facile de présenter un résumé exact d'un ouvrage composé, malgré son unité en profondeur, de matériaux différents, d'une série de plaidoiries, neuf, et même dix, puisque

(1) *Annales E. S. C.*, n⁰ 2, avril-juin 1959, Débats et combats p. 308-319.
(2) *Neue Wege der Sozialgeschichte. Vorträge und Aufsätze*, Gœttingen, Vandenhoeck u. Ruprecht, 1956, 256 p.
(3) Tome 177, 1954, p. 469 et suiv.
(4) Tome 40, 1954, p. 1 et suiv.

le chapitre VI comprend à lui seul deux études sur les
rapports de la bourgeoisie et de la noblesse à Vienne
et en Basse-Autriche (au Moyen Age). Imaginez des
voyages avec des points de vue successifs et dont la
succession même, trop rapide, ne se révèle à peu près
logique qu'à la réflexion. La lecture n'est pas simplifiée
par les nombreuses références rejetées, hélas, à la fin
du volume : on se reporte à la note, on perd la page,
puis on recommence. Tout ce va-et-vient s'accompagne, il est vrai, d'une assez grande joie de l'esprit.

Otto Brunner ne doit rien aux *Annales* et les données
de son raisonnement ou de son expérience, ses points
d'appui, sa conclusion ne sont pas les nôtres. D'où,
à nos yeux, leur importance singulière. Mais il faut de
notre part un gros effort pour comprendre et, ici ou
là, saisir et percer les subtilités de son langage. Voilà
en tout cas un historien qui dit à haute voix le bouleversement actuel de l'histoire et qui, fort de son métier
et de l'aide des sciences voisines, essaie de dominer
les temps inquiets qu'aborde notre spéculation. Comme
il lui faut s'appuyer sur ses pairs, à son appel s'organise dès le départ le cortège presque complet des historiens allemands, ceux d'hier, ceux d'aujourd'hui.
Même si Otto Brunner n'a pas leur entier acquiesce-
ment — et c'est plus que probable — il se présente
en leur compagnie, et c'est un attrait supplémentaire
de son livre. Voici, pour nous, de vieux compagnons
de lecture : Werner Sombart; Max Weber; Georg
von Below qui, hier, compta parmi ses auditeurs le
jeune Marc Bloch; Meinecke, dont la pensée est restée
injustement étrangère, ou peu s'en faut, à l'historiographie de chez nous; Heinrich Mitteis, auteur
d'admirables travaux sur les institutions médiévales;
Otto Hintze, à qui l'on ferait chez nous la grande place
qu'il mérite si ses œuvres complètes n'avaient pas
paru à la mauvaise heure, en 1941 et 1942; Th. Mayer,
d'autres encore... Non moins nombreux, dans ces
notes ou citations, les noms de nouveaux spécialistes
d'histoire de la philosophie, de sociologues, d'économistes, d'historiens enfin : Gerhard Ritter, Werner

Conze, Wilhelm Abel, Herbert Hassinger (1).

Otto Brunner nous offre ainsi avec libéralité, j'allais dire en supplément, un voyage à travers ces chemins anciens et nouveaux de l'historiographie allemande. Mais il n'en sera que plus difficile, finalement, de dégager le vrai visage de ce penseur trop agile, trop passionné, et que n'effraient ni une contradiction, ni un débat inachevé. Le lecteur, peu à peu, s'habitue il est vrai à ses procédés, à ses feintes, à ses raccourcis immenses, à ses explications souvent excellentes; médiéviste, notre auteur est à la bonne jointure, la jointure même du destin de l'Occident. Mais l'occasion lui est toujours bonne d'aller en deçà ou au-delà des limites conventionnelles du Moyen Age européen, soit vers l'Antiquité, soit vers la pleine modernité. De « Platon », dira-t-il, « jusqu'à Joachim de Flore et à Bossuet », ou tout aussi bien « d'Homère à Fénelon »... Mais avons-nous le droit, aux *Annales*, de nous plaindre de ces enjambées et de ne pas être indulgent à l'égard d'un historien qui parle de l'Europe sans s'attarder aux événements (« ce squelette de l'histoire », comme disait un de nos pédagogues à courte vue), sans s'attarder aux individus, ou alors en les présentant par rangs épais, par groupes, à titre de délégués d'ensembles sociaux ou culturels? Nous le suivons, bien sûr... Mais nul à ce jeu ne sera, répétons-le, tout à fait sûr, au sortir de plaidoiries qu'il nous faut lire et relire une à une, de connaître la vraie pensée d'Otto Brunner, aux prises avec des problèmes qui ne sont pas exactement les nôtres, en proie à des souvenirs et à des expériences que nous n'avons pas partagés. Je ne suis pas, au demeurant, un lecteur si indifférent que je ne me sois arrêté, une ou deux fois,

_____

(1) Elle est de Heinrich Freyer cette citation (dans le sens même de la pensée de Max Weber) qui m'enchante au passage, pour deux ou trois raisons : « L'époque lumières [l'*Aufklärung*], écrit-il, n'est pas seulement ce phénomène historique à portée limitée que nous désignons communément par cette expression, mais l'une des tendances de fond, pour un peu, dirions-nous, le *trend* de l'histoire européenne par excellence...»

devant telle ou telle réflexion dont le prolongement
nous conduirait tout droit jusqu'au temps présent.
Mais je crois inutile de m'attarder à des interprétations
de cet ordre, difficiles et peut-être erronées. Inutile
aussi de nous reporter, pour y voir plus clair (sauf telle
référence que je citerai tout à l'heure), à l'œuvre dense
et solide de notre auteur. Mon propos est de mettre
en cause ce seul livre, intelligent et fin, qui vient nous
rendre visite un peu tard, et de voir ce qu'il nous apporte
sur le plan exclusif de la spéculation scientifique.


I

#### L'ORIGINALITÉ OCCIDENTALE (XIᵉ-XVIIIᵉ SIÈCLES)
#### RÉDUITE EN « MODÈLE »

Son premier but est de nous proposer, si je ne
m'abuse, et de nous faire accepter une histoire sociale,
structurale et conservatrice, à l'opposé d'une histoire
libérale, flexible, évolutionniste. Pratiquement nous
est offert, dans les eaux de la *longue durée*, un certain
*modèle particularisé* de l'*histoire sociale européenne*,
du XIᵉ au XVIIIᵉ siècle. Ce modèle met en évidence des
continuités, des immobilités, des structures. Il délaisse
l'événement, sous-estime le conjoncturel, préfère le
qualitatif au quantitatif et ne s'intéresse pas une
seconde, et c'est dommage, à la pensée mathématisante d'Ernest Labrousse. L'entreprise (limitée au
contexte médiéval) se situerait cependant sans trop
de peine dans une histoire sociale telle que je la
conçois, et qui a les allures et les dimensions d'une
histoire globale.
Les substantifs et les adjectifs par quoi j'essaie de
cerner ainsi la pensée d'Otto Brunner ne la définissent
évidemment qu'à moitié et peuvent la trahir. Seuls
les mots que j'ai soulignés au paragraphe précédent se
retrouvent dans son argumentation avec le sens que
nous leur donnons d'ordinaire. En fait il s'agit bien,

j'y reviens dans un instant, de *modèle* social. Mais d'autres continuités, chemin faisant, s'ajoutent à l'argumentation. Otto Brunner signale volontiers les évidentes continuités intellectuelles; elles strient son livre de lignes qui n'en finissent pas de traverser le temps. Il cherche aussi, avec délectation, ce que le présent le plus original peut contenir de passé lointain; ainsi quand il s'aperçoit que le très vieux concept médiéval d'âme et de corps (pas au sens d'organisme vivant que lui donnera la biologie moderne) est au centre de la pensée et du vocabulaire d'Oswald Spengler, ou quand il soupçonne les physiocrates ou Karl Marx lui-même de reprendre à leur compte telles ou telles idées de la vieille « œconomie » médiévale.

Mais c'est surtout la société qui est l'objet ici d'une « modélisation » sérieuse, dans le champ particulier de l'Occident, entre XIe et XVIIIe siècle. Mis à part les achèvements ici, les stagnations là, ou, ailleurs, les dépassements, voire les anomalies, la société occidentale présente partout les mêmes cadres, les mêmes pièces maîtresses : à savoir la ville, sa bourgeoisie, son artisanat, ses franchises; les campagnes avec leurs paysans enracinés (il y a évidemment les autres qui courent l'aventure, mais ceux-ci n'empêchent pas l'existence de ceux-là, forts de leurs droits) et leurs seigneurs, ces derniers plus préoccupés, comme le paysan, de conduire leur « maison » que de songer au profit et à l'économie, au sens que lui donnera notre société moderne. Car l'économie, ce fut d'abord et à longueur de siècles, l'*œconomie*, le soin, le souci de la maison (la « Maison Rustique » comme diront encore, au XVIe siècle, Charles Estienne et Jean Liébaut) : soigner les domestiques ou les esclaves, éduquer les enfants, décider des cultures; en général, se préoccuper assez peu du marché urbain et de sa « chrématistique ». Si les vieux livres d'*œconomie* n'ignorent pas le marché, celui-ci n'est pas au centre de l'économie de subsistance qu'ils décrivent. Leur horizon c'est la « maison », la « maison entière ». Ne nous étonnons pas, alors, s'ils comportent des

conseils moraux, un résumé de médecine pratique,
parfois un recueil de recettes de cuisine. Les historiens
et économistes allemands ont depuis longtemps signalé
cette riche *Hausvaterliteratur* (1).

Ces pièces maîtresses ont, dans le modèle, leur autonomie, leur couleur, leur sens particulier. Mais elles
jouent harmonieusement les unes par rapport aux
autres. Cristaux aux arêtes vives, mais à travers quoi
circule une commune lumière.

Les compartiments communiquent entre eux : le
paysan gagne la ville (les villes même stationnaires,
aux populations fragiles, ont un besoin constant
d'hommes). Voilà le nouvel arrivé ou, demain, son
fils devenu artisan, puis l'artisan peut un jour se faire
marchand, le marchand se changer en seigneur. Car
tout arrive, ou peut arriver : question de patience,
de générations prudentes, de circonstances heureuses.
Fils de paysans, tisserand campagnard, Hans Fugger,
le fondateur de la grande famille, gagnait Augsbourg
en 1367. Parfois, à rebours, des seigneurs aspirent
à devenir bourgeois. N'affirmons pas que ces circuits
soient d'un fort débit, mais tels quels ils peuvent
suffire à détendre, voire à détruire certaines tensions,
à maintenir des équilibres de longue durée. Pourtant
ces équilibres sont menacés sans fin. Si les échanges
s'accélèrent, les cristaux initiaux peuvent, à la longue,
s'altérer. C'est ce que suggère l'exemple de Vienne
(chap. VI), à quoi Otto Brunner consacre à mon avis
les meilleures pages de son livre. Il est vrai que c'est
un cas marginal, que le « modèle » flotte mal sur ces
eaux particulières, qu'ici le Prince intervient tôt dans
les échanges vivants. Il facilite les passages de la
bourgeoisie vers une noblesse qui, peu à peu, perd
ses vertus, ses racines et ses réalités terriennes. Dans
les eaux, si l'on peut dire, de ces montées sociales,
l'État en Autriche, ailleurs aussi, fait tourner sa propre

(1) Cf. Gertrud Schröder-Lembke, « Die Hausvaterliteratur
als agrargeschichtliche Quelle », *Z. f. Agrargeschichte und Agrar-
soziologie*, 1953.

roue. Et, alors qu'au Moyen Age, en Occident, la politique se diffuse dans le social et s'y perd (le seigneur est à la fois seigneur et propriétaire), progressivement, avec la poussée de l'État moderne, la distinction, la disjonction s'accomplissent : l'État d'un côté, la société économique de l'autre. Et le vieux modèle, ou si vous préférez l'Ancien Régime social s'effondre. A qui voudrait, à toute force, situer chronologiquement cet effondrement, la nuit du 4 août 1789 s'offre comme un terme spectaculaire : y sont abolis les droits féodaux, les communautés villageoises, les franchises urbaines... C'est façon de parler; cependant, du même coup, la Révolution française prendra figure d'accusée. Et à côté d'elle, mêlée, non substituée à elle, la Révolution industrielle, cet autre personnage sombre.

Alors se clôt, en tout cas, une des grandes phases de l'histoire occidentale, et dont le départ se situerait sept siècles plus tôt, entre 1000 et 1100. A cette lointaine époque, l'Occident avait connu une montée de force, une poussée démographique de longue haleine (bientôt s'amorçaient la colonisation vers l'est de l'Elbe et, à partir de la France, une large émigration vers la péninsule Ibérique). Henri Pirenne voit, et beaucoup d'historiens à sa suite, le renouveau urbain qui va suivre, comme une conséquence de la reprise générale des trafics. Cependant, il y a eu aussi montée générale des campagnes occidentales; elles ont produit des nourritures plus abondantes et plus d'hommes que jadis — vivres et hommes, sans quoi l'essor urbain, assurément stimulé par le commerce, n'eût pas été possible; elles ont mis en place une paysannerie européenne relativement dense, capable, dans les pays du Nord, grâce à l'assolement triennal, de tirer une production accrue de ses champs. Entièrement pris dès lors par un travail rural intense, le paysan devient paysan à plein temps. Aux seigneurs donc d'assurer, de confisquer aussi, sa défense.

Prospérité rurale et prospérité urbaine se soutiennent dès le départ; elles sont les bases de l'économie européenne, économie nouvelle assurément et appelée à durer. Au cours des siècles antérieurs, le trafic de marchands *ambulants* avait porté sur des matières précieuses, rares — les riches étoffes, les épices, les esclaves — ou de première nécessité, le sel, le blé. Seule comptait alors, ou presque, la clientèle des princes et des riches. Mais à partir du XIᵉ siècle, la part des produits fabriqués grandit dans les trafics. L'Europe s'affirme exportatrice de textiles, la gloire des foires de Champagne, celle des trafics méditerranéens s'annoncent, puis s'affirment. Le marchand s'enracine. Les villes se multiplient, elles forment des archipels, des pyramides de villes, chaque groupe aboutissant à des villes, à des métropoles marchandes de rang supérieur. Tout cela en symbiose avec un monde seigneurial et paysan, base permanente, terre nourricière de ces réussites.

Ce schéma appellerait évidemment des retouches et des compléments. Otto Brunner ne s'en préoccupe pas outre mesure. Sa plaidoirie est longue, souvent reprise, mais ses conclusions toujours brèves, identiques. Elles visent au général. Elles se colorent seulement un peu quand il s'agit du second « pôle » de son modèle, les paysans, les seigneurs, la seigneurie, plus généralement cette *Adelswelt* à qui va sa secrète tendresse et dont il grossit volontiers le rôle et l'importance, qu'il montre sous le signe d'engagements réciproques, avec, à sa base, une paysannerie qui, au pire, dispose encore d'une certaine autonomie, d'une certaine liberté. Il place cette *Adelswelt* au centre d'une civilisation de très longue durée, étendue jusqu'aux Physiocrates, une civilisation aristocratique, pénétrée jusqu'à la moelle par un esprit de vraie, d'effective liberté, une civilisation pas seulement violente ou grossière, mais fine, animée de vertus évidentes — les bibliothèques de la noblesse (en Autriche et ailleurs) sont là pour nous le prouver à partir du XVᵉ siècle. C'est à cette civilisation que participe également la bourgeoisie des villes. Qui ne verrait, ici, un coup de pouce évident, presque un renversement... Mais plaider, c'est plaider.

## II

### OCCIDENT ET RUSSIE

Le lecteur devine que mon intention est de présenter, non pas de discuter ces raccourcis autoritaires, et de voir, plus que le bien-fondé de ces thèses, l'inspiration, la volonté du metteur en scène. Donc, acceptons ces larges explications étendues du XIᵉ au XVIIIᵉ siècle.

Ces siècles ont eu quelque chose de commun, assurément. J'aimerais mieux dire XIIIᵉ-XVIIIᵉ siècles, mais peu importe! Qu'il y ait, de 1000 à 1800, une certaine unité, une certaine « horizontalité » du temps long, je le concéderais assez volontiers. Gino Luzzatto et Armando Sapori, l'un et l'autre, l'ont dit à leur façon, en affirmant la « modernité » des XIIIᵉ et XIVᵉ siècles. Armando Sapori, « homme » du XIIIᵉ siècle, renonce à se laisser éblouir par les lumières de la Renaissance. Henri Hauser, « homme » du XVIᵉ siècle, proclamait son évidente modernité, notamment vis-à-vis du XVIIIᵉ. Mais ces jeux ne sont pas familiers à Otto Brunner, ni indispensables à sa thèse ou même à son mode d'argumentation. Son jeu à lui est à la fois plus compliqué, plus arbitraire et beaucoup plus large, j'allais écrire beaucoup plus dangereux. Il consiste en une dialectique assez particulière : voir successivement dans les paysages d'histoire ce qui les unifie, puis ce qui les diversifie. C'est-à-dire qu'au gré de la démonstration le jeu de cartes est ouvert et montre alors toutes ses figures aux couleurs et valeurs différentes, ou bien les voilà toutes rassemblées, ne formant plus qu'un seul paquet dans la main du joueur. Otto Brunner, pour affirmer l'originalité globale de l'Occident, a dû replier un jeu aux cartes très nombreuses. Car son modèle vaut surtout pour les terres et les villes allemandes. Vaut-il pour les terres et les villes d'Italie ou d'Espagne? Là et ailleurs, la coïncidence ne sera possible qu'avec quelques coups de pouce adroits. J'imagine à l'avance qu'Armando Sapori réagira sûrement contre cette image d'un Occident monotone, comme il a réagi, hier, devant la vue d'ensemble que Werner Sombart proposait de l'économie médiévale. Plus encore, quel historien acceptera cette horizontalité du temps long, à travers un Moyen Age coupé de troubles, de crises économiques et sociales? L'État moderne s'annonce avec le XVe et, plus encore, le XVIe siècle, et la rupture, l'éclatement « État-société » n'attend pas la Révolution française. De même l'économie de marché, dès avant le XVIIIe siècle finissant, a profondément pénétré la société occidentale. Il faudra toujours une certaine habileté pour surmonter, ou dissimuler ces obstacles.

L'habileté de notre collègue est de nous faire accepter, d'entrée de jeu, que sa simplification initiale est, en fait, la reconnaissance attentive d'une originalité foncière, unique, de l'Occident, puis au-delà de cette affirmation, de transférer aussitôt la discussion hors de l'Occident pour nous démontrer, tambour battant, l'originalité de l'Europe par rapport à ce qui n'est pas l'Europe, par rapport à l'immense abstraction webérienne (de Max Weber bien sûr) — cette zone de la ville dite « orientale » et qui réunit dans ses mailles l'Islam, l'Inde et la Chine. Qui croira à l'unité de cette catégorie? Ou que Max Weber ait vraiment poussé sa célèbre sociologie urbaine jusqu'au tréfonds des problèmes?

Mais laissons ces critiques à demi formulées. Transportés à la marge orientale de l'Europe, lecteurs, nous sommes conviés à mesurer les différences entre système occidental et système russe (voire oriental). La démonstration dénie aussitôt ce que prétendent certains historiens, à savoir que l'Europe, ou si l'on veut l'Occident, recommence, réédite son destin sur la scène russe, avec des couleurs particulières, un certain retard, des gauchissements, dus aux intempéries de l'histoire, à l'immensité de la scène, à l'hostilité des forêts et des marécages, à la faible densité de peuplement. A quoi s'ajoute l'énorme cataclysme de la poussée mongole.

Contre certains historiens russes, mais s'appuyant sur d'autres, Otto Brunner soutient que, même avant ce cataclysme, il y a déjà retard et, plus encore, différence de nature entre structures sociales de l'un et l'autre monde. Novgorod n'est pas une ville fermée sur elle-même, à l'occidentale, mais une cité « antique » ouverte sur sa campagne, intégrée à la vie de cette dernière. Les villes russes, certes, sont considérables, riches d'hommes, mais peu nombreuses, éloignées les unes des autres : ainsi Kiev, ainsi Moscou. Elles ne s'appuient pas sur des pyramides ou des réseaux de petites villes, comme c'est le cas en Europe. En outre, elles n'ont pas su, ou pu, se réserver le monopole de la vie artisanale : à côté d'une industrie urbaine d'artisans misérables, une industrie paysanne se maintient vivace, polyvalente, hors du contrôle urbain. L'hiver russe libère pour de longs mois une main-d'œuvre surabondante dans les villages et il est impossible de lutter contre elle. Quant aux paysans, ils sont longtemps mal enracinés. Leurs cultures restent itinérantes; elles s'organisent au détriment de la forêt, mais il ne s'agit pas, à l'occidentale, d'asservir une fois pour toutes cette glèbe neuve, d'y établir des sillons durables, d'en arracher les souches des arbres. Comme dans l'Amérique ouverte aux paysans d'Europe, le gaspillage de l'espace est la règle. Ajoutons que l'artisan, pas plus que le paysan, n'est entièrement libre de ses mouvements. Dernier trait : le commerce en Russie, jusqu'à Pierre le Grand, portera sur des produits naturels, le sel, les fourrures, le miel, sur des marchandises de luxe et sur des esclaves. Il est caravanier, itinérant. Ces traits archaïques achèvent le tableau d'ensemble. A l'inverse, l'Europe a ses paysans à demi libres, ses villes indépendantes ou presque indépendantes, son capitalisme commercial actif, en avance, avec ses marchands à demeure. Les villes occidentales, c'est l'industrie artisanale et le commerce hors du contrôle de l'État, autant d'îlots libres pour le capitalisme à courte ou à longue distance. C'est là, dans le sens de la vieille affirmation de Max Weber,

une des originalités urbaines de l'Europe médiévale :
ni la ville « antique », ni la ville « orientale » n'avaient
connu cette scission, ou mieux cette distinction, entre
villes et campagnes, industrie et agriculture — d'un
mot, ce survoltage urbain.

Cette démonstration suffit-elle à éclairer cette
« énigme russe » dont parlait encore récemment Gerhard
Ritter (1) ? Ou le mystère de l'observateur allemand
face à cet immense paysage? Le lecteur répondra.
Je me demande ce que donnerait, mené comme l'a
fait Otto Brunner, un parallèle cette fois entre l'Europe
et l'Amérique coloniale des Ibériques (du XVIe au
XVIIIe siècle). Au Nouveau Monde, avec la fin du
XVe siècle, une Europe nouvelle tant bien que mal
s'enracine, *recommence*. Et elle recommence par des
*villes*. Ces villes précèdent les campagnes lentes à se
construire (Rio de la Plata), ou s'appuient sur des
paysanneries indiennes. Où qu'elles soient, ce sont
des villes ouvertes sur la campagne, des villes « antiques » avec des formules antiques, dominées par de
grands propriétaires ruraux — ainsi ces *homens bons*
des conseils municipaux du Brésil ou ces grands
*hacendados* des *cabildos* (échevinages) espagnols. Dans
cet ensemble, deux ou trois villes modernes tout au
plus, grandes villes à « la russe », très isolées, le Mexico
des vice-rois, Recife pendant et après les Hollandais,
Bahia avec ses marchands exportateurs de sucre, le
Potosi. Ajoutez à ce tableau un commerce par caravanes muletières. Alors, est-ce l'Europe d'avant le
XIe siècle? Ou la Russie d'avant Pierre le Grand?

(1) *Lebendige Vergangenheit*, Munich, Oldenbourg, 1958,
« Das Rätsel Russland », p. 213 et suiv.

## III

### QU'EST-CE QUE L'HISTOIRE SOCIALE?

Ces questions, ces demi-critiques ne mettent en cause, à vrai dire, que la moitié ou le tiers de ce livre nerveux. Otto Brunner n'a pas eu seulement l'intention de cerner l'originalité irréductible du Moyen Age occidental, d'en chanter les vertus, d'en dire la grandeur, presque d'en affirmer le « miracle ». Si je ne me trompe, il entend s'appuyer sur les lumières de ce grand spectacle pour se retourner (avec encore plus d'habileté que de force ou de netteté) vers le temps présent — seconde opération d'envergure — et vers les structures du métier d'historien, troisième et dernière opération, qui recouvre et dépasse les précédentes.

En réalité, le Moyen Age occidental d'avant le XVIIIᵉ siècle est séparé de nous par des obstacles divers. Historiens et hommes du XXᵉ siècle, donc d'un âge à peu près coupé des lointaines racines de l'Europe par les mutations et discontinuités des XVIIIᵉ et XIXᵉ, comment pouvons-nous, de plain-pied, retrouver les réalités d'une histoire sociale de l'Europe entre XIᵉ et XVIIIᵉ siècle? Les mots eux-mêmes, celui d'économie au premier chef, mais aussi celui de société, voire celui d'État, nous desservent. Nous voilà séparés en esprit de cet objet, de ce paysage lointain, par un rideau de fumées où tout se rassemble : les idéologies (qui naîtraient avec le XVIIIᵉ siècle), ces idées chargées tout à la fois de vérités et d'illusions; les explications anciennes; l'effort même des nouvelles sciences sociales. Dans un chapitre, que je comprends mal, l'ayant cependant lu et relu, nous voilà mis en garde contre l'anachronisme, contre le danger évident d'un dialogue présent-passé, nous voilà placés en outre devant les lourdes responsabilités de l'histoire. Mais, en fait, n'est-ce pas, à la suite de Karl Mannheim, une chasse aux idéologies, puis aux sorcières et aux fumées à quoi nous sommes conviés? Les idéologies sont-elles, ou non, en perte de vitesse? C'est possible. Mais de part et d'autre de leur rideau, à quels jugements, à quels rapprochements s'abandonne l'auteur — nul lecteur étranger ne le saura à demi-mot. Qui juge-t-on, qui condamne-t-on, ou, si l'on préfère, qui devons-nous aimer? Car cet éloge évident de l'Ancien Régime social, hors du profit et des tyrannies de l'État ou des déformations idéologiques, doit avoir un sens. Le *laudator temporis acti* n'est jamais sans arrière-pensées présentes.

Ces incertitudes ne laissent pas de compliquer à l'avance et d'affaiblir notre réponse à la question fondamentale que notre collègue se pose, au sujet du destin, de la raison d'être de l'histoire. Mais faisons comme si le chemin offert nous semblait sûr.

Dès le principe, comme Henri Berr en 1900 au seuil de la *Revue de synthèse*, Otto Brunner essaie de s'élever au-dessus des compartiments des histoires particu-lières. On sait qu'ils sont nombreux : histoire du droit, histoire des institutions, histoire de la philosophie, histoire des idées, histoire des lettres, histoire des sciences, histoire de l'art, histoire religieuse, histoire de la vie quotidienne, histoire économique; on sait aussi (cf. Heinrich Freyer) qu'ils ont leur rythme propre, leur souffle, leurs mesures chronologiques. Or ces secteurs particuliers doivent être dominés, disloqués. Ainsi l'empire de la *Kulturgeschichte* est hétéroclite, abusif. De même, bien que ce ne soit pas nettement dit, l'histoire économique, simple sec-teur, ne peut se gonfler aux dimensions de l'histoire entière, sans excès ou scandale.

Bref, l'histoire n'admet que deux plans généraux : le politique d'une part, le social de l'autre. Comme en géométrie descriptive, c'est sur l'un et sur l'autre plan qu'il faut projeter le corps entier de l'histoire. C'est moi, bien entendu, qui avance ces images discutables. Otto Brunner dira plus exactement que l'histoire sociale n'est pas pour lui une spécialité *(Fach)*, un secteur particulier *(Sondergebiet)*, « mais une façon de consi-dérer un aspect de l'homme et des groupes humains dans leur vie commune, dans leur embrigadement social *(Vergesellschaftung)* ». Pour la politique, il réclamait tout jadis (1936) : « Toute problématique purement historique, écrivait-il alors, relève de l'histoire politique... De ce point de vue, toute histoire, au sens étroit du mot, est histoire politique » (1). Il est aujourd'hui, sans que je lui en fasse grief — bien au contraire — d'un avis différent. L'histoire a toujours l'homme comme objet, dit-il en substance, mais il y a deux façons de le considérer : tout d'abord, dans le miroir d'une histoire sociale, « et alors seront poussées au premier plan la construction interne, la structure des liens sociaux » ; ou, seconde possibilité, dans le sens d'une histoire politique, d'une politique de signification aristotélicienne : à ce moment, il s'agira de saisir comme objet l'action politique, « l'autodétermination des hommes ». Je le répète : deux plans entre quoi tout se divise, ou peut se diviser. Impossible à l'historien de les confondre ou, ce qui revient au même, de les présenter conjointement.

Il serait important de suivre, de page en page, l'esquisse allusive d'une histoire ramenée au politique, que donne ce livre prompt à affirmer, jamais à contredire, et ainsi presque exempt de négations qui serviraient de points de repère : l'histoire de l'homme « animal politique », si je comprends bien, est un peu celle de ses mouvements, de ses actions, de son libre arbitre, et même parfois une *Machtpolitik*, donc elle tend assez souvent vers une histoire traditionnelle. Sur l'autre volet du diptyque, dans la mesure même où l'histoire sociale mobilise à son profit l'immobilité et la longue durée, la réalité sociale épaisse, lourde, résiste aux intempéries, aux crises, aux chocs; elle est forte de sa lenteur, de son inertie puissante. Les poussées de l'histoire économique s'épuisent à remuer cette masse, à percer un plastron épais.

---

(1) Otto Brunner, « Zum Problem der Sozial-und Wirtschaftsgeschichte », in *Zeitschrift für Nationalökonomie*, VII, 1936, p. 677.

D'ailleurs au Moyen Age, répétons-le, il n'y a que
cette seule histoire, l'histoire sociale; elle a tout
mangé, tout assimilé, l'État se dissout entre ces corps
divers dont nous avons parlé : villes, seigneuries,
communautés villageoises. L'économie de marché
peut bien avoir ses crises, et même ses convulsions,
l'*œconomie* se replie sur elle-même. Elle est à l'abri de
ces petits orages. Les siècles lui appartiennent. L'État
et l'économie, c'est pour plus tard.

Je n'ai cherché, au long de cet article, qu'à éclairer
pour moi-même et mes lecteurs français une pensée
qui nous est peu familière. Entre historiens allemands
et français, le contact a été si longtemps perdu qu'il
suffit parfois d'un mot mal saisi, d'une affirmation
trop vite lancée pour que la discussion perde tout son
sens. Il y aurait sûrement avantage, pour les deux
parties, à ce que s'ajoutent des pensées devenues à ce
point étrangères l'une à l'autre. Je me suis donc
interdit, autant que possible, l'attitude mentale du
critique, laissant à Otto Brunner l'initiative de ce
débat.

Au terme de cette confrontation, suis-je convaincu?
C'est une autre question. Je suis partagé entre une
certaine sympathie et quelques réticences assez vives.
En vérité, une histoire sociale de longue durée ne peut
que me séduire, même si elle ne m'apparaît que comme
*une* histoire sociale entre plusieurs autres, celle des
lenteurs, des permanences, des inerties, des structures :
au-delà de ces immobilités, il faudrait replacer la conjoncture sociale, qui n'est pas un mince personnage.
Il n'y a rien à dire non plus, bien entendu, contre
une histoire politique qui, « aristotélicienne » ou non,
rejoint l'histoire traditionnelle du siècle dernier. Mais
il y a tout à dire, me semble-t-il, contre l'autoritaire
dichotomie d'Otto Brunner, cette dualité où il enferme
l'histoire. Quelles que soient les raisons ou les arrière-
pensées qui dictent son choix — elles restent incer-

taines pour un lecteur français —, je ne saurais y souscrire.

Au risque d'être taxé de libéralisme impénitent, je dirai au contraire que toutes les portes me paraissent bonnes pour franchir le seuil multiple de l'histoire. Aucun de nous ne saurait les connaître toutes, malheureusement. L'historien ouvre d'abord sur le passé celle qu'il connaît le mieux. Mais s'il cherche à voir aussi loin que possible, obligatoirement il frappera à une autre porte, puis à une autre... Chaque fois sera mis en cause un paysage nouveau ou légèrement différent, et il n'est pas d'historien digne de ce nom qui n'ait su en *juxtaposer* un certain nombre : paysages culturel et social, culturel et politique, social et économique, économique et politique, etc. Mais l'histoire les rassemble tous, elle est l'ensemble de ces voisinages, de ces mitoyennetés, de ces interactions infinies...

La géométrie à deux dimensions d'Otto Brunner ne saurait donc me satisfaire. Pour moi, l'histoire ne peut se concevoir qu'à $n$ dimensions. Cette générosité est indispensable : elle ne rejette pas sur des plans inférieurs, voire hors de l'espace explicatif, l'aperçu culturel ou la dialectique matérialiste, ou telle autre analyse; elle définit à la base une histoire concrète, *pluri-dimensionnelle*, comme dirait Georges Gurvitch. Au-delà de cette multiplicité, évidemment, chacun reste libre — certains même se sentent obligés d'affirmer l'unité de l'histoire, sans quoi notre métier serait impensable, ou pour le moins perdrait certaines de ses ambitions les plus précieuses. La vie est multiple, elle est une aussi.

# LA DÉMOGRAPHIE
## ET LES DIMENSIONS
### DES SCIENCES DE L'HOMME (1)

L'histoire que nous défendons, dans cette revue, se veut ouverte sur les différentes sciences de l'homme; et, plus que l'histoire elle-même, aujourd'hui c'est l'ensemble de ces sciences qui nous préoccupe. Je crois utile de le redire, au seuil de cette chronique qui se propose de mettre en cause les données et orientations essentielles des études démographiques, en les considérant, elles aussi, de ce point de vue d'ensemble, et non du point de vue de la seule histoire.

Que l'on se rassure : je ne veux pas, par ce biais, entreprendre le procès facile d'un certain *démographisme*, explication impérialiste, unilatérale, souvent hâtive de la réalité sociale. Chaque science, surtout si elle est jeune ou, ce qui revient au même, rajeunie, s'efforce de soulever l'ensemble du social et de l'expliquer à elle seule. Il y a eu, il y a encore un *économisme*, un *géographisme*, un *sociologisme*, un *historicisme;* tous impérialismes assez naïfs dont les prétentions sont cependant naturelles, voire nécessaires : pendant un certain temps du moins, cette agressivité a eu ses avantages. Mais peut-être, aujourd'hui, conviendrait-il d'y mettre un terme.

(1) *Annales E.S.C.*, n° 3, mai-juin 1960, Chronique des sciences sociales, p. 493-523.

Sans doute, le mot de *science auxiliaire* est-il celui qui gêne, ou irrite le plus les jeunes sciences sociales. Mais, dans mon esprit, toutes les sciences de l'homme, sans exception, sont auxiliaires, tour à tour, les unes des autres et, pour chacune d'elles, il est licite (du point de vue personnel, mais non exclusif, qui est et doit être le sien) de domestiquer, à son usage, les autres sciences sociales. Il n'est donc pas question de hiérarchie, fixée une fois pour toutes, et si je n'hésite pas, pour ma part, du point de vue égoïste qui est le mien, à ranger la démographie parmi les sciences auxiliaires de l'histoire, je souhaite que la démographie considère l'histoire comme une, entre quelques autres, de ses sciences auxiliaires. L'essentiel est que toutes les explications d'ensemble s'harmonisent, finissent par se rejoindre; qu'elles esquissent au moins un rendez-vous.

C'est à cette hauteur que je souhaite placer le présent dialogue avec nos collègues et voisins démographes, et non pas, je m'en excuse auprès de Louis Henry et de René Baehrel, au niveau des discussions sur les méthodes. Je ne nie pas un instant la valeur, en soi, des méthodes et ne partage qu'à demi les colères de Lucien Febvre (1) contre les interminables querelles qu'elles suscitent d'ordinaire. Tout de même, « au sommet », ce ne sont pas seulement les méthodes, ou les moyens, qui comptent, mais les résultats et, plus encore, l'interprétation, la mise en œuvre de ces résultats; en un mot, ce par quoi on peut corriger au besoin plus d'une erreur due à la méthode.

C'est donc de l'orientation générale des sciences de l'homme qu'il sera question dans la présente chronique. Un tel propos m'oblige à choisir mes interlocuteurs et, pratiquement, à sortir plus qu'à moitié de l'étroite et insuffisante actualité bibliographique.

_____

(1) « A chacun de faire sa méthode », m'écrivait-il dans une note que j'ai sous les yeux. « On n'a pas besoin d'expert pour cela. Si l'on n'est pas fichu de s'en fabriquer une de méthode, *lascia la storia...* »

Je crois que les retours en arrière que ce point de vue m'impose ne seront pas inutiles. Il n'est jamais trop tard pour parler des œuvres importantes.

I

## LES « SEUILS » D'ERNST WAGEMANN

Bien que ce ne soit ni tout à fait juste, ni très commode (à ma connaissance aucune revue critique ne l'a tenté chez nous), présentons, en premier lieu, les travaux autoritaires, irritants aussi, d'Ernst Wagemann. A les aborder, une première difficulté peut nous arrêter : il est malaisé de se reconnaître avec exactitude dans ces premières éditions, rééditions, traductions, ampliations, résumés sélectifs, articles repris dix fois de suite pour des moutures différentes, transpositions ou répétitions intégrales. (1). Cependant

(1) M$^{me}$ Ilse Deike, ancienne élève de l'École des Hautes Études, me fait parvenir la liste suivante des ouvrages d'Ernst Wagemann que je crois utile de reproduire. Elle introduit un peu d'ordre dans les publications multiples de notre auteur : *Die Nahrungswirtschaft des Auslandes*, Berlin, 1917; *Allgemeine Geldlehre*, I, Berlin, 1923; *Einführung in die Konjunkturlehre*, Leipzig, 1929; *Struktur und Rhythmus der Weltwirtschaft. Grundlagen einer weltwirtschaftlichen Konjunkturlehre*, Berlin, 1931; *Geld und Kreditreform*, Berlin, 1932; *Was ist Geld ?*, Oldenburg, 1932; *Narrenspiegel der Statistik. Die Umrisse eines statistischen Weltbildes*, 1$^{re}$ édition, Hamburg, 1935; 2$^e$ édition, Hamburg, 1942; *Wirtschaftspolitische Strategie. Von den obersten Grundsätzen wirtschaftlicher Staatskunst*, 1$^{re}$ édition, 1937; 2$^e$ édition, Hamburg, 1943; *Die Zahl als Detektiv. Heitere Plauderei über gewichtige Dinge*, 1$^{re}$ édition, Hamburg, 1938; 2$^e$ édition, Hamburg, 1952; *Der neue Balkan*, 1939; *Wo kommt das viele Geld her? Geldschöpfung und Finanzlenkung in Krieg und Frieden*, Düsseldorf, 1940; *Menschenzahl und Völkerschicksal. Eine Lehre von den optimalen Dimensionen gesellschaftlicher Gebilde*, Hamburg, 1948; *Berühmte Denkfehler der Nationalökonomie*, 1951; *Ein Markt der Zukunft. Lateinamerika*, Düsseldorf, 1953; *Wirtschaft bewundert und kritisiert. Wie ich Deutschland sehe*, Hamburg, 1953; *Wagen wägen, Wirtschaften. Erprobte Faustregeln - neue Wege*, Hamburg, 1945.

au milieu de ces redites, un sondage doit suffire et,
en tout cas, nous suffira. Il mettra surtout en cause deux
ouvrages dont j'ai pris connaissance, il y a longtemps,
à Santiago du Chili où leur apparition, en 1949 et
1952, avait fait un certain bruit, non sans raison. Le
premier, traduit de l'allemand en espagnol, s'intitule
*La population dans le destin des peuples* (1); le second,
*L'économie mondiale* (2), semble, en espagnol, une
première édition, mais reprend des passages entiers
du précédent, ainsi que d'autres publications anté-
rieures. J'aurai recours également au petit volume
paru en 1952, peu avant la mort de Wagemann (1956),
dans la vaste collection de la librairie Francke, à
Berne, *Die Zahl als Detektiv* (3) et qui, lui aussi, est
une réédition, mais, en même temps, un chef-d'œuvre
de clarté. Ce livre où Sherlock Holmes s'entretient,
avec son bon ami le Dr Watson, de chiffres, de statistiques, d'ordres de grandeur économique, comme s'il
s'agissait d'autant de coupables ou de suspects — ce
livre témoigne, mieux qu'un autre, de la maîtrise et de
l'agilité, parfois désinvoltes, d'un guide qui pense
avoir dégagé, à travers les complications de la vie
sociale, une piste d'où les choses, vues de très haut,
peuvent s'ordonner selon les seules déductions de
l'intelligence et du calcul.

Ajoutons, pour compléter notre présentation,
qu'Ernst Wagemann, comme le savent tous les économistes, a été, avant la Seconde Guerre mondiale, le
directeur du célèbre *Konjunktur Institut* de Berlin.
Après la débâcle, il prit le chemin du Chili dont,
comme de nombreux Allemands, il était originaire.
L'occasion lui fut donnée d'occuper, durant quelques
années, jusqu'en 1953, une chaire à l'Université de
Santiago, ce qui expliquerait, si nécessaire, les publications chiliennes que j'ai signalées. Mais ce sont les

(1) *La población en el destino de los pueblos*, Santiago, 1949,
245 p., in-8º.

(2) *Economía mundial*, Santiago, 1952, I, 220 p., II, 296 p.,
in-8º.

(3) *Sammlung Dalp*, nº 80, Berne, 2ᵉ édition, 1952, 187 p.,
in-16.

œuvres, non l'homme, que nous voulons mettre en cause.

Des œuvres, en vérité, hâtives, écrites à la diable, inachevées, fiévreuses, amusées, amusantes, sinon toujours très raisonnables. Sur le plan de l'histoire, assez banales, voire franchement médiocres, mais ne suscitant jamais l'ennui. Dans le premier des ouvrages cités, *La population dans le destin des peuples*, les cent cinquante premières pages ont de la tenue et une certaine grandeur : cet économiste de formation s'y veut démographe, et démographe passionné, novateur.

Son premier soin est d'ailleurs de se dégager, vaille que vaille, des études et points de vue de l'économie qui, longtemps, avaient été les siens, de se dégager même de l'économie puissamment enracinée dans l'espace, la plus intelligente selon lui : celle de von Thünen, « peut-être le plus grand économiste allemand, nous confie-t-il, avec Karl Marx ». Pour se libérer vite et de façon spectaculaire, il multiplie négations et diatribes, bouscule les explications admises. Tout cela amusant, plus que sérieux. Malthus, en lever de rideau, est l'une de ses cibles de choix. D'ailleurs peut-on se fier, argumente-t-il, à ces pseudo-démographes, pessimistes ou optimistes selon que la conjoncture est à la hausse ou à la baisse économique? « La dépendance fortement marquée dans laquelle se trouvent les théories démographiques à l'égard de la situation économique donne, à elle seule, la preuve que cette discipline ne dispose pas de fondements de méthode suffisants. »

Cela dit, ce que Wagemann cherchera avec obstination, quand il aura rejeté sucessivement l'idée du développement continu, chère à Gustav Schmoller, ou la théorie de la capacité démographique — la charge d'hommes que peut supporter un système économique donné — théorie issue des remarques de cet « empiriste de l'économie » que fut Friedrich List; quand il aura écarté encore telle ou telle définition (cependant intelligentes à son sens) du *surpeuplement*

ou du *sous-peuplement*, dues à des économistes comme
Wilhelm Röpke ou Gustav Rümelin — bref, quand
toutes les amarres, anciennes ou nouvelles, auront été
coupées entre économie et démographie — ce qu'il
cherchera, c'est la constitution de cette dernière en
un monde à part, en un domaine scientifique autonome qui est un peu, dans sa pensée, si j'ose dire,
celui des causes premières. « Une des thèses préférées
de l'économie politique de vulgarisation, c'est que le
rapide accroissement moderne de la population doit
être attribué aux succès du capitalisme en vive expansion. Sans aucun doute, ceux qui soutiennent le contraire ont, semble-t-il, bien plus raison encore : à
savoir que les progrès techniques et économiques des
XIX$^e$ et XX$^e$ siècles doivent être attribués à la rapide
augmentation de la population ». Nous voilà fixés :
la démographie mène le jeu.

Ces démolitions, ces gestes de bravoure, utiles ou
moins utiles, ne sont qu'un lever de rideau. Il faut,
pour lui donner la dignité de science, assigner à la
démographie des tâches précises, définies avec clarté.
A suivre Ernst Wagemann, la démographie serait,
avant tout, l'étude des fluctuations démographiques
et de leurs conséquences. Elle serait ainsi une science
de la conjoncture, curieusement calquée sur l'économie conjoncturelle. Mais ne sourions pas, au passage,
de cette apparente contradiction, de ce retour en
arrière.

C'est, en tout cas, de la conjoncture que relèvent
les grandes oscillations démographiques du passé,
ces flux et reflux aux longues vagues, mouvements
essentiels, bien connus des historiens, et qu'Ernst
Wagemann considère, pour sa part, comme le premier
objet d'étude digne de constituer le bien propre de la
démographie. *Grosso modo*, il reconnaît, en Occident,
les rythmes démographiques suivants : X$^e$-XIII$^e$ siècles,
augmentation appréciable de la population; XIV$^e$,
diminution catastrophique, avec la Peste Noire;
XV$^e$, stagnation; XVI$^e$, essor considérable (dans l'Europe centrale, précise Wagemann); XVII$^e$, stagnation

ou diminution; XVIIIe, augmentation considérable; XIXe, essor « intempestif »; XXe, augmentation encore, mais plus lente. Ainsi, trois grandes poussées, à l'horloge de l'Europe : la première avant et pendant les Croisades, la seconde jusqu'à la veille de la Guerre de Trente Ans, la troisième du XVIIIe siècle à nos jours. Que ces flux s'étendent à l'univers, c'est certain pour la dernière montée (celle des XVIIIe, XIXe et XXe siècles), probable pour la seconde (XVIe). Pour la première (Xe-XIII[e] siècles), Ernst Wagemann raisonne un peu vite : à son avis, pas de poussée démographique sans longues guerres. Or, le seul nom de Gengis Khan (1152 ou 1164-1227) indique combien le destin global de l'Asie a été alors agité. Ne peut-on en déduire que l'Asie a connu, elle aussi, une large poussée démographique à l'époque, ou peu s'en faut, des Croisades? Nul historien prudent n'emboîtera le pas à notre guide pour se rallier à des conclusions aussi péremptoires, même au cas où il serait frappé, et avec raison, par tant d'analogies entre Extrême Orient et Occident. Cependant, Gengis Khan mis à part, tout ce que nous pouvons entrevoir sur les tensions démographiques de l'Asie des moussons et de l'Asie centrale n'infirme pas, au contraire, les suppositions de Wagemann. D'ailleurs, si, à partir du XVIe, sûrement du XVIIIe siècle, les oscillations démographiques se situent à l'échelle de la planète, il a le droit d'affirmer, en bref, que la population du monde augmente par ondes plus ou moins brusques, plus ou moins longues, mais qui tendent à gagner l'humanité entière. En quoi d'ailleurs, il se trouve d'accord avec un esprit de poids, Max Weber lui-même.

Du même coup, toutes les habituelles explications de la démographie historique et, au delà, de la démographie elle-même, sont mises, ou peu s'en faut, hors de jeu. Ne nous dites plus que tout a été commandé au XVIIIe siècle, puis au XIXe, par les progrès de l'hygiène, de la médecine, victorieuse des grandes épidémies, ou de la technique, ou de l'industrialisation. C'est renverser l'ordre des facteurs, comme nous l'avons

déjà indiqué, car ces explications taillées à la mesure
de l'Europe, ou mieux de l'Occident, habillent mal
les corps lointains de la Chine ou de l'Inde qui pourtant, démographiquement, progressent, semble-t-il,
au même rythme que notre péninsule privilégiée.
Ernst Wagemann a ici raison de donner aux historiens
et à tous les responsables des sciences sociales, une
excellente leçon : il n'y a de vérité humaine essentielle
qu'à l'échelle du globe.

Il faut donc sortir de nos explications ordinaires,
même si nous ne devons pas, pour l'instant, en trouver
de bonnes à ces mouvements d'ensemble. Roberto
Lopez pense comme moi-même au climat. Hier, les
spécialistes des prix ont pensé, eux aussi, en désespoir
de cause, aux cycles des taches solaires. Mais Ernest
Wagemann ne se soucie guère — une fois l'indépendance de la démographie retrouvée — de répondre
à cette interrogation naturelle. Le problème, pour lui,
est de dégager, puis de saisir « des phénomènes universels, sujets à répétition »; j'ajoute, bien qu'il ne
le dise pas, mesurables si possible. La spéculation
scientifique peut s'en tenir là, faute de mieux, si elle
ne veut pas mettre en cause, comme Ernst Wagemann
le fait en passant, telle « loi biologique (qui expliquerait tout), mais que nous ne connaissons encore, ni
dans ses racines, ni dans son développement perspec-
tif ». Mieux vaut dire qu'il se contente là (de même
qu'à propos des « alternances » que nous allons
aborder dans un instant) de simples hypothèses de
travail, c'est-à-dire d'une théorie dont on exige
seulement qu'elle tienne compte d'une série de connaissances acquises et ouvre la voie à une recherche
meilleure. Le critère est l'efficacité. A ce jeu, c'est
moins la nature de ces oscillations que leurs conséquences, du moins certaines conséquences, qui seront
mises en cause, sous le nom d'alternances.

Les « alternances » de Wagemann, que j'appellerais
plus volontiers des « seuils », sont une hypothèse de
travail dynamique ou, comme il le dit, *démodynamique*,
une hypothèse séduisante, bien que trop simple assu-

rément. L'exposer brièvement, c'est la déformer encore et, en outre, jeter le lecteur dans le piège d'un vocabulaire trompeur, car les mots de *surpeuplement* et de *sous-peuplement*, ici décisifs, évoquent une image de nombres croissants ou décroissants qu'il est bien difficile d'écarter, quels que soient les avertissements de l'auteur. Je préférerais pour ma part les remplacer par les expressions neutres de phase A et phase B, auxquelles j'ai pensé, assez logiquement, car les explications d'Ernst Wagemann rejoignent parfaitement le langage de François Simiand, connu de tous les historiens de chez nous.

Il s'agit donc de porter notre attention sur la masse des hommes vivants et ses variations incessantes. Soit, dirons-nous, pour parler au niveau de l'abstrait et du général (comme il convient), soit hors du temps réel et de l'espace précis, un pays P. Sa population, que nous pouvons faire varier à notre gré, est supposée croissante. Sa densité kilométrique — c'est elle surtout qui sera mise en cause — atteindra donc successivement toutes les valeurs. Nous retiendrons, dans cette succession, quelques chiffres fatidiques, vrais chiffres d'or de la démonstration de Wagemann : 10, 30, 45, 80, 130, 190, 260 habitants au km². Chaque fois que la population franchit l'un de ces « seuils », elle subit dans sa masse, dit notre auteur, une mutation matérielle profonde; et pas seulement matérielle d'ailleurs.

Avant le seuil de 10 habitants au km², notre pays P est en phase de *sous-peuplement*, disons en phase A; de 10 à 30, le voici en phase B de *surpeuplement*; au delà de 30, retour (et c'est là qu'il faut abandonner nos images ordinaires) au *sous-peuplement*; et ainsi de suite, en alternant. On voit que c'est prêter aux mots de *sous-peuplement* et *surpeuplement* un sens élastique, hors du langage courant. Il faudrait, certes, définir ces concepts. Or, nous attendons vainement notre guide à ce premier tournant. Il déclare rejeter toutes les habituelles définitions des économistes et se contenter, dans un premier stade, de définitions très provisoires. Mais il donne la preuve qu'en science aussi, hélas! le provisoire peut durer longtemps.

En fait, ces alternances ne s'entendent clairement que traduites en langage économique. Ce qui est en cause, c'est, essentiellement, le rapport entre population et ressources économiques, le rapport, nous y reviendrons, entre deux croissances. Ernst Wagemann le dit à sa façon. Il y a *surpeuplement* quand les hommes, s'étant multipliés, n'ont pas encore augmenté leurs ressources en proportion. Alors, l'observation décèle régulièrement les signes suivants : le chômage, comme dans l'Angleterre d'avant 1939; l'imparfaite utilisation de la main-d'œuvre (au cours de cette même année 1939 on aurait pu soustraire, à dire d'expert, 750 000 travailleurs de la Bulgarie sans abaisser le niveau de sa production agricole); les crises monétaires et de crédit, les méventes... Second cas, celui du *sous-peuplement* : si l'on ne signalait, avec force et d'entrée de jeu, l'étroitesse chronique des marchés, et le développement imparfait des circuits économiques, la situation se présenterait sous de trop belles couleurs. Néanmoins les signes heureux abondent : la demande de main-d'œuvre reste régulièrement insatisfaite, il y a surabondance de terres fertiles, vacantes, pour le moins faciles à prendre; des immigrations s'avèrent nécessaires (qu'elles soient spontanées ou dirigées); l'économie s'installe et prolifère sous le signe de la liberté.

Ces passages de A en B, ou de B en A, et les changements considérables qu'ils entraîneraient, sont-ils lents, doivent-ils traverser le relais d'équilibres d'assez longue durée, ou sont-ils brusques, sous le signe de catastrophes courtes? Les deux explications nous sont fournies tour à tour, sans qu'il soit possible de savoir s'il faut, dans l'esprit de l'auteur, les ajouter l'une à l'autre, comme c'est probable, ou choisir entre elles... Mais laissons-lui, ici et ailleurs, toutes ses responsabilités.

Au delà des définitions « provisoires » et qui n'éclairent les problèmes qu'à moitié, nous avons droit à une série rapide de « preuves » particulières. Cette fois, le plan théorique, où devait s'achever et se couronner l'explication, est abandonné sans tambour ni trompette. C'est aux chiffres et aux chiffres seuls de parler, comme s'ils parlaient d'eux-mêmes! Nous voilà, en tout cas, ramenés au contact de réalités tangibles, au milieu de multiples exemples où l'historien se réjouira de retrouver ses habituelles perspectives et ses contingences. Mais la démonstration y perd de sa force, elle se partage en rivières, puis en ruisseaux minuscules.

Fleuve, cependant, le premier exemple met en cause à peu près le monde entier, mais il est le seul de cette catégorie exceptionnelle. Supposez que l'on répartisse le plus grand nombre possible des pays d'aujourd'hui selon leurs densités de peuplement, ce qui revient à les grouper en deçà ou au delà des « seuils » (10, 30, 45, etc.) et que l'on calcule pour chacun d'eux, en partant des chiffres de Colin Clark, leur revenu national par tête d'habitant actif; puis que l'on mette en regard de ces chiffres ceux de la mortalité infantile, considérés, non sans raison, comme exemplaires. On obtient le tableau et le graphique que nous reproduisons à notre tour (1). Même démonstration graphique dans le cas du commerce extérieur comptabilisé par tête d'habitant selon les densités croissantes. Ces variations dans l'espace — et non dans le temps — dénoncent les oscillations concomitantes du bien-être, au delà des différents seuils choisis, tantôt dans un sens, tantôt dans un autre. Si le calcul est juste, ce sur quoi je ne puis me prononcer, les chiffres d'or semblent avoir un fondement, au moins dans la réalité actuelle.

Des démonstrations analogues nous sont présentées ensuite, avec un appareil statistique toujours simplifié, à propos des divers États des États-Unis (classés selon leur densité kilométrique croissante); à propos de la Basse-Saxe, entre 1925 et 1933, où les divers districts ont été classés de la même manière; à propos des

(1) Voir ce graphique dans *Annales E.S.C.*, 1960, n° 3, p. 501.

variations du revenu national des États-Unis entre 1869 et 1938; enfin à propos de la nuptialité en Prusse, entre 1830 et 1913, de part et d'autre de l'année 1882, date à laquelle la Prusse franchit le seuil fatidique des 80 habitants au km². Ce graphique amusant montre l'opposition des deux périodes : avant 1882, des oscillations fortes de la nuptialité, en rapport avec les oscillations d'une situation économique tendue; puis, au delà, une courbe régulière. Pour Wagemann, ce passage de l'agitation au calme est celui d'un pays surpeuplé à « un pays en équilibre », et bientôt sous-peuplé et donc à l'aise.

Où s'arrêter, dans l'énumération sans fin des exemples, dont certains grêles et peu convaincants, bien que jamais sans intérêt? A l'exemple de la régression de la population noire des Indes occidentales anglaises ? Plus éclairant est le retour de l'Irlande, après l'émigration massive qui suit la crise de 1846, à une tension démographique dès lors supportable. Au début du XIXᵉ siècle, en 1821, l'Irlande représentait la moitié de la population de l'Angleterre : celle-ci ne pouvait assurer sa tranquillité qu'en maîtrisant sa trop puissante voisine. En 1921, l'Irlande est dix fois moins peuplée qu'elle : il n'y a plus d'inconvénient à lui concéder son indépendance politique. Ainsi raisonnait le démographe anglais Harold Wright, à qui notre auteur emboîte le pas.

Mais arrêtons-nous, faute de pouvoir les analyser tous, à un dernier exemple très symptomatique. Vers 1912, dans l'État d'Espirito Santo (au nord de Rio de Janeiro), dont la capitale est le port de Victoria, vit une colonie de 17 500 Allemands. Elle dispose d'un territoire de 5 000 km² (densité 3,5 en 1912 pour 17 500 habitants, de 7 à 8 en 1949 avec 35 ou 40 000 individus). Pays arriéré, assurément *sous-peuplé*. Le seul moyen de transport, en 1949, y est encore la mule, comme dans le Brésil colonial de jadis, ou, tout au plus, la carriole de bois. Une seule technique au service de l'homme : un mortier hydraulique pour décortiquer le café, précieuse denrée dont l'exporta-

tion assure les quelques achats nécessaires à l'extérieur : viande séchée (le *charque*), farine, tabac, alcool,
quincaillerie... Cependant, pour l'essentiel, la nourriture provient des propriétés des colons. Et bien
d'autres signes d'autarcie s'offrent à nous : la petite
maison élevée avec l'aide des voisins, les meubles
(chacun possède ceux qu'il fabrique lui-même). La
terre abonde, bien sûr, et, chaque fois que les cultures
ont épuisé le sol et que la récolte devient trop maigre,
on s'attaque à un nouveau canton de forêt. Il en
résulte un nomadisme des cultures et des hommes.
Santa-Leopoldina, qui comptait 300 familles en 1885,
en perd la bonne moitié pendant les trente années qui
suivent. Il faut vivre, mais les écoles, la civilisation,
je ne dis pas la douceur de vivre — on le devine! —
accompagnent mal ces nomades. Pourtant, ils prospèrent. Dans ce vaste espace qui lui est offert, l'homme
se multiplie : mortalité 7 $^o/_{oo}$, natalité 48,5 $^o/_{oo}$, chiffres
inouïs que l'on se reprend à lire deux fois avant d'y
croire. Ainsi il y a des économies primitives et qui sont
aptes à proliférer; celle-ci nous est un bon témoin sur
une vie ancienne, sans artisanat, avec un commerce
réduit, aux mains des *tropeiros*, ces propriétaires de
caravanes muletières qui ont, dès le XVIIIᵉ siècle, créé
la première économie brésilienne de large extension
continentale. Qu'en faut-il conclure? Que la population commande l'économie, qu'elle commande tout.


Ces échantillonnages, ces résumés disent bien, je
l'espère, l'intérêt de la pensée de Wagemann. Il ne
saurait être question, ici, d'en reprendre les affirmations
et les enchaînements pour les soumettre à une vérification serrée, inutile. Tout d'abord, l'auteur n'est
plus là pour se défendre — et il eût été capable de le
faire avec vigueur. Le lecteur, en outre, aura lui-même,
chemin faisant, formulé les critiques et les réserves
qui s'imposent. Enfin et surtout, cette pensée appelle
une appréciation d'ensemble, non des chicanes de
détail.

Comme tout économiste, comme tout intellectuel d'action, Ernst Wagemann a, sans doute, trop vu le temps présent, celui sur lequel, vaille que vaille, il lui a fallu travailler. Les chiffres qu'il nous offre jalonnent, à la rigueur, des seuils *actuels*, mais leur succession ne vaut pas, *ipso facto*, pour le passé. Qui pourrait croire, en effet « hors des conditions naturelles ou techniques et des conjonctures particulières à l'histoire », à la valeur d'une série de chiffres de densité, donnés une fois pour toutes et où, d'avance, comme dans un horoscope des plus simples, tous nos destins seraient inscrits et lisibles? La France, en 1600, a environ 16 millions d'habitants, densité kilométrique 34. Reportons-nous à l'échelle invariable : la voilà sous-peuplée, alors que tous les signes connus de sa vie d'alors et, à elle seule, une forte émigration en direction de l'Espagne, prouve qu'elle appartient à l'autre catégorie. Il est vrai, pourrait-on objecter, que le chiffre de 16 millions n'est pas absolument certain. Mais continuons le jeu : la France en 1789, est-elle surpeuplée? La France de 1939 sous-peuplée? Une étude, même rapide, montrerait qu'il y a trente-six façons pour le moins, en un pays donné aux prises avec son histoire et son espace réels, d'avoir trop ou pas assez d'hommes. Tout dépend de sa capacité, de ses capacités sur tel ou tel plan, ou même de la « vitalité » que lui infuse ou lui refuse le flux démographique qui traverse son destin. Tout est question de rapports et ces valeurs « totales », dont parle Ernst Wagemann, mais je dirais plutôt dominantes, ne cessent de varier, suivant les déformations d'une équation complexe. Le nombre des hommes est tour à tour déterminant et déterminé, essentiel ou relativement secondaire, etc. Je ne crois pas à *une* explication capable de servir de « valeur totale » ou de cause première au multiple destin des hommes.

Mais ne quittons pas Ernst Wagemann sur ces critiques trop faciles. Son mérite n'est pas mince d'avoir tué certains mythes et soulevé tant de problèmes que nous retrouverons, dans un instant, sous la plume agile d'Alfred Sauvy. Et ne retiendrions-nous que sa théorie des mutations, sous le poids de la montée des hommes, nous n'aurions pas entièrement perdu notre temps. Il n'y a probablement pas de seuils immuables, mais des mutations, oui, sans doute, à des niveaux démographiques variables, selon les lieux et les temps. Ces mutations coupent, en profondeur, le temps de l'histoire. Elles donnent un sens supplémentaire, une valeur nouvelle au vieux jeu, toujours utile, des *périodisations*.

Ce n'est pas un mince mérite, non plus, que d'avoir cherché à délimiter et à préciser, pour la rendre plus scientifique, une discipline qui reste à édifier, bien que, d'ailleurs, elle ait accéléré à vive allure le rythme de sa construction, durant ces dernières années. Cependant, est-il sage, comme le fait Wagemann, de l'enfermer seulement dans des problèmes de conjoncture? De la laisser en dehors des mesures et des explications capables d'appréhender ce que désigne assez bien, malgré sa relative imprécision, le mot, aujourd'hui triomphant, de *structure*? Ce serait dommage, assurément, pour une science dont le rôle, et l'ambition, sont d'aller jusqu'aux bases même de la vie des hommes. Mais il faudrait, même en recourant à l'histoire (1) comme Wagemann, plus de prudence, et, surtout, moins de hâte.

II

LES MODÈLES D'ALFRED SAUVY

J'en arrive au livre essentiel, classique, d'Alfred Sauvy, livre double et même triple, car, en toute équité, il faudrait ajouter aux deux volumes de sa *Théorie*

(1) Ce recours à l'histoire me paraît, chez lui, déraisonnable, mais à quoi bon s'en expliquer longuement! Ernst Wagemann n'est pas un historien. Dans nos domaines, il est par trop naïf pour qu'il y ait profit à le suivre ou à le critiquer.

*générale de la Population* : I : *Économie et Population*
(1952); II : *Biologie sociale* (1954) (1), le livre antérieur
*Richesse et population* (1943) qui en annonce à l'avance
les grands thèmes (2). Livres déjà anciens, je devrais
m'excuser de parler d'eux si tardivement, mais il
n'est pas hors de saison d'en signaler la valeur :
leur enseignement n'est pas épuisé.

Un vaste ouvrage consacré à l'ensemble de la démographie, survolant tout son territoire, peut se concevoir
de bien des façons. Alfred Sauvy appuie le sien sur
l'économique, ensuite sur le social; je ne dis pas, sans
plus, sur l'économie et sur la sociologie. En fait, le
premier volume est une tentative à dessein abstraite,
mathématisante, pour ébaucher un « modèle », aussi
ample que possible; le second confronte le modèle,
ou mieux les « modèles » ainsi construits, puis compliqués à loisir, avec les réalités de l'expérience. Donc,
deux mouvements : tout d'abord problématique,
ensuite vérification expérimentale. Il est bon qu'il
en soit ainsi.

Au départ, nous sommes donc hors des complications du réel et de ses contingences enchevêtrées.
Le terrain est libre : calculs et raisonnements peuvent
s'en donner, et s'en donnent, à cœur joie, hors des
prudences ou des pusillanimités de l'observation
concrète. Il ne s'agit pas d'une population réelle, d'un
pays réel, d'un temps, de ressources, de revenus réels.
Supposons, dit, en s'amusant, Alfred Sauvy, une île
peuplée de chèvres et de loups... Ou supposons,
avance-t-il une autre fois, que l'Angleterre compte
200 habitants... Comme aux côtés de Wagemann,
nous gagnons en premier lieu le pays idéal des calculs,
avec une population que nous verrons croître ou

(1) Presses Universitaires, tome I., 370 p., tome II, 397 p.,
2ᵉ édition, 1959.
(2) Je n'ose dire qu'il faudrait joindre par surcroît cette discutable mais vivante *Nature sociale*, parue en 1956, ou cette
*Montée des jeunes*, alerte et intelligente, qui est sortie des presses
il y a quelques mois.

décroître, non pas biologiquement ou historiquement, ou selon telles ou telles règles, mais à notre seul gré, de 0 à l'infini, ou, si besoin en était, en sens contraire.

Le problème à résoudre est simple, ou plutôt posé simplement. Encore faut-il être attentif à ses éléments. Il s'agit de mettre en lumière la relation qui ne cesse de lier et d'opposer une population donnée aux ressources diverses dont elle dispose. Supposez une balance assez particulière pour accepter dans l'un de ses plateaux les populations, dans l'autre les ressources hétérogènes dont elles vivent, à chaque moment de leur histoire, ou si vous préférez, de leur « croissance ». Tour à tour, les ressources augmenteront plus vite ou moins vite que les hommes; des phases se succéderont qui verront des renversements successifs, on n'ose dire dans le bon, puis dans le mauvais sens, ce serait une façon peu scientifique de parler. Mais cette image de balance, elle aussi, est peu scientifique. Laissons-la et passons aux courbes que nous propose Alfred Sauvy et aux théorèmes et modèles qu'il en dégage et qui resteront la base fixe sur laquelle s'appuiera ensuite son observation, compliquée, nuancée à plaisir.

Ces courbes sont essentiellement trois et la population y est chaque fois portée en abscisse et supposée grandissante. La première serait celle de la *production totale* de chacune de ces populations successives, les deux autres étant les courbes de la *production moyenne* et de la *production marginale*.

Cette dernière est la mieux appropriée à notre dessein. A chaque valeur $x$ de la population, elle fait correspondre la valeur $y$ de la production marginale, entendez celle du dernier homme qui intervienne dans le circuit du travail. Pour $x = 1\ 000$, $y$ est la production du $1\ 000^e$ individu, introduit dans notre population croissante. L'axe des $x$ est supposé commencer à 1. La production du premier homme, portée en $y$, est supposée égale au minimum vital, sinon ce premier homme ne serait pas capable d'attendre l'arrivée du second... Nous avons reproduit, en le

modifiant un peu, ce graphique important (1) On
y voit d'abord la production marginale s'élever,
celle de l'individu matricule 1 000 étant plus grande
que celle de son prédécesseur immédiat, et ainsi de
suite, en revenant en arrière, jusqu'au n° 1. En effet,
chaque nouvel arrivé profite, dans son effort, du
travail, de l'équipement de ses devanciers. La production
marginale, longtemps, est ainsi à la hausse,
jusqu'au moment où l'équipement se trouve avoir
son personnel optimum. Alors, la production va
décroître; chaque nouveau travailleur se placera
difficilement ou, du moins, de façon moins profitable
que ses prédécesseurs, dans les rangs de la population
active. Supposons que ce renversement se produise
en m, pour une population arbitrairement fixée à
$x = 2\,000$. Supposons que pour le point Mp, où la
courbe descendante rejoindra à nouveau le minimum
vital, corresponde, toujours arbitrairement, une
population $x = 6\,000$ individus. Au delà de ce chiffre
de 6 000, la production marginale sera désormais
inférieure au minimum vital. Dès lors, l'apport du
dernier venu n'est plus un avantage pour la communauté.
Il vivra en partie à sa charge.

Cette courbe de la *production marginale* nous donne,
par surcroît — et c'est l'important — le montant de
la production totale. Supposons, en effet, que nous
voulions calculer cette production pour la population
$x = 2\,000$. Elle nous est donnée aussitôt par la surface
comprise entre la courbe, l'ordonnée de m,
correspondant à $x = 2\,000$, et les deux axes de coordonnées.
Chacun de nos 1 000 travailleurs a inscrit
dans cette surface, sous forme d'une ligne droite de
longueur variable, sa production personnelle, au
moment de son entrée en jeu. La somme de ces lignes
est la surface considérée (en vérité, la fonction dite
*primitive* de la courbe de production marginale).

Dans ces conditions, la production globale, pour
la population $x = 6\,000$, est représentée sur le gra-

(1) Cf. *Annales*, E.S.C., 1960, n° 3, p. 505.

phique par les surfaces hachurées, surfaces qui se décomposent en deux étages : en bas, un morceau rectangulaire correspondant au minimum vital; au-dessus, ce qu'Alfred Sauvy appelle « la bosse », ou le surplus. Supposons notre population réduite à la portion congrue, elle consommerait seulement ce rectangle, le reste étant à la disposition de ses maîtres, seigneurs ou dirigeants.

Je ne soutiens pas que ce langage soit d'une clarté évidente pour le lecteur, surtout si celui-ci est brouillé avec les mathématiques élémentaires que suppose cette explication. Mais, à seconde lecture, nul doute qu'il ne déchiffre ce message simple. Il pourra alors admettre que l'*optimum de puissance*, c'est-à-dire la population abandonnant le « surplus » le plus considérable à ses maîtres, corresponde à la population $x = 6\,000$. Le mot de *puissance* est peu précis, sans doute, car la *puissance* dépend de l'usage que l'on veut ou peut faire des surplus. Ce peut être, au gré des décisions et des possibilités, le luxe des classes dirigeantes, le gaspillage du prince, les investissements fructueux ou la préparation à la guerre... On pourrait longuement, plus longuement encore qu'Alfred Sauvy, discuter de ce surplus, de ces « plus-values ». Leur importance, sociale autant que matérielle, est immense; Marcel Mauss l'a dit, à sa façon rapide, à demi énigmatique : « Ce n'est pas dans la production proprement dite que la société a trouvé son élan... le luxe est le grand promoteur » [1]. Oui, c'est le « luxe » qui a été souvent le facteur de progrès, à condition évidemment qu'une théorie du luxe éclaire notre lanterne; celle de Sombart ne nous satisfait qu'à moitié [2].

Mais revenons aux courbes, aux discours préliminaires d'Alfred Sauvy. Ce qu'il recherche, en cette première approche, c'est de fixer, autant que possible, les termes du problème, en un langage mathématique

---

[1] *Manuel d'ethnographie*, Paris, 1947.
[2] *Luxus und Kapitalismus*, Munich, 1922.

clair et qui les réduise à une formulation évidente et acceptable. Pour mon compte, je ne vois pas de meilleur moyen pour fixer ce rapport essentiel : population-vie matérielle, dont il faut constamment considérer l'une et l'autre variables. Il n'y a pas, en soi, d'optimum de peuplement, mais des optima divers, chacun devant répondre à des critères (surtout matériels). Nous avons ainsi, courbes en main, une définition non pas parfaite, mais acceptable, de l'*optimum de puissance*. On définirait, avec une autre courbe, l'*optimum économique*, ou tout autre *optimum*, pourvu que les critères qui le fixent soient clairement exprimés. Mais disons tout de suite que ces diverses formules, relatives à tel ou tel optimum, sont plutôt une façon de déblayer le terrain que de l'organiser. Tout jouer sur des points fixes serait immobiliser le mouvement démographique. « La notion d'optimum ne se prêtant pas à de nombreuses applications pratiques, c'est une population en mouvement qu'il s'agit d'étudier », explique Alfred Sauvy lui-même, au début de son second volume, non sans raison.

Ce premier schéma n'est donc qu'un modèle élémentaire, une façon, je le répète, de dégrossir les problèmes, mais en les simplifiant. La population idéale, par exemple, ne peut commencer ni à 0, ni à 1. Il faut, au départ, un petit groupe, le plus petit groupe capable de vivre par lui-même : *l'isolat* (1). Il n'est pas vrai, non plus, que la production moyenne puisse se confondre, sans plus, avec le niveau d'existence, ni que toute la population soit active, ni que la courbe des productivités ait ces allures élémentaires. Toute productivité dépend du niveau technique et celui-ci varie lentement; mais il varie, et, avec la fin du XVIII$^e$ siècle, ses variations ont dominé, de haut, la vie entière des hommes. Il n'est pas vrai, non plus, que le minimum vital soit cette parallèle simple que nous avons tracée. Consommation, salaires, salaires

---

(1) Pour une définition simple, voir Louis Chevalier, *Démographie générale*, Paris, Dalloz, 1951, 139 p.

réels, composantes de l'alimentation, toutes ces données varient et compliquent les problèmes. A peine
tracées, nos courbes se révèlent trop rigides. Alfred
Sauvy ne se prive pas du plaisir, après avoir tout
simplifié, de tout compliquer, d'aller d'un schéma
trop clair à une situation concrète extrêmement nuancée. Son premier livre, bien que théorique en principe,
est plein ainsi d'incidentes, d'anecdotes, d'exemples.
Dans cet incessant va-et-vient du réel à l'explication
qui l'interprète, mille cas particuliers surgissent :
la Peste Noire du xive siècle, les catégories d'âge d'une
population, les trois secteurs d'activité (primaire,
secondaire, tertiaire), le chômage, les prix, le coût
de l'homme... Tout cela plein de verve, d'allant,
d'intelligence. A la fin de ce livre, le lecteur croit
avoir atteint la pleine mer : mais il est encore dans les
eaux fictivement agitées du port.

Le second volume de la *Théorie générale de la population* s'intitule : *Biologie sociale* (beau programme).
Il m'a cependant, puis-je le dire, un peu surpris. Ce
vaste retour à l'expérience et à l'observation, cette
multiplication des exemples qui parlent plus encore
d'eux-mêmes que des problèmes généraux, le désordre
vivant du livre, tout cela ne va pas, pour le lecteur qui
était désireux d'apprendre une technique, sans une
certaine gêne. S'est-on un peu, et gentiment moqué
de lui? Premier temps, ou premier volume, Alfred
Sauvy nous a dit : « Voilà comment les choses devraient
se passer ». Nous l'avons donc quitté avec quelques
« conclusions provisoires ». Second temps, ou second
livre : tout est confronté avec l'expérience, l'actuelle
et l'historique. Et alors, « ce que la théorie voulait,
l'histoire (il pourrait dire tout aussi bien la vie) l'a
refusé ». « De ces conclusions provisoires, certaines
seulement ont pu être conservées, lorsqu'a été rendue
à l'homme l'initiative que lui ôtaient les conventions
premières. » Je suis sûr que toute cette démolition
précise, multiple, poursuivie avec franchise au nom

de l'homme, « ce gêneur », « cet éternel oublié »,
au nom de l'histoire et de l'expérience, aurait enchanté
Lucien Febvre. « L'histoire, c'est l'homme », écrivait-il,
et il entendait, par là, une succession de surprises, pas
forcément agréables.

Quelles sont les « conclusions provisoires... conservées » par notre collègue? J'avoue n'en avoir trouvé
nulle part le catalogue précis. Mais peu importe!
Constatons seulement qu'Alfred Sauvy — et c'était
son droit — s'est voulu obstinément relativiste, prudent, en ce second volet du diptyque. Allusif aussi
parfois, et des questions posées restent sans réponse.
« L'accroissement de la population est-il la cause de
la richesse ou l'inverse? », demande-t-il, en nous
laissant le soin de répondre par oui ou par non, ou,
à notre tour, de ne pas répondre. Je ne vois pas clairement non plus ce qu'il entend par une certaine
psychologie collective, souvent invoquée, jamais
dominée.

Le livre fermé, je pense que peut-être, en suivant
les lignes de plus grande pente d'un texte toujours
intelligent, plein d'enseignements, d'aperçus vifs, ce
qui ressort le plus fortement, c'est un témoignage
longuement médité sur le corps même, le destin de la
France, à la lumière des pesées et des pensées démographiques, témoignage prudent, sincère, honnête,
presque toujours convaincant. Qui de nous pourrait
demeurer indifférent?

Beaucoup d'exemples ainsi, que l'on croirait présentés pour eux-mêmes (celui de l'Espagne moderne
entre XVIe et XVIIIe siècles, celui de l'Italie surpeuplée,
celui de la Hollande) se placent, sans doute, dans le
fil d'une explication générale; mais, ouvertement ou
insidieusement, ils viennent éclairer, par contraste,
le cas français, ce cas *malthusien* typique. La sociologie
ainsi esquissée, sans être jamais systématisée, est bien
celle d'une population vieillissante, du fait du ralen-
tissement, à la base, de sa natalité, et se réfère donc
constamment à la France qui, la première, donna

l'exemple d'une population où la restriction volontaire des naissances, dès le XVIIIe siècle, gagna les hautes classes, puis l'ensemble vivant de la nation. Si le démographe calcule à nouveau l'évolution démographique de notre pays en bousculant ce qui a été, en imaginant des coefficients différents — ceux mêmes de nos voisins — des résultats surgissent, si disproportionnés à ce qui a été notre destin, que l'aberration éclaire d'une lumière crue le cas de ce pays stationnaire, victime de faux calculs, de prudences étroites et mesquines. L'exposé tourne au plaidoyer. L'auteur « s'engage », juge. Je trouve cet engagement trop conforme à ce que je pense personnellement pour avoir quoi que ce soit à dire contre les arguments incisifs d'Alfred Sauvy, contre ce qu'il avance à propos du *vieillissement* des populations, encore moins contre son parti pris en faveur des jeunes et de leur poussée novatrice, dans les cadres, hélas! très conservateurs, d'une société comme la nôtre.

Mais à s'abandonner ainsi à sa pente naturelle, Alfred Sauvy n'a-t-il pas restreint, en partie, la portée du second volume de sa *Théorie générale*, trop placé la France et l'Occident au centre de son argumentation, pas assez parlé du cas des pays sous-développés qu'il aborde vite, particulièrement de l'Extrême Orient ou de l'Amérique latine, avec ses fortes croissances et ses mélanges ethniques, ou de l'ensemble de la population mondiale (1), dont il aborde peu les grands, les immenses problèmes? N'a-t-il pas trop vu, finalement, comme un cas central, à la fois le vieillissement des populations d'Occident et l'équilibre démographique, celui de la France, lent à se rompre? Plus encore, le vieillissement est-il suffisamment mesuré à l'échelle du monde (car il tend à se généraliser, comme les vagues « démodynamiques » chères à Wagemann) et aussi, j'y reviendrai, à l'échelle de l'histoire?

(1) Le chapitre XI, en d'autres termes, me paraît court.

Ce dont je doute, enfin, c'est qu'une théorie générale de la population tienne bien droit sur ces deux pieds : d'une part, le calcul à allure économique, d'autre part, l'observation à allure expérimentale. La fabrication d'un modèle doit se poursuivre dans toutes les directions du social, et pas seulement dans un ou deux domaines. Ainsi il y a une économie non classique, une géographie, une anthropologie, une sociologie, une histoire, une biologie humaine, au sens conquérant d'Henri Laugier, il devrait même y avoir une microdémographie : dans ces diverses directions, la pensée d'Alfred Sauvy est peu active à mon gré. Je ne crois pas que le mot d'*œkoumène* ait été prononcé, ni celui de densité de peuplement (1), ni évoquée une géographie des villes (2). La théorie générale de la population peut-elle se construire quasiment hors de l'espace, en tout cas sans une seule carte, sans le moindre recours aux *Principes de géographie humaine* de Vidal de La Blache, ou aux volumes denses de Maximilien Sorre, ou à des ouvrages de référence comme celui de Hugo Hassinger pour citer un ouvrage ancien, ou celui de Kurt Witthauer, pour renvoyer à une parution tout à fait récente, ou à celui de Mme Jacqueline Beaujeu-Garnier? Ces deux derniers livres, je le dis tout de suite, Alfred Sauvy ne les avait pas encore à sa disposition, mais leur existence appuie ma critique. Je regrette pareillement que ne soit utilisé par notre collègue aucun ouvrage d'anthropologie, que les mots clefs de *civilisation* et de *culture* lui soient pratiquement étrangers (3); que son livre, paru pourtant dans la collection de Georges Gurvitch — *Bibliothèque de Sociologie contemporaine* — soit, au vrai, si peu sociologique.

L'histoire, enfin, dans cette recherche pourtant multiple, a régulièrement la part du pauvre. La passion agissante d'Alfred Sauvy à l'égard de l'histoire

---

(1) C'est dire que le chapitre XIV me déçoit.
(2) Quelques lignes, II, p. 236.
(3) Hélas! pas d'index des matières.

des idées et, particulièrement, d'hommes comme
Malthus, Cantillon ou Quételet, ou Quesnay, ne peut
lui servir d'alibi. Ce n'est pas Malthus qui m'intéresse,
on en a trop parlé; ni même Marx, encore que ce
livre en parle trop peu à mon gré; ce qui m'intéresse,
c'est le monde à l'époque ou de Malthus ou de Marx.

A mon avis, Alfred Sauvy se laisse trop souvent
séduire par une histoire facile, une histoire événementielle et politisante. Et c'est dommage. Le temps présent où sa pensée rapide situe ses arguments, ses
exemples, ses surprises et nos étonnements, n'est
qu'un instant de la vie du monde. On ne saurait
comprendre pleinement cet instant sans le replonger
dans la durée qui commande le sens et la vitesse du
mouvement général qui l'entraîne. Cette durée historique reste trop étrangère à Alfred Sauvy. S'il
touche à l'histoire, de temps à autre, c'est une histoire
digne d'un humour tonique au demeurant : « C'est
un jeu facile et terriblement difficile, écrit-il, que de
refaire l'histoire à coups de nez de Cléopâtre». Bien
sûr, mais pourquoi essayer? Par ailleurs, que penser
de cette pierre jetée dans la mare des seiziémistes :
« la chute de la natalité française est, en somme, le
résultat d'une " Réforme rentrée "... ». J'aurais
préféré, même au prix d'un peu d'ennui, qu'ait été
repris par un démographe de cette qualité le lourd
dossier de la démographie historique qui, elle, n'est
pas « une science sauvage », neuve, mais une recherche
déjà ancienne, bien assise. J'aurais aimé connaître
son avis sur les travaux historiques de Julius Beloch,
d'A. P. Usher, de Paul Mombert, des frères Alexandre
et Eugène Kulischer, d'Eugène Cavaignac, pour ne
pas parler des études récentes de Daniele Beltrami,
Alfredo Rosenblatt, Marianne Rieger ou Van den
Sprenkel...

Mais voilà que je parle trop, ou pas assez d'histoire.
Car ces critiques à coup d'énumérations bibliogra-
phiques sont trop faciles et oiseuses, si les titres cités
n'évoquent rien de tangible. Mieux vaudrait plaider la
cause d'une démographie historique auprès d'Alfred

Sauvy lui-même, en tentant de le rejoindre dans sa propre course mais avec des arguments d'historien; ainsi à propos de cette sénescence française de longue durée qui est au centre, non sans raison, de la pensée et de l'action de notre auteur.

Croit-il vraiment qu'il ait suffi, pour lancer ce mouvement, de quelques pervertis, de lâchages sournois à l'égard de Rome, dès le XVI<sup>e</sup> siècle, et du succès, au XVIII<sup>e</sup>, dans l'aristocratie et la bourgeoisie, de pratiques anticonceptionnelles gagnant peu à peu l'ensemble de la société? « Et cela au moment même (pour citer une phrase prise à l'une de ses récentes conférences) où se donnait le départ de la grande course à l'expansion mondiale... Toute la marche de la France est depuis influencée par cet événement capital qui s'est produit à la fin du XVIII<sup>e</sup> siècle ». La France a alors, dans la voie du vieillissement, pris un siècle d'avance. Mais ce vieillissement de *longue durée*, pourquoi n'aurait-il pas eu, dans le passé même de la France, une *longue* préparation? Alfred Sauvy dit un peu vite « qu'il y avait, au XVIII<sup>e</sup> siècle, un parallélisme dans le développement des pays d'Occident ». Oui et non. Oui, sur le plan de la vie culturelle, ou économique, ou encore politique; non, si l'on songe au passé démographique.

La France sort, au XVIII<sup>e</sup> siècle, d'une longue phase de surpeuplement, chronique depuis le XIII<sup>e</sup>, ou mieux le XII<sup>e</sup> siècle. Quatre ou cinq cents ans durant (si l'on excepte la régression de 1350-1450), elle a vécu dans une situation analogue à celle de l'Inde actuelle, « s'étouffant » sous sa propre natalité, au voisinage de ce pôle de « puissance » qui s'accompagne souvent de sous-alimentation, d'émigrations en chaîne. Toutes ces émigrations, toutes ces conquêtes, ces *Gesta Dei per Francos*, toutes ces usures, cela ne peut-il pas avoir déterminé, en profondeur, un avenir qu'il serait facile, mais vain, d'attribuer seulement à des fautes, à des légèretés, ou à de mauvais exemples? Un phénomène de longue durée peut-il se déclencher pour de petites raisons? J'en doute. Signalons, à l'appui de la thèse que j'esquisse, que l'Angleterre, si souvent évoquée par Alfred Sauvy, n'a pas eu, du XII<sup>e</sup> au XVIII<sup>e</sup> siècle, cette vie biologique d'exubérance qui fut la nôtre. Elle n'est un pays surpeuplé ni au XIII<sup>e</sup>, ni au XVI<sup>e</sup> encore, au XVII<sup>e</sup> peut-être, en tout cas les querelles religieuses y déterminent des exodes. Bref, quand arrive le XVIII<sup>e</sup> siècle, elle n'a pas ce qu'A. P. Usher appelle une « maturité biologique », ou elle l'a depuis peu, à l'inverse de la France. Or, le *vieillissement* n'interviendrait-il pas, ici et là, dans le monde, au terme d'exubérances de longue durée? Vous me direz qu'avec ces quinze dernières années, la France vient de connaître un brusque réveil et en attribuerez le mérite à quelques légers hommes politiques de France : c'est « événementialiser » à nouveau (1). Un flux s'amorce qu'un reflux antérieur a comme préparé et rendu nécessaire, et nos hommes politiques ont eu l'intelligence — quand ils l'ont eue — de s'insérer dans ce « vent de l'histoire ». Mais s'ils étaient les seuls responsables de cette heureuse montée, je m'attendrais bientôt à la voir refluer. Les grandes vagues de la démographie historique ne peuvent dépendre de médiocres raisons.

Je ne voudrais pas conclure sur ces critiques, elles-mêmes discutables, mais sur la sympathie que m'inspire une pensée toujours ouverte, sans parti pris, flexible parce que sans cesse honnête, et dont, par conséquent, le lecteur ne peut, quels que soient parfois ses légers désaccords, que se sentir extrêmement enrichi. Ce démographe est, avant tout, un homme de son siècle, qu'intéresse prodigieusement, sous tous ses angles, le monde qui l'entoure. Ce n'est jamais délibérément qu'il se met derrière une barrière. Avec Alfred Sauvy, il vaudra toujours la peine d'essayer de dialoguer. Tous les dialogues, sûrement, le tentent et il ignore cette limitation intellectuelle qu'est le dédain.

---

(1) Si ce réveil, comme je le souhaite, s'annonce de longue durée.

III

LOUIS CHEVALIER :
POUR UNE HISTOIRE BIOLOGIQUE

Historien venu à la démographie, Louis Chevalier vient de publier un ouvrage compact et véhément : *Classes laborieuses et classes dangereuses à Paris dans la première moitié du XIXᵉ siècle* (1), assurément un beau sujet, assurément un beau livre. Je l'ai lu et relu, moins pour en peser l'exactitude ou le bien-fondé documentaires — d'autres s'en sont chargés sans aménité — que pour en dégager les intentions et la « doctrine ». C'est à ce niveau, je pense, que le livre, difficile et déconcertant au premier abord, prend sa valeur. Encore n'est-il pas aisé de gagner le droit fil d'un ouvrage assez touffu, peu clair souvent, en raison même de ses richesses et de la multiplicité de ses intentions. En outre, il n'est pas écrit, mais parlé, ce qui explique ses longueurs, ses redites, ses redondances, ses morceaux de bravoure, son dédain aussi pour le mot ou la formule clairs, ou pour les développements alignés au cordeau. Mais, disons-le tout de suite, y abondent aussi des passages d'une beauté noire. Tout le livre — que l'auteur l'ait voulu ou non — est d'ailleurs un livre noir sur ce Paris « mal connu » de la première moitié du XIXᵉ siècle « dangereux, malsain, terrible ». Ses plaies, ses abominations, ses sauvageries, ses paysages maudits, sa misère indicible s'accordent à de sombres gravures romantiques, à des véhémences à la Michelet : les unes et les autres sont l'honneur de ce livre.

Mais quel chemin suit-il ? L'imprudente question ! Louis Chevalier y répond dix fois pour une ; cependant, pour comprendre comment s'accordent ses réponses successives, il faudra parcourir le volumineux ouvrage de bout en bout, deux ou trois fois. Alors, tout pesé,

(1) Collection « Civilisations d'hier et d'aujourd'hui », Paris, Plon, 1958, XXVIII - 566 p.. in-16.

les passages clés relus, plume en main, les déclarations des deux ou trois dernières pages — ces pages de vérité — prennent leur *vrai* sens. Ces affirmations, ces désinvoltures qui nous avaient irrité, ces lacunes annoncées, âprement justifiées et pourtant peu compréhensibles de prime abord, s'alignent enfin dans un mouvement cohérent. Ce livre a été conçu, avant tout, comme un défi, comme un pari, comme un « manifeste », comme une œuvre pionnière; pas un instant, l'auteur n'en ignore l'originalité. Il voudrait même, avec une certaine impatience, que cette qualité, que personnellement je ne lui conteste pas, lui fût aussitôt reconnue, que fût prise au sérieux sa révolte contre les règles monotones de notre métier d'historien, et acceptées, dans leur plénitude, les règles nouvelles qu'il s'est choisies. A ce jeu multiple tout est sacrifié, l'objet du livre est de méthode, le Paris de la Restauration et de la Monarchie de Juillet est un beau prétexte. C'est le « manifeste », à la fois pari et défi, qui domine tout. Et naturellement, c'est lui que je voudrais analyser tout d'abord dans la mesure du possible. Opération peu commode, mais enjeu essentiel.

Ce « manifeste » d'ailleurs ne se ramène pas, sans plus, à un défi volontiers affirmé, mais ce défi, s'il peut à lui seul, de temps à autre, nous égarer, est une première approche valable. Il s'exerce contre l'histoire tout d'abord (une certaine forme d'histoire mise à part qui serait strictement celle des démographes), contre une économie qui serait vue courte et facilité, contre une sociologie dont il est parlé parcimonieusement, contre une sociologie du travail, simplement ignorée, contre les criminologistes qui « traitent du crime à Paris, en ces années, comme ils le feraient pour toute autre ville et toute autre époque », même contre le statisticien (ô ingratitude!) « ... le statisticien, c'est-à-dire l'homme le moins apte à comprendre..., fort par sa spécialité, mais appauvri par elle ».

Quant au pari, nul doute : spécialement pour le cas envisagé et la période retenue, la démographie seule, au sens strict, avec la multiplicité de ses prises, doit suffire à dégager et à expliquer les problèmes divers des classes laborieuses et, plus encore, dangereuses, de l'agglomération parisienne. « La mesure démographique intervient alors à plein, de manière privilégiée, dispensant à la rigueur de toute autre mesure », écrit-il ; et, plus nettement encore : « pour des raisons qui sont de documentation (*sic*), c'est la démographie qui mène ». Les raisons ne sont point, sans plus, de documentation, puisque la documentation habituelle et la judiciaire, qui existent, ont été de façon autoritaire écartées comme inutiles. Simplement, notre collègue est resté fidèle, avec un entêtement sympathique, mais strict, au programme que traçait, en 1952, sa brillante et orgueilleuse leçon inaugurale au Collège de France. Pour lui l'histoire s'individualise en deux zones, l'une de lumière, de prises de conscience, l'autre d'obscurité, « ce domaine... où l'homme échappe à l'homme et se dissocie en formes d'existence instinctives, élémentaires, qui ne relèvent plus de la cité organisée, mais d'autres nécessités, celles de la foule, celles de l'espace ». Ces « profondeurs » sont accessibles à la démographie, non à l'histoire et à l'économie, qui relèvent de la « cité organisée ». Les démographes se veulent seuls, ou du moins Louis Chevalier, démographe, s'engage seul dans cette plongée.

J'avoue que ce programme me passionne, bien qu'il ne soit pas dans la ligne de mes préférences : je suis, au contraire, en faveur d'entreprises associées, relayées, connectées soigneusement entre elles. Je les crois seules efficaces. Mais, justement, comment ne serais-je pas plein de curiosité devant les aléas et les résultats de cette aventure ? La démographie peut-elle assurer seule le relais de l'histoire et des autres sciences de l'homme ; faut-il en croire Louis Chevalier ?

Dès qu'on les cherche, les citations, à propos des défis, paris et prises de position de l'auteur, sont faciles à retrouver dans ce livre sensible et combatif. Elles viennent à nous d'elles-mêmes, d'autant que les plongées ne vont pas sans répit : chaque fois que l'auteur fait surface, les difficultés, écartées un instant, se présentent à nouveau, narquoises. Chaque fois donc que, *normalement*, le prix du pain, ou une statistique des crimes, ou une description des conditions de travail, etc. s'imposaient dans le fil du récit, l'auteur se croit obligé de nous dire pourquoi il nous les refuse ou nous les donne avec parcimonie et pourquoi nous resterons et devons rester sur notre faim. Aussi bien cette description du Paris ouvrier de la première moitié du siècle dernier est-elle étrangement coupée, sans cesse, de professions de foi, de justifications, de digressions sur la nécessité d'écarter d'une analyse sérieuse, en profondeur, les autres explications sociales.

A ce jeu, l'histoire est souvent visée, cette histoire que l'auteur trouve médiocre quand il la quitte, mais acceptable quand il y rentre et qu'il la juge transformée par son propre labeur. « Ces statistiques n'apportent pas seulement à l'histoire une mesure supplémentaire... elles en étendent et en métamorphosent le programme ». Mais, hors des mains du démographe, quelle pauvre recherche que l'historique, avec son « programme incomplet et ses concepts immuables »! Louis Chevalier ignorerait-il (comme tant de sociologues et philosophes qui ont l'excuse, du moins, de ne pas être historiens de formation) que les concepts de l'histoire, depuis bien longtemps, ne font que muer, et que son programme, complet ou non, n'est certes plus aujourd'hui cette explication traditionnelle, ce « récit chronologique » avec lesquels il semble la confondre? Il y a même, en France, une histoire largement ouverte à la démographie. Je songe à la thèse assez sensationnelle de Pierre Goubert sur le Beauvaisis du XVIIᵉ siècle, à la thèse révolutionnaire de René Baehrel sur la Haute-Provence des temps modernes, toutes deux d'une vigueur qui n'a rien à envier au présent ouvrage. Les novateurs se croient, se veulent solitaires; en fait ils ont toujours des compagnons.

Mais ce n'est pas seulement l'histoire que l'auteur veut ignorer. Les interdictions sont nombreuses qu'il s'impose, qu'il propose et respecte, non sans inquiétude ou regret parfois. Il écrit ainsi (et c'est l'économie politique qui sera exclue) : « ...de l'inégalité économique, nous traiterons peu, l'étude ayant souvent été faite ». Simple échappatoire : le problème n'est jamais de savoir si telle constatation a été faite, ou non, mais si elle est, ou non, nécessaire à la démonstration ou à la recherche que nous conduisons. « Peu importent, dira-t-il encore, les corrélations que l'on peut établir entre crises économiques et criminalité et cette montée parallèle du prix du pain et du nombre des attentats ». Peu importe en vérité ! Cependant, trois ou quatre fois, il se justifiera plus posément. Paris est alors, avant tout, la proie, la victime d'une immigration massive qui submerge, commande tout. Cette immigration est la variable décisive (du plus haut degré algébrique); les autres s'effacent devant elle. « Engendré par le phénomène économique, le phénomène démographique se développe de son propre mouvement, à ce point coupé désormais du phénomène économique et à ce point important qu'... il agit en tant que cause et mérite attention, pour le moins autant que le phénomène économique, sinon davantage ». Donc éliminons le géniteur, le fait économique, d'autant que l'afflux des immigrants vers les grandes agglomérations se fait aussi bien à la hausse qu'à la baisse de la conjoncture économique... Soit, pensera le lecteur, mais l'afflux démographique ne s'installe pas à Paris dans un vide matériel. A la rigueur, oublions la conjoncture du départ. Reste celle de l'arrivée. A partir du moment où il « agit en tant que cause », le phénomène démographique, l'entassement d'une population dans des murs trop étroits, auront-ils les mêmes conséquences dans un climat d'euphorie économique, ou dans une conjoncture de chômage et de misère? La réponse s'impose d'elle-même mais nous reconduirait vers des terres interdites.

L'auteur en est sans doute conscient et, ne pouvant, ne désirant même nier l'intérêt des explications économiques, il tente au moins d'en limiter la valeur. Ce ne sont là, d'après lui, qu'explications à court terme, plus ou moins superficielles. Seules les données démographiques valent en profondeur et à long terme. C'est, pour employer le jargon d'aujourd'hui, reléguer l'économie dans la conjoncture, la démographie se réservant les structures. Or, il y a aussi des conjonctures démographiques (ce livre, en fait, en est l'exemple, j'y reviendrai) et, à coup sûr, il y a des structures économiques, et même économiques et sociales à la fois. Le capitalisme en est une, non la seule bien entendu, mais il ne sera pas question de lui, ni des riches, dans ce livre où le titre même — *classes* laborieuses, *classes* dangereuses — semblait pourtant les évoquer d'avance. De parti pris, insistons bien, Louis Chevalier repousse ces explications « faciles » et, le sachant, construit son livre sur un certain vide économique : pas un mot sur les salaires, sur les prix, sur les budgets ouvriers, sur les revenus globaux de la ville, sur le volume de son ravitaillement et son alimentation, quelques indications mises à part, poussières poussées par le vent sous la plume de l'auteur, presque malgré lui (ainsi p. 316 : « le prix de 12 à 13 sols les quatre livres (de pain) est... une véritable limite *physiologique* »). Bref, il a sciemment construit un livre économiquement faible et cette fragilité, d'entrée de jeu, surprend le lecteur. Sans doute écrit-il plaisamment : « Reconnaissons qu'histoire politique et histoire économique ont souvent fait bon ménage, se suffisant amplement l'une à l'autre (*sic*), sans qu'il leur ait jamais paru nécessaire, l'histoire démographique intervenant, de faire ménage à trois ». Mais Louis Chevalier, de toute évidence, est pour le célibat.

Ces affirmations, ces retraits esquissent une attitude plutôt qu'une politique fermement affirmée. Louis Chevalier d'ailleurs ne se contente pas, s'évadant de toutes les explications sociales, de se cantonner dans la seule reconnaissance démographique et c'est là, si je ne me trompe, que sa pensée, malgré tant de prises de position, n'est pas suffisamment claire. En tout cas, elle ne l'est pas à mes yeux et, sans doute, aux yeux de tout lecteur de bonne foi. Je n'irai pas jusqu'à dire que Louis Chevalier entend défier aussi la démographie, ce qui serait plaisant. En vérité, il entend dépasser ce que j'appellerai une démographie classique, traditionnelle. Il met en place, sans doute, les mesures et les grilles que connaissent tous les historiens soucieux de leur métier — lecteurs et, à ce titre, élèves d'Alfred Sauvy et de sa revue exceptionnelle, *Population* (1) : contrôle de l'immigration, natalité, nuptialité, mortalité, composition par sexe et par âge... Mais ces premières mesures, ainsi que leurs commentaires ne sont qu'un préalable, l'éclaircissement indispensable à une autre recherche, celle d'une *biologie* plus secrète, plus *profonde*. Les mots *biologie* et *biologique*, sous la plume de Louis Chevalier, connaissent une fortune excessive : ils sont presque un tic de langage. Dix fois pour une, biologique pourrait être remplacé, au gré des phrases qui l'introduisent, par « démographique », « humain », « social », « sociologique », « juridique », voire « géographique ». Mais ne nous arrêtons pas à cette vaine querelle.

Découvrir, dans toutes les sciences, c'est sinon « saisir ce qui est insaisissable, comprendre ce qui échappe au raisonnement », comme dit Louis Chevalier, du moins aboutir à un domaine mal connu. Or, si les réalités, si les structures que Louis Chevalier taxe de biologiques sont mal définies dans le vocabulaire et la pensée de l'auteur, elles *existent* cependant. Elles constituent, comme dirait Georges Gurvitch, « un

(1) Éditée par l'I.N.E.D., 23, avenue F.-D.-Roosevelt, Paris, VIIIᵉ.

palier en profondeur » de la réalité sociale, au vrai la grande articulation à construire et à reconnaître des sciences de l'homme. Dans la mesure où la pensée de Chevalier accepte et surtout propose cette recherche de « faits biologiques qu'une énorme sédimentation de faits économiques et moraux (*sic*) recouvrait », elle s'explique et se justifie à mes yeux. Elle me ferait même accepter ses exclusives si je pouvais croire à « des faits biologiques » isolables. Au vrai, toute la démographie, toute l'histoire, mieux tout le social, tout l'économique, tout l'anthropologique (et je pourrais continuer) sont biologiques, sont *aussi* biologiques. S'il est question de *fondements* biologiques, une large discussion s'imposerait que ce livre nous refuse. Maximilien Sorre n'a-t-il pas déjà, il y a une dizaine d'années, défini les «fondements biologiques» de la géographie humaine? Louis Chevalier semble penser que l'exemple de Paris est tellement éclairant, qu'il est, à lui seul, une démonstration. C'est le danger, dirons-nous, de mélanger un livre et un manifeste. En tout cas, je ne crois pas très satisfaisante la définition qui nous est une ou deux fois offerte : ces fondements seraient « tout ce qui, dans les faits sociaux, est en étroite relation avec les caractères physiques des individus », car « le comportement des gens est en liaison étroite avec leur corps, sa structure, ses besoins, ses exigences, son fonctionnement... » Assurément, mais j'aurais aimé une définition plus circonstanciée, méticuleuse de cette histoire corporelle et, ajouterais-je pour mon compte, *matérielle*, une histoire des besoins, les satisfaits et les non satisfaits. S'il l'avait tentée, notre collègue se serait-il obstiné à enfermer cette réalité profonde dans les cadres d'une histoire démographique, *stricto sensu*? J'en doute, car lui-même en déborde évidemment les cadres. Si le suicide est assurément de son ressort (et non d'une sociologie intemporelle, comme il est dit un instant), le crime, le concubinage, l'adultère, l'envoi des nouveau-nés en nourrice, le théâtre populaire, la littérature populaire et non populaire, ces outils pour saisir une histoire biologique ne sont pas tous, au même titre que les décès ou les naissances, du domaine strict de la démographie. Tous ces témoignages en débordent l'empire sans, pour autant, combler celui du biologique qui s'étend, lui, bien au delà. La « biologie » de Louis Chevalier (1) ne s'intéresse pas, sans doute, aux nourritures terrestres. Or, n'auraient-elles aucune influence sur ce « comportement » des hommes, en liaison étroite avec les corps? Une affirmation de Feuerbach qui a des allures de jeu de mots, prétend que « l'homme est ce qu'il mange » *(der Mensch ist was er isst)*. Ainsi pense la sagesse des nations.

On voit l'ambition d'une telle formulation théorique, la multiplicité des problèmes et des discussions qu'elle soulève. Ces difficultés s'ajoutent aux difficultés propres à l'exemple que cet ouvrage aborde : l'ensemble des problèmes sociaux et biologiques du Paris de la première moitié du XIXᵉ siècle. Mais qu'un « manifeste » aussi ample se mêle ainsi à un exemple historique concret d'une étonnante complexité est sans doute ce qui nuit, le plus souvent, à une facile compréhension de ce livre aux vastes proportions, trop prolixe si l'on songe à son argumentation théorique et trop court si l'on considère la masse énorme que proposait à l'historien cette vie parisienne d'un demi-siècle, sous le signe révolutionnaire d'une accélération de peuplement jamais vue et qui, sauf en 1856, ne se reproduira plus dans l'avenir. Louis Chevalier, dans cette complexe mise en place, est constamment gêné par de multiples intérêts, souvent en conflit les uns avec les autres : il est pris entre le général et le particulier, entre la tradition et la novation de la recherche, entre l'histoire claire (celle des prises de conscience) et l'histoire obscure... Cette

(1) A l'index du traité de *Démographie générale* (1951) de Louis Chevalier, amusons-nous, un instant, à ne pas trouver les rubriques de sa recherche présente des structures biologiques.

multiplicité des intérêts et des points de vue fait la valeur de cet ouvrage, mais aussi sa difficulté inhérente. La digression utile y fleurit sans contrainte. Il faut tout à la fois s'en plaindre et s'en féliciter.

Tout un premier livre — *Le thème criminel* — est ainsi consacré aux témoignages littéraires. L'étrange début! A le supprimer, l'ouvrage aurait gagné cent soixante pages ou davantage. Pourquoi notre auteur, qui a hésité à ce propos, a-t-il finalement fait sa très large place à ces « données qualitatives », à « cet univers envahissant d'images »? J'ai pensé un instant que, ne voulant rien devoir à personne, Louis Chevalier avait eu recours, sans remords, à la littérature qui n'est pas une science sociale, ou du moins ne passe pas pour telle. J'ai pensé aussi qu'il avait procédé comme un metteur en scène : les acteurs et les pièces connus sont de bons acteurs et de bonnes pièces. Les *Misérables* peuvent être contés à nouveau, on y prendra plaisir. L'auteur avance d'autres motifs, mais, en vérité, aucun ne peut me convaincre que ces personnages de Balzac, d'Eugène Sue, de Victor Hugo et, par avance, de Zola, n'envahissent pas abusivement un livre qui se veut scientifique et même révolutionnaire. Je persiste à penser qu'il eût mieux valu réunir en un livre à part ces analyses intéressantes par elles-mêmes.

Mais les arguments opposés aux miens ont leur poids. Louis Chevalier introduisait ainsi dans son livre le « qualitatif », sans quoi, j'en suis bien d'accord, il n'y a pas d'histoire, ni d'étude sociale complète (mais il est d'autres témoignages qualitatifs, si le roman en est, en règle générale, le moins sûr). Autre avantage : il faisait place à ces prises de conscience sans quoi l'histoire est abusivement désincarnée. J'en suis d'accord tout autant. Surtout en saisissant, avec d'infinies précautions, ce témoignage littéraire *en profondeur*, à un étage infra-événementiel, il a cru pouvoir éclairer le grand thème de son observation et de sa découverte. De Balzac à Victor Hugo, le passage s'organise d'une criminalité « exceptionnelle et monstrueuse » à une criminalité « sociale », généralisée. « Le crime cesse de coller étroitement aux classes dangereuses pour s'étendre, tout en changeant de signification, à de larges masses de population, à la plus grande partie des classes laborieuses. » Celles-ci par elles-mêmes, par leur simple poids, glissent vers la frange rouge du crime; cette limite est, en somme, leur destin. « Les crimes, comme l'écrivait Parent-Duchâtelet, sont des maladies de la société. » Toute cette analyse des témoignages littéraires et l'évocation des lieux sinistres de la topographie parisienne, tout ce long préambule est d'une excellente, d'une puissante venue. Mais, je le répète, c'est un livre en soi et qui ne demanderait qu'à accéder à l'autonomie et à l'indépendance car ce puissant (et novateur) malaxage du témoignage littéraire pose lui aussi ses problèmes, ses multiples problèmes. Il exige beaucoup plus que n'importe quelle autre opération sur n'importe quelle autre source, des précautions. Une critique serrée, non seulement des réalités mises en cause, mais de la distance que, consciemment ou non, toute œuvre d'art met entre elle et ces réalités. Ces difficultés n'ont pas échappé à notre guide. Ce qu'il dit sur le contrôle, sur le téléguidage, en ces zones difficiles, par la statistique, a sa grande importance. Et non moins ce qu'il écrit sur ce témoignage de la littérature, « témoignage éternellement présent qu'il faut cependant savoir écouter. Non dans ce qu'il prétend dire, *mais dans ce qu'il ne peut éviter de dire...* ».

Ainsi se présentent, sans que j'aie la prétention de les épuiser, les problèmes multiples et vifs de ce long premier livre, intéressant assurément s'il n'entraîne pas toujours la conviction et notamment dans sa ligne majeure. Comment Louis Chevalier explique-t-il, en effet, cette tardive prise de conscience de la littérature à l'égard de la « criminalité sociale »? Les *Misérables* sont au soir de sa période.

Le second livre — *Le crime, expression d'un état pathologique, considéré dans ses causes* — présente, à côté des classiques mesures démographiques, l'étude des maisons, de l'équipement urbain, des structures physiques et matérielles de l'agglomération. Quelles sont les masses d'hommes qui s'entassent dans la ville? leur répartition? leur âge? Ce second livre est dense et solide. Regrettons seulement que les cartes et graphiques rejetés à la fin du volume soient si peu nombreux et de consultation malaisée.

Le troisième livre s'intitule *Le crime, expression d'un état pathologique considéré dans ses effets*. Louis Chevalier a tout, ou presque tout, sacrifié de son ouvrage pour que s'impose et éclate cette dernière partie. Il y étudie comment se détériorent les conditions démographiques et biologiques de la population laborieuse de Paris et, à nouveau, comment l'opinion publique, bien ou mal, et de façon différente selon l'optique bourgeoise ou ouvrière, prend conscience de cette immense transformation. Les signes dont il éclaire cette détérioration sont les suicides (suicides ouvriers), les infanticides, la prostitution, la folie, le concubinage des ouvriers, la fécondité, enfin la mort, l'inégalité par excellence, « la mort comptabilisant le tout » comme il dit fortement. Le problème est d'estimer, avec des chiffres et les corrélations et hypothèses qu'ils autorisent, la masse approximative des indigents, officiels ou clandestins (entre la moitié et le tiers des vivants); puis cette frange dangereuse dont on suppute la largeur sans pouvoir en calculer les effectifs. Il y a certainement un lien de l'illégitimité des naissances à la tendance criminelle d'une partie de la population. Les enfants naturels fournissent une grosse partie de « l'armée du crime ». Et Louis Chevalier se donne beaucoup de mal pour calculer cette population, plus désavantagée encore que les classes laborieuses normales et dans les rangs de laquelle la vie sociale trouve naturellement ses plus fortes tensions.

Ces *causes* mises en jeu, les *effets* ne sauraient surprendre : toute la masse laborieuse glisse, au bas de la pente, vers cette frange rouge et obsédante du crime aux *multiples* aspects. Cette frange, Louis Chevalier

ne demandera pas aux statistiques criminelles de la
dessiner, pour une raison qu'il donne et une qu'il
passe sous silence. La première, c'est que le crime
enregistré administrativement n'est qu'une partie du
crime réel et virtuel. Sans doute, mais les archives
judiciaires n'enregistrent-elles pas, à côté du crime,
la gamme très étendue des « délits ».

La seconde raison, non exprimée il est vrai, c'est
peut-être le désir de l'auteur de rester une fois de plus
à l'intérieur de ses propres mesures et de sa démonstration. D'autant que, cette fois, ses moyens de contrôle,
j'en suis d'accord, lui fournissent une ample moisson
de renseignements. Les maladies, la mortalité, les
suicides, les abandons d'enfants, les naissances illé-
gitimes, le concubinage, les hôpitaux, les asiles de
vieillards, les expéditions d'enfants en nourrice, tous
ces signes « biologiques » (même s'ils ne sont pas,
c'est moi qui l'ajoute, seulement biologiques) permettent une étude en laboratoire dont l'ampleur est sans
précédent. Toute une pathologie sociale est ainsi
révélée dont le spectacle est riche d'enseignements.
Cette appréhension est une leçon valable de méthode.

Louis Chevalier a évidemment raison sur le sens
général de son enquête. Un lien se marque du crime,
bande étroite, au danger social, bande large; à l'indi-
gence qui prend dans ses mailles une si large partie
de la population parisienne; enfin à l'ensemble de la
classe laborieuse, catégorie biologique et sociale.
Il n'est pas question de « juger » cette dernière (tout
le livre d'ailleurs lui est favorable) mais de lier en un
ensemble les séries de chiffres qui contrôlent son
comportement multiple et nous la montrent enfermée
dans un sort inexorable. Aucune mobilité sociale ne
crée vers le haut ces ascensions compensatrices dont
on ne peut citer que des exemples, exceptions qui
confirment la règle.


J'ai essayé de suivre et de résumer ce livre difficile.
Il n'est pas, je le répète, dans mon intention d'en juger

le bien-fondé en ce qui concerne Paris. Toute tentative aussi passionnée, sous le signe du risque, appelle et appellera forcément des réserves et des critiques. Le problème était pour moi d'en marquer le mouvement. J'ai essayé de le faire, à mes risques et périls. Sur l'application de la doctrine ou du « manifeste » à cet exemple qui les réalise, un long débat pourrait sans doute s'engager. Est-il utile présentement? J'espère que Louis Chevalier me donnera l'occasion, sur un nouveau livre, de retrouver au clair sa pensée compliquée et autoritaire. J'aurais peur, à m'engager dès maintenant dans une discussion de ce genre, de rapetisser la portée du débat. Peu importe, en effet, à la mesure des sciences de l'homme, que Louis Chevalier ait raison — comme je le pense — (ou non) sur le cas parisien; qu'il se soit trompé sur tel chiffre ou telle référence; qu'il ait eu tort, comme je le pense, (ou non) de faire fi des archives judiciaires, lesquelles, j'en ai peur, ne sont pas forcément en accord avec sa thèse. Peu importe aussi qu'il ait eu tort, ou non, de miser avec tant d'insistance sur le témoignage littéraire.

Pourtant certaines lacunes de son étude parisienne me paraissent assez graves, dans la mesure où elles contredisent, ou mieux limitent la prise de position de ce livre. Je m'étonne que le Paris de la Restauration et de la Monarchie de Juillet n'ait pas été plus minutieusement comparé aux Paris qui l'ont précédé et suivi. Des analyses, des chiffres abondants, des mesures démographiques et biologiques auraient éclairé notre lanterne. J'ai, pour ma part, l'impression que l'aventure parisienne qui nous est contée par Louis Chevalier n'est malheureusement pas aussi exceptionnelle qu'il le croit et, par exemple, qu'à côté du Paris du XVI$^e$ siècle et de Louis XIII, les horreurs du premier XIX$^e$ ne sont qu'eau de rose. Et si j'ai tort, qu'on me le prouve! Enfin et surtout, que se passe-t-il, au même moment, dans les autres villes et même dans les campagnes de France? Et dans les autres capitales européennes? Je suis troublé par l'idée que, si la population de Paris double à peu près de 1800 à 1850, celle de Londres, dont Louis Chevalier ne dit pratiquement rien, triple (900 000 à 2 500 000). Ces comparaisons, me semble-t-il, étaient indispensables pour fixer le vrai visage de Paris et le vrai sens de l'expérience démographique qui s'y déroule. Elles étaient plus indispensables encore pour donner à la leçon de méthode que veut être ce livre une force convaincante. Je suis bien persuadé que toucher aux fondements biologiques d'une société,   pour parler comme Louis Chevalier — c'est aller au plus profond de ses structures. Mais je m'étonne qu'on veuille me le prouver grâce à une étude somme toute conjoncturelle, étroitement conjoncturelle même, attentive seulement à ce que l'on nous présente comme un accident encore inconnu, comme une exception dans la vie parisienne; pas du tout soucieuse, par contre, d'inscrire cet accident dans le mouvement séculaire qui entraîne la vie profonde de Paris et celle des autres capitales, et celle de l'Europe... C'est presque naturellement que Louis Chevalier s'attarde à des conjonctures courtes, fines comme pointes d'aiguilles : ainsi les épidémies du choléra de 1832 et de 1849.

Mais trêve de discussions et de réserves! Ce qui compte, c'est la brèche que ce livre a ouverte, ou essayé d'ouvrir dans les sciences de l'homme vers l'horizon neuf des réalités et structures biologiques, au risque de démolir un peu au passage, pour l'agrandir d'ailleurs, l'impérialiste démographie. Reconnaître ce mérite essentiel est sans doute la meilleure façon de rendre un juste hommage à cette œuvre combative.

IV

Les trois auteurs que j'ai retenus ne se ressemblent guère. Si je les ai réunis ici, c'est pour mieux analyser les différentes positions de la démographie en face de l'ensemble des sciences sociales, positions qui m'intéressent d'autant plus que je situe plus haut la place de la démographie dans cet ensemble. Chose curieuse, c'est Ernst Wagemann, ancien économiste, c'est Louis Chevalier (peut-on dire ancien historien? en tout cas venu de l'histoire) qui sont le plus farouchement nationalistes, xénophobes même, si je puis dire, face aux sciences rivales de la démographie. Par contre, la pensée d'Alfred Sauvy est naturellement portée à une curiosité universelle qui lui épargne l'esprit de clocher.

Or, au moment où les sciences de l'homme font peau neuve, où tout se brise des vieilles barrières qui les séparent (et ici je plaide à mon tour), l'heure n'est pas, n'est plus aux petits nationalismes, conscients ou inconscients. Ou alors je me trompe totalement. Il n'y a pas *une* science, ou *une* carrière qui dominerait, dans ce vaste champ non structuré de la connaissance de l'homme. Il n'y a pas d'histoire, et encore moins de conception historique qui « mène », pas de sociologie qui mène, pas d'économie, pas de démographie qui mène. Les méthodes, les points de vue, les connaissances acquises sont à tout le monde, je veux dire à quiconque s'avère capable de s'en servir. S'assimiler des *techniques* étrangères, c'est là, je l'ai dit, la difficulté d'un marché commun des sciences sociales. N'y ajoutons pas de vaines disputes de frontières ou des querelles de préséance. Toute explication unilatérale me semble haïssable et, aujourd'hui, devant l'ampleur de la tâche, un peu vaine.

Karl Marx qui, cependant, avait ce désir autoritaire, propre à tout savant, de viser l'essentiel et le simple et qui s'en tenait, dans ses théories de l'appropriation des moyens de production, à la double ligne (du moins était-elle double) d'une articulation sociale et économique, Karl Marx qui, entre tous, eût p u, à bon droit, être saisi de la griserie du novateur, écrivait cependant, le 18 mars 1872, à Maurice La Châtre : « Il n'y a pas de voie royale pour la Science ». Ne l'oublions pas trop! C'est par de multiples et difficiles sentiers qu'il nous faut cheminer.

# III

# HISTOIRE ET TEMPS PRÉSENT

# DANS LE BRÉSIL BAHIANAIS :

# LE PRÉSENT EXPLIQUE LE PASSÉ (1)

On lit, on relit avec plaisir le livre délicat, intelligent, de Marvin Harris, de Columbia University. Son titre, *Town and Country in Brazil* (2), fait craindre un livre général, théorique, mais fort heureusement l'annonce est inexacte. C'est d'un voyage, puis d'un séjour dans une petite ville brésilienne, qu'il est uniquement question. Dès les premières pages, nous arrivons à Minas Velhas, au cœur de l'État de Bahia, loin dans l'intérieur; nous y sommes encore quand le livre s'achève, sans jamais en cours de route nous être ennuyés une seconde en compagnie d'un guide qui sait voir, comprendre, faire comprendre. La peinture est d'ailleurs si vive, le texte à ce point attachant que l'ouvrage se lit « comme un roman ». C'est dans mon esprit un compliment exceptionnel, car il est rare qu'un ouvrage, scientifiquement conduit, sous le signe de la plus étroite objectivité, puisse à ce point vous déprendre du temps présent et vous conduire, comme devant un spectacle, aux sources — ici encore vivantes — d'une réalité, d'une « civilisation » urbaine révolue. Un historien peut rêver d'un paysage de ce genre, mais le voir, désuet, archaïque, de ses propres yeux, le toucher du doigt, c'est un plaisir autrement vif,

(1) *Annales E. S. C.*, n° 2, avril-juin 1959, p. 325-336.
(2) Marvin Harris, *Town and Country in Brazil*, New York, Columbia University Press, 1956, in-8°, x-302 p.

et quel enseignement! Hâtons-nous d'en jouir! Même
à Minas Velhas, la vie nouvelle a ses attraits : un jour,
elle bousculera tout cet ordre ancien, fragile, qui s'y
maintient par miracle.

I

Au milieu d'un pays ingrat, montagneux, plus qu'à
demi désert, Minas Velhas — les Mines Anciennes —
a été plantée par l'aventure minière exigeante du
XVIII<sup>e</sup> siècle : elle a été l'une des importantes villes de
l'or de l'immense intérieur brésilien, celles-ci, précoces,
nées dès la fin du XVII<sup>e</sup> siècle, celles-là, les plus nombreuses, avec les premières décennies du XVIII<sup>e</sup>. A Minas
Velhas, l'exploitation remonte à 1722, peut-être un
peu plus tôt. Le statut urbain de la ville date en tout
cas de 1725 au moins et, dès 1726, elle avait son Hôtel
où l'or était fondu et prélevé le quint qui revenait au
roi de Portugal. En 1746-1747, le quint s'éleva ainsi
à 13 livres d'or, soit 65 livres de production. A quoi
s'ajoutaient évidemment la fraude et l'or en transit.
Tant que l'or des filons et des sables a été abondant,
aucun problème, à vrai dire, ne s'est posé à la ville
active : les vivres affluaient vers elle de partout, parfois de fort loin. Mais, avec la fin du XVIII<sup>e</sup> siècle, la
prospérité aurifère s'en va, à Minas Velhas comme dans
l'ensemble du Brésil.

A ce désastre, la ville aura cependant survécu, tant
bien que mal, malgré sa situation anormale, précaire
par nature. Elle a continué sur sa lancée, puis elle a
su acquérir et retenir la médiocre fortune d'un centre
administratif de dernier ordre; cahin-caha, elle est
ainsi arrivée jusqu'au temps présent, après bien des
déboires, car sa primauté administrative — sa seconde
richesse — a été assez vite contestée et son « district »
dès lors remanié, démantelé, retaillé. En 1921, dernier
coup, presque mortel : Vila Nova, sa voisine assez
prospère, s'est détachée d'elle, avec un district consti-

tué à son intention et, bien entendu, une fois de plus, au détriment de la vieille ville et de sa circonscription. Ajoutez à ces avatars que, dans le tracé des routes carrossables, puis des chemins de fer, Minas Velhas n'a pas eu de chance : la géographie a joué contre elle. La voie ferrée s'arrête très loin de ses portes, à Bromado, et le trafic automobile l'atteint depuis peu et de façon malaisée : un camion par jour, avec sa grappe de voyageurs et ses marchandises hétéroclites.

Aussi bien, qui aurait intérêt à aller jusqu'en cette ville perdue? Le voyageur hésite, parvenu face à la dernière montagne, à Vila Nova, ville bourdonnante que touche, en même temps que la route, le progrès (l'électricité, la T.S.F., le coca-cola...). Ce voyageur, s'il s'informe, ne sera guère encouragé à gagner, à dos de mule, par la « cluse » du Rio das Pedras (que coupe, entre autres, une gigantesque chute d'eau) la haute vallée et les plateaux des *gerais* de Minas Velhas, battus par les vents, peuplés d'arbustes rabougris, d'herbes rares. « Restez avec nous, conseille-t-on à l'auteur. Nous avons l'électricité et des noix de coco, une abondance de fruits frais et de viande de porc... Minas Velhas est la place la plus morte du monde. Rien n'y a progressé depuis deux cents ans. Si vous voulez de la bière fraîche, vous feriez mieux de rester avec nous. Il n'y a qu'un bar à Minas Velhas et il fait trop peu d'affaires pour que ça vaille la peine d'un réfrigérateur (1)... Ils sont effroyablement arriérés. Les affaires y sont exécrables. C'est un triste endroit, très morne, froid, sans aucune activité. »

La surprise est d'autant plus grande, pour le voyageur qui sait qu'il a quitté la « civilisation », d'arriver à Minas dans une ville typiquement ville — impression que ne donnent guère les villes brésiliennes en train de se faire, aujourd'hui —, une ville, ô miracle, avec ses rues pavées, ses maisons (2) alignées au long

---

(1) A Minas Velhas, pas d'électricité d'ailleurs.
(2) Faites en briques séchées au soleil, avec adjonction de quelques pierres, couvertes en tuiles.

des trottoirs, fraîchement repeintes en blanc et bleu,
sa propreté générale, ses habitants décemment vêtus,
ses enfants sortant de l'école en blouse blanche et
culotte bleue... Un pont de pierre, des portes mobiles,
des barrières, de pseudo-remparts, la grande place
avec sa haute église de pierre, elle aussi peinte à neuf,
or, blanc, azur, le jardin et ses plates-bandes à entre-
lacs, orgueil de la ville, rendez-vous des promeneurs
du soir. Le voyageur aurait-il atteint la ville merveilleuse?

## II

Ensuite? Le mieux est de s'intéresser aux spectacles,
aux réalités de la ville, selon le hasard des rencontres.
Peu à peu, les problèmes se découvrent. Non, Minas
Velhas ne vit pas, sans plus, des villages assez pauvres
et frustes de ses alentours : Serra do Ouro, Baixa do
Gamba, Gravatão, Gilão, Bananal, Brumadinho,
villages de paysans blancs, comme le premier, ou de
paysans noirs comme le second, tous misérables
d'ailleurs, car la terre, trop morcelée, est d'une fertilité médiocre. Au total, ces villages renferment
1 250 paysans. En face d'eux, Minas Velhas, à vrai dire
minuscule, n'en groupe pas moins presque 1 500 cita-
dins. Un paysan, à lui seul, peut-il supporter sur ses
épaules le poids d'un citadin? Non, bien sûr. C'est
trop lui demander, d'autant que le surplus de la récolte
— légumes, fruits, sucre, riz, haricots, manioc, un peu
de maïs, ignames, patates douces, café — ne va pas
seulement sur le marché de la ville : les vendeurs
poussent jusqu'à Vila Nova, Gruta, ou Formiga.
Il y a ainsi concurrence, mais la vieille ville, mieux
située, tient tout de même le bon bout. Elle défend
aussi ses droits par les propriétés mêmes de ses « bourgeois »; les plus grandes sont des *fazendas*, de faible
étendue il est vrai, mais souvent au long du rio das
Pedras, sur les meilleures terres. Ces propriétés, petites

ou médiocres, sont un lien de plus entre ville et campagne.

En tout cas, c'est par rapport à ces paysans que l'homme de Minas Velhas se sent citadin, et jusqu'à la moelle des os, d'un sentiment bien plus fort que celui qui attache le Londonien ou le New-Yorkais à sa grande ville. Être citadin, c'est être supérieur, pouvoir se le dire, y penser, vis-à-vis de plus malheureux, ou de moins heureux que soi. La campagne, quelle différence! C'est la solitude. La ville, c'est le bruit, le mouvement, la conversation, une gamme de plaisirs, de distractions. Une tout autre forme d'existence. N'enviez pas cet homme de Minas Velhas, qui habite une maison isolée, à l'écart; car une *vraie* maison touche à ses voisines, se colle à elles pour s'aligner d'ensemble, d'un même mouvement, sur la rue. Si cette rue est calme, si « quand vous sortez, le matin, il n'y a pas un bruit », alors tout est gâché. La ville, c'est le bruit réconfortant, fraternel des autres. L'occasion aussi, je l'ai dit, de se sentir supérieur à ces paysans, hôtes du samedi, le jour du marché, à ces clients empotés des boutiques, reconnaissables au premier coup d'œil à leur vêtement, à leur accent, à leurs manières, à leur visage même. Comme brocarder à leur sujet est agréable! Eux-mêmes, ces campagnards, savent que la ville leur est très supérieure. Pensez donc, ici, chacun achète sa nourriture contre argent. La ville, pour eux, sans plus, c'est le *comercio*. Comme l'explique José, de Baixa do Gamba, « la vie du *comercio*, c'est seulement pour ceux qui ont de l'argent plein les poches » (1). Sa femme trouve que « le *comercio*, ça va pour quelques heures. J'aime le *movimento*, dit-elle, mais après un instant, ça me fatigue et je ne puis plus attendre l'heure du retour » (2). Pauvre paysan, ou, comme l'on dit à Minas, pauvre *tabareu*, pauvre *gente da roca*... « Leur ombre leur fait peur », dit Périclès, un citadin celui-là, bien que

(1) Marvin Harris, *op. cit.*, p. 145.
(2) *Ibid.*

simple et pauvre briquetier de Minas. A plusieurs
reprises, il a été le compagnon de Marvin Harris dans
ses excursions hors de la ville. S'agit-il d'aller à Vila
Nova, Périclès ira pieds nus, dans ses vêtements
dépenaillés de tous les jours. Mais pour Baixa do
Gamba, non, il fait toilette, va jusqu'à emprunter des
chaussures. « A Vila Nova, personne ne fait attention
à ces choses-là, mais à Baixa do Gamba, je ne puis tout
de même pas avoir l'allure de ces *tabareus* » (1).

Mieux que de longs discours, ces petits traits —
ils foisonnent dans le livre — disent la fierté de la
ville, son quant-à-soi, son goût de la dignité, son
amour du bruit et de la fête, ce superlatif du bruit, son
goût aussi de la culture, voire de la grammaire latine,
ce qui, en 1820, faisait déjà l'admiration de deux
voyageurs allemands, les naturalistes von Spix et von
Martius. Eux aussi avaient été frappés par la dignité
de la petite ville (alors 900 habitants) et... l'excellence
de son professeur de latin.


### III


Mais on ne vit pas seulement de bruit, ou de complaisance à l'égard de soi. Puisque les villages satel-
lites ne nourrissent la ville qu'à moitié — et pas
gratuitement —, force lui sera de gagner sa vie pour
payer ce qu'elle consomme : ce qu'elle achète aux paysans, mais aussi la farine ou le kérosène, le combus-
tible indispensable, qui lui parviennent de Vila Nova.
A ce problème, deux solutions : l'émigration d'une
part, avec ce qu'elle peut signifier de retours d'argent;
l'industrie artisanale de l'autre.

Laissons la première de ces solutions. Minas
Velhas est un exemple, entre mille autres, de ces
larges mouvements qui affectent à la fois tout le

(1) P. 143.

*Nordeste* brésilien (villes et campagnes) et pas seulement l'État de Bahia. C'est d'un point de vue d'ensemble qu'il conviendrait de voir ce gigantesque problème, dont les romans-fleuves de Jorge Amado ont su dire l'inépuisable tragédie. Goutte d'eau, Minas Velhas est prise dans ce fleuve. Évidemment tout, chez elle, en est bouleversé. L'émigration porte sur les hommes jeunes, les plus qualifiés parfois, artisans que tentent les hauts salaires de Bahia ou, plus encore, de São Paulo. D'où bien des drames. Ceux des attentes — la ville a une population féminine surabondante —, ceux des retours; mais y a-t-il de vrais retours? Comment s'adapter à nouveau à l'existence en soi maussade de l'étroite ville?

En dehors de ses émigrants, Minas ne peut compter, pour vivre, que sur le travail de ses artisans : ouvriers du cuivre, forgerons, fabricants de selles, de harnais, de bagages, de dentelles et de fleurs artificielles, briquetiers, ferblantiers, couturières, tailleurs, charpentiers. Imaginez une ville médiévale, de très petite taille, qui travaille pour son propre marché et, quand elle le peut, pour des marchés lointains. Le marché proche, ce sont les paysans dont nous parlions il y a un instant, acheteurs de selles, de harnais, de couteaux, de fouets... Aussi bien, sur 95 artisans comptons-nous 39 métallurgistes (si l'on peut dire) et 28 artisans du cuir. La forge, c'est à peu de chose près celle des villages de France qu'a connue notre enfance, avec son soufflet rudimentaire. Dans la boutique, deux ou trois ouvriers aident le patron, généralement un fils ou un jeune parent, ou la femme du patron. L'acheteur achètera ainsi les produits fabriqués sous ses yeux, ou peu s'en faut. Nous voilà à notre gré, un instant, au XVIIIe siècle, au XVIIe, plus loin peut-être, n'importe où en Occident...

A côté du marché proche, le marché lointain (entendez par là l'intérieur du Brésil), par excellence la zone de la circulation muletière, encore en marge des voies ferrées, si peu nombreuses, et de la circulation des camions, celle-ci envahissante. Ce marché va vers

l'ouest jusqu'à Chique Chique, jusqu'au pèlerinage
du Bom Jesus de Lapa, sur le São Francisco, pèlerinage et foire tout à la fois. C'est là qu'affluent en
juillet, en même temps que les pèlerins, les marchands
ambulants de Minas Velhas, avec leurs mulets chargés
de marchandises les plus diverses. Ils vendent, reven-
dent, troquent, vendent à nouveau. Le patron qui leur
confie couteaux ou souliers, est bien convenu d'un prix
avec eux, mais l'opération se déroule à ses risques et
périls : le revendeur, quand il rentrera, lui rendra avec
ses comptes la marchandise non écoulée. Nous voilà,
fort loin dans le temps, peut-être en exagérant un peu,
au début de la *commenda* et du capitalisme marchand.
Le maître du jeu n'est pas celui qui produit, mais celui
qui transporte et qui vend. Comme on l'imagine
aisément, la zone touchée par ce trafic primitif est
menacée, sans cesse réduite par la mise en place de
nouveaux moyens de transport et l'arrivée de nouvelles
marchandises, les uns amenant les autres. A Vila
Nova parviennent déjà des souliers fabriqués dans
l'État voisin de Pernambouc. Hier, il y a vingt-cinq ans,
ces routes de l'intérieur, à partir de Minas Velhas,
touchaient Goyaz et même São Paulo : il n'en est
plus question aujourd'hui. Cependant cette zone
nourricière réduite permet encore à Minas Velhas de
maintenir tous ses échanges, trocs ou achats anciens.
Ainsi elle se procure ses métaux par une brocante
attentive : ferraille, vieux rails, zinc des moteurs
d'autos au rebut, cuivre des vieux chaudrons... Ses
marchands lui apportent même le métal nécessaire
à ses nickelages primitifs et qui tiennent mal. Il vaudrait
mieux, bien sûr, faire venir de Bahia du nickel en
feuilles. Mais comment le paierait-on? Les marchands,
eux, ramassent les vieilles pièces de nickel de 400 reis,
qu'on ne fabrique plus aujourd'hui, mais qui, bien que
démonétisées, courent sur ces circuits primitifs et
continuent à affluer parmi les aumônes au Bom Jesus
de Lapa. Un troc réussi et les voilà, après juillet, sur le
chemin de Minas.

Primauté des transporteurs, primauté aussi des capi-

talistes, des entrepreneurs. Comment ceux-ci surgis-
sent-ils? C'est une question que notre guide ne résout
pas tout à fait, ou traite trop vite, mais ces capitalistes
existent bel et bien, reconnaissables, s'ils sont peu
nombreux. Le secteur des métaux en connaît peu :
le monde artisanal semble ici s'être débrouillé de lui-
même, en fabriquant vite des objets de seconde qualité.
Le forgeron João Celestino le sait bien : « Le forgeron
n'a que son œil pour le guider », déclarait-il un
jour. Mais à quoi lui sert, excellent artisan, d'avoir
l'œil précis? « La vie d'aujourd'hui ne nous donne
plus l'occasion de faire une pièce décente de travail. »
Liberté et misère!

Il en va autrement dans le secteur du cuir : les bas
salaires aidant, est apparu le travail aux pièces (les
artisans, curieusement, y voient un signe de liberté et
d'indépendance, le salaire régulier les asservirait). Du
coup s'installe le travail à domicile, voire la spécialisation dans des ateliers nouveaux, car la « manufacture »
se met timidement en place. Nous sommes, ici, au
XVIᵉ ou au XVIIᵉ siècle. Le maître, c'est l'entrepreneur,
l'homme « qui fait travailler » les autres, ainsi le
Senhor Braulio, fabricant de sandales, de chaussures,
de bottes, de selles, qu'il vendra lui-même, marchand
en somme comme il y en eut tant jadis, à travers
l'Occident du premier capitalisme : il procure la
matière première, paie les salaires, assure les ventes;
il est une providence, pensent les artisans de Minas
Velhas. Je le veux bien, mais combien de temps le
sera-t-il encore? Tant que durera un système qui
repose sur la division du travail et la mise en jeu de
salaires très bas. Or ce système se heurte à bien plus
fort que lui : ailleurs, il y a des machines. Il n'y en a
pas, ou pour ainsi dire pas, à Minas. Un jour viendra
où même les paysans, les *tabareus* des environs, n'y
viendront plus acheter leurs souliers, leurs fouets ou
leurs couteaux gainés de cuir. Car la lutte est engagée
presque partout entre le Brésil d'hier, déjà très mal-
mené, et le Brésil impérieux d'aujourd'hui. C'est par
une économie ascétique, assez misérable, que la vieille

ville résiste à tant de conditions contraires. A ce
rythme, elle fait mal vivre ses riches, ou soi-disant
riches, plus mal encore ses pauvres, ses vrais pauvres.
On mesure cette médiocrité générale à la position qui
paraît à tous si enviable, celle du boutiquier de la
*venta*. Revendeur de produits alimentaires, de légumes,
de fruits, de sucre grossier (la *rapadura*), d'eau-de-vie
(la *cachaça*); prêteur, car tout ou presque tout se
vend à crédit, l'épicier assis sur sa chaise à longueur
de journée est l'heureux qui voit venir à lui les clients,
les rumeurs, le *movimento* entier de la ville.

IV

Ces images, documents vivants si soigneusement
mis en lumière, Marvin Harris nous pardonnera-t-il
de leur avoir donné, avec insistance, le prix d'un témoignage inestimable sur le passé? Comment mieux
comprendre le « petit » capitalisme des boutiquiers
médiévaux ou, s'il était nécessaire, le capitalisme à
longue distance de leurs contemporains : ils sont là,
l'un et l'autre, sous nos yeux, dans les premiers
chapitres si riches du livre et que nous avons suivis
pas à pas. Au delà, Marvin Harris poursuit, selon le
plan habituel des enquêtes ethnographiques : il avait
parlé du site, de la vie économique; il enchaîne et nous
entretient, dans des chapitres toujours précis et vivants,
des races, des classes, du gouvernement municipal,
de la religion, des croyances populaires, son souci
constant étant, chaque fois que la chose lui est possible, de montrer ou l'accord ou le désaccord entre la
ville et les petits villages de ses alentours. Il a le sentiment d'être là à l'une des grandes articulations de
toute enquête ethnographique, non sans raison.

Puis-je dire cependant que je ne suis pas tout à fait
d'accord avec ce plan habituel, appliqué une fois de
plus de façon très conventionnelle, *a priori?* Une

petite ville est-elle un bon champ d'observation dans l'actuel? Oui sans doute, à condition de ne pas être étudiée seulement pour elle-même et en elle-même, selon les règles trop fréquemment pratiquées par l'enquête ethnographique, mais comme un témoignage qu'il faut ramener à des plans multiples de comparaison, à la fois dans le temps et dans l'espace. En ce qui concerne Minas Velhas, il fallait mettre en cause son passé, le passé de sa région, celui du Brésil pris dans sa masse. Il fallait mettre en cause son environnement actuel, s'arrêter à Vila Nova, comme le voyageur l'a fait au début de ce livre, mais aussi pousser jusqu'à Formiga, jusqu'à Gruta, jusqu'à Sincora, y rester à loisir et même interroger l'ensemble de l'État de Bahia, ses villes, ses villages. Puis, sans doute, aller plus loin, au Brésil, ailleurs peut-être...

Mais expliquons-nous plus clairement encore. L'auteur ne nous cache pas, dès les premières pages de son livre, le caractère exceptionnel de Minas Velhas, la surprise qu'elle provoque chez le nouvel arrivé, en raison surtout de son allure citadine, mal accordée à ses dimensions et à sa pauvreté. Dès lors, la démarche de l'auteur sera simple : étudier dans tous ses aspects et tous ses détails actuels la vie de Minas Velhas, puis conclure, grâce à une comparaison avec les critères de la vie urbaine, tels que les définissent sociologues ou ethnographes, que Minas est bien, pour l'essentiel, une *ville*. Mais le problème capital, pour moi, du point de vue des sciences humaines, se pose différemment : pourquoi, dirai-je, ce cas aberrant? Et dans quelle mesure est-il aberrant? Est-ce un cas unique, extraordinaire? Se répète-t-il ailleurs, dans des conditions sensiblement analogues? Où, comment? Ces questions, la conclusion les aborde à peine, dans les seules pages de ce livre qui soient, à mon avis, évasives et imprécises.

Il me semble, pour ma part, que tout, dans la ville de Minas Velhas, n'est pas absolument original. Je soutiens que l'aberrant se réduit, pour l'essentiel, à ces structures socio-économiques que j'ai décrites à la suite de l'auteur. En un mot, le fait saillant, auquel personnellement j'aurais à la place de l'auteur consacré tous mes soins, bien au delà de ce que nous offre son intelligente mise au point, c'est le fait, surprenant en soi, que Minas Velhas ait, après la catastrophe des mines d'or, survécu et, notez-le, survécu comme une ville d'autrefois, avec de faibles revenus, une population médiocre. Cette survie, les mécanismes anciens qu'elle implique m'auraient presque exclusivement retenu. Je les aurais vus, revus, analysés en eux-mêmes, à la lumière aussi des mécanismes médiévaux ou à demi modernes que nous offre l'histoire européenne. J'aurais mesuré ce décalage chronologique. J'aurais calculé et compté plus encore que ne l'a fait notre guide (revenu global, par tête d'habitant), cartographié et mis en cause, de façon précise, l'aire de ces trafics...

Pour la survie de la ville, puisqu'elle possède des archives, je les aurais regardées de près. J'aurais essayé de savoir, pour bien marquer le point de départ, ce qu'elle était vraiment au temps de l'or, avec ses mineurs, ses artisans, ses boutiquiers, ses propriétaires fonciers, ses esclaves noirs, ses transporteurs. Au XIXᵉ siècle, Marvin Harris nous dit qu'elle survit comme centre administratif, le salaire des « fonctionnaires » remplaçant, en somme, la poudre d'or. Encore faut-il que le district ait permis cette vie nouvelle, qu'il ait eu les richesses, le peuplement suffisant, que tout un système d'échanges — celui qui est menacé de périr aujourd'hui d'un jour à l'autre — ait maintenu, en subsistant, le jeu urbain de Minas Velhas. Question subsidiaire : de quel horizon, au XIXᵉ siècle, sont sortis les nouveaux riches de Minas, car il y a eu alors des nouveaux riches?

J'ai, en 1947, dans une tout autre région de l'immense Brésil, fait un voyage moins poétique que celui de Marvin Harris, mais non moins révélateur. Ubatuba, sur la côte de l'Atlantique, dans l'État de São Paulo, pas trop loin de Santos, a connu, vers 1840,

son époque de splendeur. Elle fut liée alors par un
trafic actif de caravanes muletières à Taubaté, comme
Santos à São Paulo qui, alors, n'était qu'une toute
petite ville. Taubaté-Ubatuba, comme São Paulo-
Santos, c'est le mariage, l'association par-dessus la
puissante Serra do Mar, muraille de verdure entre la
côte et l'intérieur, d'un marché collecteur de café et
d'un port qui l'exporte à travers le monde entier.
Dans la lutte bientôt engagée, São Paulo-Santos l'ont
emporté, à tel point que, du chemin de fer projeté
entre Ubatuba et Taubaté, seules ont été construites
les gares. Aujourd'hui encore, la liaison de Taubaté
à Ubatuba se fait par un car qui réussit, Dieu sait
comme, la prouesse de suivre l'ancien chemin mule-
tier, piste glissante entre les deux villes : au départ,
Taubaté à qui l'industrie a donné une vie nouvelle;
à l'arrivée, Ubatuba, misérable, mangée par la végé-
tation tropicale. Ses anciennes maisons à étages (les
*sobrados*), abandonnées, ruinées par l'eau, par les
palmiers poussant entre les fissures des murs, mais de
forme imposante, son cimetière, avec ses plaques
funéraires d'une certaine richesse, disent seuls la
fortune ancienne du petit port. La ville d'Ubatuba
n'a pas survécu. C'est un village de paysans, de *cabo-
clos*. J'y ai rencontré la fille d'un ingénieur français,
illettrée, ne sachant plus un mot de sa langue maternelle, mariée à un *caboclo* et en tous points semblable à lui. Et pourtant, Ubatuba a ses fonctionnaires,
son juge de paix aussi, licencié de la Faculté de droit
de São Paulo, civilisé en exil dans un pays revenu bien
en deçà de Minas Velhas. Une soirée entière, j'ai
écouté à ses côtés un chanteur populaire, accompagné
d'un joueur de *violão* (qui est une sorte de guitare
à six cordes) : toutes les chansons du folklore étaient
à nouveau maîtresses ici, seules en place, et une
improvisation chantée, suivant l'antique usage, contait
l'épopée de la *chegada da luz*, l'arrivée de la lumière
électrique : n'avait-il pas fallu ouvrir, pour la ligne
et les poteaux, une tranchée, une *picada*, à travers la
forêt qui, descendue de la montagne, enserre la ville;

forêt impénétrable, mais non pas vierge, puisque, nous faisait remarquer le juge notre guide, on y retrouvait, ici ou là, les restes de plants de caféiers. Les plantations ont disparu, comme la ville elle-même, qui n'a trouvé ni le circuit qui lui aurait permis de vivoter, ni l'énergie en elle, qui aurait permis les adaptations. Minas Velhas, dans le circuit à vie ralentie du *Nordeste*, a eu plus de chance.

v

Comparé à ce problème central, le reste, le second paysage que nous offre Marvin Harris, me semble sans gros intérêt. Je doute, en effet, de son originalité. Qu'il s'agisse des croyances, du gouvernement municipal, de la passion politique, malgré toutes les nuances marquées par l'auteur, Minas me paraît vivre à l'heure générale du Brésil. Je suis troublé cependant par la façon dont Marvin Harris présente la question noire. Celle-ci est-elle aussi tendue qu'il le laisse à penser? En gros, il y a d'un côté les « riches Blancs » et de l'autre les « pauvres Noirs », selon la formule habituelle, et aussi, bien entendu, des Blancs qui ne sont pas riches du tout et des Noirs aisés, instruits, d'où une pyramide sociale assez bizarre, la stratification ne se faisant pas à l'horizontale mais de guingois. N'en est-il pas ainsi ailleurs, dans le voisinage même? La tension sociale et raciale en serait d'autant plus vive, je le veux bien, surtout au niveau du pauvre Blanc, celui dont la femme va elle-même chercher du bois, ou, preuve de misère à elle seule, faire la corvée d'eau ou de lavage à la rivière proche. Elle sera plus vive aussi, cette tension, au niveau du Noir aisé qui, invité chez les Blancs, mais pas comme un égal, reste dans son coin, craintif, mécontent, digne, trop digne. Cependant, faut-il attribuer à

Minas Velhas, du fait de sa vie tendue et fermée, un racisme particulier, bien anormal dans le cadre de la civilisation brésilienne? A l'échelle de la nation, la bonhomie règne entre peaux de couleur différente et il y a longtemps déjà que Gilberto Freyre a signalé leur fraternisation sexuelle. Assurément ce racisme, assez bénin, de petite ville, s'il existe, ne semble pas entrer dans la ligne historique du passé brésilien. Sur ce point, j'avoue que j'aurais aimé plus de lumière. L'étude des rivalités de club et de fanfare, d'enchères à la *fiesta*, le portrait poussé, un instant, de Waldemar, le seul conseiller noir de la ville, ne me donnent qu'une demi-satisfaction. Que penser, alors qu'on ne se réfère à aucun point de comparaison! Comment les mêmes problèmes, se posent-ils dans le voisinage, à Gruta, Formiga, Vila Nova, les villes voisines? La tension sociale et raciale est-elle différente, particulière à Minas Velhas? Et si oui, si elle se distingue des grands courants du pays tout entier, qui est coupable, le Noir, le Blanc, ou tous les deux? Mais songez que le Noir de Minas Velhas a rompu entièrement avec les cultes africains qui, ailleurs, sont la source vivante de son originalité. Ce simple fait est d'énorme portée... Mêmes remarques, à contre-pied encore, en ce qui concerne la religion. Le catholicisme de Minas Velhas paraît à Marvin Harris formel, extérieur, assez vide. Et sans doute a-t-il raison. Mais sans doute a-t-il tort d'en tirer certaines conclusions. J'ai peur que ne lui manque le contact avec les différents catholicismes d'Europe, notamment ceux d'Italie, d'Espagne, de Portugal qui, à un Français par exemple, paraissent également formels et extérieurs. C'est par rapport à des formes plus pures, disons plus dépouillées du christianisme que celui de Minas peut surprendre; mais alors aussi celui du Brésil tout entier! L'anticléricalisme que notre enquêteur cherche dans des textes de date différente, dans de « bonnes histoires », ne prouve pas grand-chose : il est dans la tradition d'un christianisme jeune, qui n'interdit pas le franc-parler ou les histoires un peu lestes. Je m'émer-

veille, en vérité, que malgré erreurs, ignorances, tié-
deurs, déviations qui ne sont pas niables, le christianisme soit planté là dans la vieille ville, et bien en
place, comme dans le reste du Brésil où il est une
composante essentielle de la civilisation. Je dirai la
même chose des superstitions : le Brésil moderne ne
s'en débarrassera pas en quelques années. Elles sont
aussi vives au cœur des très grandes villes que dans le
petit centre urbain de Minas Velhas ou ses campagnes
proches.

Mais arrêtons nos critiques qui, après tout, nous
ont permis de prolonger le plaisir évident de notre
lecture. J'aurais aimé certes que Marvin Harris
orientât autrement son livre; qu'il sût, à deux ou
trois reprises, pivoter sur lui-même, pour faire face
au passé du petit peuple qu'il avait sous les yeux;
qu'il distinguât le témoignage original de ces quelques hommes — l'aberration de Minas Velhas —,
du témoignage banal de la vie quotidienne de l'intérieur brésilien.

Mais, si je l'ai dit avec une certaine vigueur, c'est
beaucoup moins contre un auteur dont la finesse, la
sensibilité et la loyauté ne font aucun doute que contre
une anthropologie qui se fie trop à la valeur de l'enquête directe et impose à toute étude de l'actuel un
traitement uniforme, sans s'inquiéter des prolongements évidents et particuliers qui, en chaque cas,
s'offrent et qu'il faudrait dégager. C'est seulement à
propos de très bons livres, comme celui-ci, que l'on
peut tenter de prouver l'insuffisance obligatoire de la
méthode — car l'auteur n'est pas en cause — et
signaler une fois de plus les dangers, comme le disait
Lucien Febvre, des règles du « chef-d'œuvre », appli-
quées de confiance, quels que soient le sujet et la
stratégie particulière qu'il réclamerait. Quel dommage (1)!

(1) Quel dommage aussi que ce livre n'ait pas les illustrations
qu'il mériterait d'avoir. Pas une seule photographie!

# L'HISTOIRE DES CIVILISATIONS :

## LE PASSÉ EXPLIQUE LE PRÉSENT

La question discutée dans le présent chapitre (1) est assez insolite : l'histoire de la civilisation, telle qu'elle s'est développée du XVIIIe siècle, de *l'Essai sur les mœurs* de Voltaire (1756) à nos jours, peut-elle apporter des lumières à la connaissance du temps présent et donc, forcément, de l'avenir — car le temps d'aujourd'hui ne se comprend guère que lié au temps de demain? L'auteur de ces lignes (historien pour qui l'Histoire est à la fois connaissance du passé et du présent, du « devenu » et du « devenir », distinction dans chaque « temps » historique, qu'il soit d'hier ou d'aujourd'hui, entre ce qui dure, s'est perpétué, se perpétuera vigoureusement — et ce qui n'est que provisoire, voire éphémère), l'auteur de ces lignes répondrait volontiers que c'est toute l'Histoire qu'il faut mobiliser pour l'intelligence du présent. Mais dans cet ensemble de notre métier, que représente au juste l'histoire de la civilisation? Est-elle même un domaine original? Rafael Altamira n'hésitait pas à affirmer que « dire civilisation revient au même que dire histoire ». Guizot écrivait déjà (1828) : « ...Cette histoire [de la civilisation] est la plus grande de toutes, ...elle comprend toutes les autres ».

(1) Chapitre V de l'*Encyclopédie française*, tome XX, Le Monde en devenir (Histoire, évolution, prospective), Paris, Larousse dép. général,1959.

Sans doute s'agit-il là d'un vaste, d'un immense secteur de notre métier, jamais aisé cependant à circonscrire et dont le contenu a varié et continue de varier, suivant les interprétations, d'un siècle à l'autre, d'un pays à l'autre, d'un historien, d'un essayiste à l'autre. Toute définition s'avère difficile, aléatoire.

Et d'abord, il y a *la* civilisation, conception qui met en cause l'humanité entière, et *les* civilisations, celles-ci dispersées dans le temps et dans l'espace. En outre, le mot de civilisation ne voyage jamais seul : il s'accompagne immanquablement du mot de culture qui, pourtant, n'en est pas le simple doublet. Ajoutons qu'il y a aussi *la* et *les* cultures. Quant à l'adjectif *culturel*, il nous prodigue depuis longtemps des services ambigus, tant dans le domaine de la culture (comme le veut l'étymologie) que dans celui de la civilisation, où un adjectif particulier nous manque. Une civilisation, dirons-nous, est un ensemble de traits, de phénomènes culturels.

Voilà déjà un certain nombre de nuances, de confusions possibles. Mais, quel que soit le mot clef, cette histoire particulière, dite de la civilisation ou de la culture, des civilisations ou des cultures, est, à première appréhension, un cortège, ou plutôt un orchestre d'histoires particulières : histoire de la langue, histoire des lettres, histoire des sciences, histoire de l'art, histoire du droit, histoire des institutions, histoire de la sensibilité, histoire des mœurs, histoire des techniques, histoire des superstitions, des croyances, des religions (et même des sentiments religieux), de la vie quotidienne, pour ne pas parler de l'histoire, si rarement abordée, il est vrai, des goûts et recettes culinaires... Chacun de ces sous-secteurs (et j'en passe), plus ou moins développé, a ses règles, ses objectifs, son langage intérieur, son mouvement particulier et qui n'est pas forcément celui de l'histoire générale. La difficulté est de tout accorder. J'ai assez vainement essayé, au Collège de France, une année durant, de chercher les liens, pour le XVIe siècle européen, entre l'histoire des sciences, des techniques et les autres secteurs de l'histoire générale. Cependant, que ces histoires marchent, ou non, au même rythme, ne veut pas dire qu'elles soient indifférentes les unes aux autres. Contre Léon Brunschwicg et Étienne Gilson, contre une histoire autonome des idées, Lucien Febvre réclamait, à juste titre, les droits de l'histoire générale, attentive à l'ensemble de la vie dont rien ne peut être dissocié, sinon arbitrairement. Mais en reconstituer l'unité, c'est, sans fin, rechercher la quadrature du cercle.

Toutefois, on ne saurait hésiter quand se trouve en cause l'histoire de la civilisation, prise non plus dans un de ses secteurs, mais dans son ensemble; on voit mal alors comment elle pourrait se dissocier de l'histoire générale ou, comme l'on dit aussi, globale Car, si l'histoire de la civilisation s'affirme générale- ment comme un point de vue simplifié, elle reste tou- jours un essai d'interprétation, de domination de l'Histoire : elle pousse certaines vérités et certains aspects du réel sur le devant de la scène, mais ces vérités et réalités se veulent explications d'ensemble. Chaque fois, il y a ainsi mise en cause, à des plans différents, de l'histoire entière, saisie obligatoirement, si vite que ce soit, dans sa pleine épaisseur et donc sous tous ses aspects, aussi bien l'histoire traditionnelle que l'histoire sociale, ou l'histoire économique. Et même, si l'histoire de la civilisation a eu, si longtemps, une sorte de primauté aujourd'hui contestée, c'est qu'elle offrait alors la seule possibilité de déborder, Henri Berr disait « d'élargir » l'histoire traditionnelle, enfermée dans la stérilité de la chronique politique, « d'y faire entrer d'autres événements que la politique et d'autres acteurs que les personnages officiels ». Bref, d'atteindre, par des chemins nouveaux et plus sûrs, les horizons de l'Histoire et de l'explication générales. C'est ce qui donne leur sens aux combats si vifs, hier, d'un Karl Lamprecht en faveur de la *Kulturgeschichte*. Depuis que, assez récemment, l'His- toire s'est élargie en direction du social et de l'éco- nomique, l'étude des civilisations ne joue plus ce rôle offensif, bien qu'elle reste, de toute évidence, un champ exceptionnel de réflexion.

Cependant, tout compte fait, projeter sur le présent cette histoire complexe, encore indécise, l'amener vers une position qui ne lui est nullement habituelle, une position de « prospective », comme l'on dit aujourd'hui, c'est ouvrir un long, un difficile débat. Le présent chapitre ne prétend ni le résumer, ni le clore, tout au plus en dégager les données essentielles.

Encore faudra-t-il prendre quelques précautions. Deux au moins. La première, recourir (selon la tradition du Centre de Synthèse d'Henri Berr) à des recherches de vocabulaire : ces mots qui sollicitent et égarent notre attention doivent être saisis dans leurs origines, replacés sur leurs orbites, nous devons savoir s'ils sont de vrais ou de faux amis. Seconde précaution : sous le vocable de civilisation ou de culture, quel groupement, quelle constellation de forces, de valeurs, d'éléments *liés* doit-on supposer, en toute bonne foi? Les définitions, ici, s'imposeront impératives, claires... S'il n'y a pas, sur le terrain où nous nous engageons, une certaine cohérence, si une observation préalable et accessible à tous n'est pas « scientifiquement » possible, si nous ne sommes pas résolument hors des prises d'une métaphysique de l'Histoire, alors, évidemment, notre tentative est condamnée à l'avance.

I

CIVILISATION ET CULTURE

## Origine et fortune de ces mots.

*A priori*, étonnons-nous qu'il n'y ait que deux mots, agiles et douteux amis, nous allons le voir, mais deux mots seulement pour dominer et saisir un si vaste domaine, *civilisation* et *culture* (leur passage au plu-

riel accroît leur signification, non pas leur nombre).
Quant à *culturel*, venu chez nous et chez les autres
à partir de l'allemand, vers 1900, il ajoute une com-
modité d'écriture ou de langage, rien de plus. Deux
mots, c'est peu, d'autant que, souvent, un seul est en
service.

Ainsi, jusqu'en 1800, culture ne compte guère.
Au delà, la concurrence s'engage entre les deux mots.
Il arrive encore qu'ils soient confondus, ou que l'un
soit préféré à l'autre, ce qui revient à rétablir, si je ne
m'abuse, une conception unitaire de l'idée de civilisation ou de culture. Mais ces tendances à l'unité ne
sont pas la règle. De plus en plus, la concurrence est
vive entre les deux mots et celle-ci régulièrement
aboutit à des partages. Alors est brisée l'unité du
vaste royaume, morcelée l'intégrité de larges problèmes : d'où des guerres sournoises d'idées et bien
des erreurs. Bref, ces querelles de mots qui, au premier abord, peuvent sembler et sont souvent fasti-
dieuses, nous conduisent plus d'une fois au cœur
même de la discussion si, bien entendu, elles ne suf-
fisent pas à y apporter toute la lumière.

Culture et civilisation naissent en France à peu
près au même moment. Culture, dont la vie antérieure
est longue (Cicéron parle déjà de la *cultura mentis*),
ne prend vraiment son sens particulier de culture
intellectuelle qu'avec le milieu du xviiie siècle. A
notre connaissance, civilisation apparaît pour la première fois, dans un ouvrage imprimé, en 1766. Sans
doute a-t-il été employé plus tôt. En tout cas, il naît
bien longtemps après le verbe et le participe, *civiliser*
et *civilisé*, qui sont décelables dès le xvie et le
xviie siècle. Il a fallu bel et bien inventer, fabriquer
le substantif *civilisation*. Dès sa naissance, il désigne
un idéal profane de progrès intellectuel, technique,
moral, social. La civilisation, ce sont les « lumières ».
« Plus la civilisation s'étendra sur la terre, plus on
verra disparaître la guerre et les conquêtes, comme
l'esclavage et la misère », prophétise Condorcet,
en 1787. Dans ces conditions, elle ne peut guère s'ima-

giner sans qu'il y ait, pour la soutenir, une société de
bon ton, fine, « policée ». A son opposé, se place la
*barbarie* : sur celle-ci, celle-là s'affirme une victoire
difficile, nécessaire. De l'une à l'autre, c'est en tout
cas, le grand passage. Mably écrit, en 1776, s'adres-
sant à un comte polonais de ses amis : « Dans le
siècle dernier, vous fûtes menacés d'un grand danger
lorsque la Suède sortit de la barbarie, sous l'admi-
nistration de Gustave Adolphe... ». De même, écrit-il
encore : « Pierre 1er retira sa nation (la Russie) de
l'extrême barbarie où elle était plongée ». Mais
remarquez que le mot de civilisation n'arrive pas
aussitôt, en contrepoint, sous la plume de l'abbé. La
fortune du mot ne fait que commencer.

Elle sera brillante, plus brillante encore qu'utile,
c'est du moins l'avis de Joseph Chappey, dans un
livre vigoureux et revendicateur (1958). Un demi-
siècle durant ,« civilisation » va, sans doute, connaître
un large succès de langage et d'écriture, mais non pas
tout à fait un succès scientifique. « L'homme, écrit
Joseph Chappey, n'a pas su prendre alors conscience
de l'importance du mot. » Il eût fallu, pour donner
satisfaction à notre critique, que toutes les sciences
naissantes de l'homme se missent au service du mot
nouveau et des acquisitions immenses qu'il signifiait.
Il n'en fut rien. Les sciences de l'homme étaient
encore dans l'enfance, à la recherche d'elles-mêmes.
Et cette société « policée », optimiste, qui avait donné
au mot son premier équilibre, allait disparaître assez
vite, avec les transformations et révolutions par quoi
le XVIIIe siècle, comme l'on sait, se soude dramatique-
ment au XIXe. Une grande occasion a peut-être été
perdue.

En tout cas, vers 1850, après bien des avatars,
*civilisation* (et en même temps *culture*) passe du singulier au pluriel. Ce triomphe du particulier sur le
général se situe assez bien dans le mouvement du
XIXe siècle. En soi, cependant, quel événement considérable, reflet d'autres événements et d'autres transformations! Civilisations ou cultures au pluriel, c'est

le renoncement implicite à une civilisation qui serait définie comme un idéal, ou plutôt l'idéal; c'est en partie négliger des qualités universelles, sociales, morales, intellectuelles qu'impliquait le mot à sa naissance. C'est déjà tendre à considérer toutes les expériences humaines avec un égal intérêt, celles d'Europe comme celles des autres continents.

A ce morcellement de « l'immense empire de la civilisation en provinces autonomes » (Lucien Febvre), voyageurs, géographes, ethnographes n'ont pas peu contribué, dès avant 1850. L'Europe découvre, redécouvre le monde et doit s'en accommoder : un homme est un homme, une civilisation une civilisation, quel que soit son niveau. Il y a eu multiplication, à ce jeu, des civilisations « de lieu » et dans le temps de l'histoire fractionné par les spécialistes jusqu'à l'absurde, multiplication de « diaboliques » (1)* civilisations d'époque. Il y a ainsi émiettement de la civilisation dans la double direction du temps et de l'espace. Eût-on parlé, au temps de Voltaire et de Condorcet, de la culture des Eskimos ou, plus encore, comme l'a fait dans une thèse magistrale Alfred Métraux, de la civilisation des Tupi-Guaranis, ces Indiens du Brésil? Et pourtant Voltaire a été le premier, sans prononcer le mot, avec son *Siècle de Louis XIV* (1751), à parler d'une « civilisation d'époque ». Indéniablement, le pluriel triomphant du XIX<sup>e</sup> siècle est un signe de réflexions, de mentalités, de temps nouveaux.

Ce triomphe, plus ou moins net vers 1850, ne se marque pas seulement en France, mais à travers l'Europe entière. N'oublions pas, en effet, que les mots essentiels, comme bien d'autres choses, voyagent sans arrêt, passent d'un pays à l'autre, d'une langue à l'autre, d'un auteur à l'autre. On échange les mots comme balle, mais au retour, la balle n'est jamais tout

(1) Joseph Chappey, p. 370.
\* Les références qui correspondent aux appels de notes ont été rédigées sommairement. La bibliographie à la fin de l'article fournit, au nom de chaque auteur cité, les références complètes.

à fait la même qu'au départ. C'est ainsi que, retour d'Allemagne — d'une Allemagne admirable et admirée, celle de la première moitié du XIXᵉ siècle — *culture* arrive en France avec un prestige et un sens nouveaux. Du coup, le modeste second devient, ou essaie de devenir, le mot dominant dans toute la pensée occidentale. Par culture, la langue allemande désigne, dès Herder, le progrès intellectuel et scientifique, qu'elle détache même volontiers de tout contexte social; elle entend, de préférence, par civilisation, le simple côté matériel de la vie des hommes. Elle déprécie un mot, elle exalte l'autre. Marx et Engels diront, dans le *Manifeste du Parti communiste* (1848) : « La société a aujourd'hui trop de civilisation, [c'est-à-dire] trop de moyens de subsistance, trop de commerce. »

Cette position vis-à-vis de civilisation et de culture se maintiendra dans la pensée allemande de façon tenace. Elle y répond, comme on a dit (1), à la dichotomie, familière à son génie, entre esprit et nature *(Geist* et *Natur)*. Dans cette ligne même, Ferdinand Tönnies (1922) ou Alfred Weber (1935) voient encore, sous le nom de civilisation, l'ensemble des connaissances pratiques, ou même intellectuelles, en bref de tous les moyens impersonnels qui permettent à l'homme d'agir sur la nature; dans la culture, au contraire, ils ne reconnaissent que des valeurs, des idéaux, des principes normatifs. Pour Thomas Mann, « ...culture équivaut à la vraie spiritualité, tandis que civilisation veut dire mécanisation » (2). Un historien allemand (3) écrit donc, en 1951, de façon caractéristique : « Il est aujourd'hui du devoir de l'homme que la civilisation ne détruise pas la culture, et la technique l'être humain ». Rien de plus clair. Cependant, même en Allemagne, ce langage n'est pas le seul à avoir cours. En 1918-1922, Oswald Spengler modifie un peu le rapport habituel. Il voit dans la culture les débuts, la verve créatrice, le printemps fécond

(1) Philip Bagby p. 160.
(2) Citation prise à Armand Cuvillier, II, p. 670.
(3) Wilhelm Mommsen, cité par Chappey, p. 444.

de toute civilisation; la civilisation, au contraire, c'est l'arrière-saison, la répétition, le mécanisme vide, la grandeur apparente, la sclérose. Il y a pour Spengler « déclin » de l'Occident, non pas à cause de difficultés particulières, de menaces tragiques, qu'il ne nie pas, mais du simple fait de l'arrivée de l'Occident au stade de la civilisation, disons de la mort vivante. Et c'est dans ce sens que s'explique la phrase récente, anodine en soi, venue naturellement sous la plume d'un historien allemand, G. Kuhn (1958), quand il montre, à la fin des grandes invasions, la victoire des paysans de Germanie sur la vieille Rome. C'est, dit-il, « la victoire du paysan sur le guerrier, de la campagne sur la ville, de la culture sur la civilisation ».

Mais cette prédilection allemande de longue durée, à partir de 1848 et du romantisme, en faveur de culture, n'a pas clos un débat ouvert presque dès le principe. En Angleterre et en France d'ailleurs, le mot : *civilisation* s'est assez bien défendu et tient toujours la première place. En Espagne aussi où, en 1900-1911, la grande Histoire, en son temps révolutionnaire, de Rafael Altamira s'intitulait *Historia de España y de la Civilización Española*. Voyez aussi, en Italie, le rôle éminent du mot, quant à lui très ancien, de *civiltà*. Chez nous, je doute que les auteurs (1) d'une récente *Histoire de la civilisation française* (1958), qui vient de prendre, avec un certain brio, la suite et la relève du manuel classique et ancien d'Alfred Rambaud, jugent que la France soit, ou enfoncée dans la vie matérielle, ennemie de l'esprit, ou prise dans la monotonie de la répétition et de la vieillesse, à l'écart, dès le principe, des fontaines et sources de jouvence, sans quoi aucune création n'est possible. Henri Marrou proposait, il y a déjà vingt ans, de réserver le mot *culture*, en français, à la « forme personnelle de la vie de l'esprit » et civilisation aux réalités sociologiques. Civilisation, à ce partage, conser-

---

(1) Georges Duby et Robert Mandrou.

verait un assez joli lot... En fait, je crois que J. Huizinga a raison quand il voit, à l'échec de Spengler
(j'y reviendrai dans un instant), une raison supplémentaire : l'essayiste allemand a sous-estimé le mot
de civilisation qu'il attaquait si vivement, je veux
dire qu'il a sous-estimé sa puissance « internationale »,
hors d'Allemagne.

Mais le danger, si danger il y a pour le mot de
civilisation dont je ne suis ni le défenseur ni l'ennemi,
vient beaucoup plus de l'entrée en jeu des anthropologues et ethnographes que de l'obstination, en soi
défendable, des penseurs allemands. Depuis le livre
décisif d'Edward Burnett Tylor (1871), plus que de
civilisations primitives, c'est de cultures primitives
qu'ils ont pris l'habitude de parler, ce qui ne gênerait
guère les historiens si anthropologues et ethnographes
n'étaient à peu près les seuls, aujourd'hui, à parler
scientifiquement, « objectivement », des problèmes de
civilisation (1). A lire leurs travaux, leur langage nous
devient familier. Il risque de s'imposer à tous, un
beau matin.

Qu'en conclure, sinon ceci : plus encore que ne
nous le diraient les lexicologues, culture et civilisation ont bourlingué à travers le monde, à travers
pensées et goûts contradictoires du monde, d'où mille
avatars devant lesquels il convient d'être, pour le
moins, prudents. Tous les mots vivants changent et
doivent changer, ceux-ci comme tant d'autres. Ne
serait-ce qu'en raison des nécessités du vocabulaire
scientifique, des progrès insidieux de l'adjectif culturel — les neutres font toujours fortune —, en raison
des crises de conscience et de méthode que connaissent toutes les sciences de l'homme. L'enquête récente
d'A. L. Kroeber et de Clyde Klukhohn, deux des

(1) A partir de la culture : celle-ci, dans un groupe donné est
ce qui se transmet, hors de l'hérédité biologique, par l'hérédité
sociale — le « modèle » de comportements sociaux, le « complexe » de modes de vie caractéristiques. A ce sujet, le point de
vue d'un philosophe, Pietro Rossi, « Cultura e civiltà come
modelli descrittivi », in *Rivista di Filosofia*, juillet 1957.

plus célèbres anthropologues américains, l'établit péremptoirement en ce qui concerne le mot de culture : elle énumère les 161 définitions, différentes il va sans dire, qui ont été données du mot, sans compter celles qui viendront par la suite! Dans son *Manuel de sociologie*, Armand Cuvillier compte au moins une vingtaine de sens différents de civilisation. C'est beaucoup, peut-être beaucoup trop. Arbitrer ces débats, mieux vaut n'y pas songer... Henri Pirenne disait un jour (1931), contre les tentatives et tentations du Centre de Synthèse, préoccupé alors de fabriquer un vocabulaire historique, que l'historien avait avantage à se servir, à l'exclusion des autres, des mots vivants du langage courant, et donc à s'écarter résolument d'un vocabulaire immobilisé, sclérosé, comme celui des philosophes (qui d'ailleurs, pas plus que celui des mathématiciens, ne cesse de bouger, lui aussi, quoi qu'on dise). Je serais volontiers de l'avis de Pirenne : utilisons les mots tels qu'ils se présentent à nous, dans leur sens vivant, provisoirement vivant. Mais soyons conscients des autres possibilités qu'ils proposent, qu'ils ont proposées, des trahisons aussi qu'ils nous préparent.

Car ces mots vivants, indisciplinés, chacun peut en faire, ou presque, ce qu'il veut. Un jeune anthropologue américain, Philip Bagby, nous propose, dans un livre sympathique et intelligent (1958), de réserver *civilisation* aux cas où des villes sont en cause et *culture* aux campagnes non urbanisées, la civilisation étant toujours, à ce prix, une culture de qualité, un stade supérieur. La solution est peut-être bonne, dont la paternité ne lui incombe pas au demeurant, mais je ne crois guère possible d'assagir les mots, une fois pour toutes, quelle que soit la valeur de la définition ou de la convention proposée. Des changements se préparent encore sous nos yeux, du simple fait de notre tendance actuelle à assortir nos substantifs équivoques d'adjectifs qui le sont moins et à parler de civilisation (ou de culture) matérielle, morale, scientifique, technique, ou même économique (un livre de

René Courtin s'intitule : *La civilisation économique du Brésil*).

La querelle des mots n'est donc pas achevée. Et peut-être nous faut-il, plus qu'on ne le pense, dans le domaine en ébullition des sciences de l'homme où il y a encore tant d'imprévu, des mots déformables, riches de sens multiples, capables de s'adapter à l'observation (et à ses surprises), non de la gêner. J'avoue que, jusqu'à nouvel ordre, j'emploierai volontiers ces mots clés l'un pour l'autre — le sens viendra du contexte — ou si l'alternance devenait dangereuse, je me rabattrais sur l'adjectif culturel, dont l'usage ne me paraît pas « barbare » (Joseph Chappey), mais commode. Je pourrais remplir une page entière, d'ailleurs, en remontant seulement jusqu'à Hegel, de noms d'auteurs de grande et moins grande taille, qui, sans trop y regarder, et malgré des définitions préalables, ont employé les deux mots l'un pour l'autre. Il y a, je crois, des confusions ou des partis pris autrement graves.

## Essais de définition.

En tout cas, les mots étant ce qu'ils sont, nous maintiendrons sans peine, à leur endroit, notre liberté de jugement et d'action : ce premier point nous est acquis. Mais nous serons moins à l'aise à l'égard des choses signifiées. Disons-le à regret : comme les autres spécialistes du social, les historiens qui se sont occupés de la civilisation nous laissent, sur ce qu'ils entendent par là, au milieu de grandes incertitudes. La « civilisation » leur est un moyen — licite ou non — de réduire l'Histoire à de grandes perspectives — *leurs* perspectives. D'où des choix, des vues autoritaires, justifiables en soi, mais qui morcellent le domaine de la civilisation, le réduisent chaque fois à un seul de ses secteurs. Que d'un auteur à l'autre, le secteur change, suivant le choix ou l'intention, cela ne simplifie pas la tâche de qui doit décider, en fin de compte, de l'utilité de l'histoire de la civilisation pour l'intelligence du monde actuel. Aucun de nos auteurs — pas même Arnold Toynbee — ne semble éprouver la nécessité de nous donner la définition, la vue d'ensemble de ce qui constitue, pour lui, la civilisation. C'est si clair, n'est-ce pas ? Si clair qu'il nous faudra découvrir pour notre compte, de livre en livre et d'après leur contenu, comment les historiens entendent leur tâche et par suite dessinent la nôtre.

*Chez Guizot.* — Les beaux livres de François Guizot, que l'on a toujours plaisir à lire, *Histoire de la civilisation en Europe, Histoire de la civilisation en France* (1829-1832) — à quoi il faut au moins ajouter la préface qu'il rédigea pour la réédition du premier de ces volumes en 1855 — ces beaux livres peuvent nous servir de point de départ. Sans doute ne précisent-ils pas nettement leur objet et c'est bien dommage. Mais pour Guizot, la civilisation est avant tout, au sens du XVIII<sup>e</sup> siècle, un progrès. Progrès double en vérité : social et intellectuel. L'idéal serait une harmonie, un équilibre entre ces deux plateaux de la balance. L'Angleterre n'a-t-elle pas plutôt réalisé un progrès social, l'Allemagne un progrès intellectuel, tandis que la France s'engageait, quant à elle, également dans l'une et l'autre voie ? Mais ce n'est guère ce qui nous importe ici. L'intéressant, c'est de voir comment, pour Guizot, la civilisation, avec son double mouvement, s'incorpore dans un peuple — la France — ou dans cet autre « peuple » (Lucien Febvre) qu'est l'Europe, bref dans un corps particulier. Malheureusement, il ne saisit ce jeu que limité au seul cadre de l'histoire politique, ce qui en rétrécit singulièrement l'ouverture. D'autant qu'en dernière analyse, pour Guizot, la politique se place elle-même, comme on le lui a sans doute trop reproché, sous le signe manichéen de la lutte entre deux principes : l'autorité, la liberté — la lutte ne s'apaisant que grâce à des compromis utiles, plus ou moins sages, telle peut-être la Monarchie de Juillet. Grande théorie, petit aboutissement, dira-t-on, tant il vrai que le spectacle du temps présent est rarement vu à l'échelle de l'Histoire par un contemporain, fût-il historien et homme d'action.

« Deux grandes forces, écrit Guizot, dans sa Préface de 1855, deux grands droits, l'autorité et la liberté, coexistent et se combattent au sein des sociétés humaines... Je suis de ceux qui, passant de l'étude à une scène plus agitée, ont cherché, dans l'ordre politique, l'harmonie active de l'autorité et de la liberté, leur harmonie au sein de leur lutte, d'une lutte avouée, publique, contenue et réglée dans une arène légale. N'était-ce qu'un rêve?... »

*Chez Burckhardt.* — *Die Cultur der Renaissance in Italien*, le livre de Jacob Burckhardt, « l'esprit le plus sage du XIXᵉ siècle », comme le dit non sans raison J. Huizinga, paraissait en 1860, à tirage restreint. Ouvrons-le : il nous transporte dans un monde bien différent de celui de Guizot. L'Occident, cette fois, n'est mis en cause ni dans tout son espace, ni dans tout son passé. Un instant seulement, très lumineux, est retenu du vaste album de la civilisation d'Occident. La Renaissance, dont Jacob Burckhardt, après Michelet (1855), lance le nom, est saisie à ses sources italiennes, avec un luxe de recherches et de précisions que l'actuelle érudition a dépassées sans doute mais n'a pas fait oublier, tant l'intelligence de ce livre est évidente, rayonnante, toujours au delà de ce que permettaient les perspectives d'hier. Cependant Jacob Burckhardt, au milieu de sa vie, est-il alors dans la possession entière de sa vision de l'Histoire, cette réduction à la « triade » dont il dira, plus tard, que tout le passé des hommes s'y rapporte : l'État, la Religion, la Culture? Large place, merveilleuse place est faite à l'État, aux États de l'Italie du XVᵉ et du XVIᵉ siècle ; ensuite, les valeurs artistiques de la culture sont étudiées avec goût et intelligence (pour lui elles dominent tout); la religion, par contre, est réduite à la portion congrue. Il y a pis : au delà de cette « triade », rien n'est dit sur les corps matériels et sociaux de l'Italie de Laurent le Magnifique, rien ou presque rien. La « superstructure » visée et atteinte par ce livre, toujours éblouissant, reste aérienne, suspendue, en dépit du goût du concret qui l'anime... Est-ce raisonnable? Je veux dire est-ce raisonnable pour nous, historiens, d'en rester, un siècle plus tard, à cette image d'ensemble qu'aucune autre n'a vraiment remplacée depuis lors?

Il serait utile de voir dans quelle mesure Jacob Burckhardt se situe, ou non, dans le mouvement même de la *Kulturgeschichte* allemande, dessinée dès Herder (1784-1791), vulgarisée par la parution du livre de Gustav Klemm (1843-1852). L'historiographie allemande du milieu du xixe siècle cède à une bien dangereuse dichotomie, comme le montre en clair, à lui seul, le gros manuel d'*Histoire universelle* de G. Weber (1853), qui traduit, jouera un si grand rôle en Espagne. Le manuel de Weber distingue une histoire externe (la politique) d'une histoire interne (culture, littérature, religion). Mais une histoire « interne », à elle seule, constitue-t-elle une réalité en soi?

*Chez Spengler.* — C'est dans un tel monde, en tout cas, que nous enferme, à double tour, le livre véhément, brûlant encore d'Oswald Spengler, le *Déclin d'Occident* (1918-1922), auquel il faut nous arrêter assez longuement. J'ai tenu à le relire attentivement avant d'écrire ces lignes. Il me semble qu'aujourd'hui, à la différence de Lucien Febvre hier, il est possible de le juger hors des circonstances qui ont accompagné et suivi sa naissance. Indéniablement, l'ouvrage a gardé grande allure, par son ton, l'ampleur de ses vues, sa passion de comprendre, son goût des hauteurs.

Pour Spengler, chaque culture est une expérience unique. Même s'il s'agit d'une culture fille d'une autre, elle s'affirme, tôt ou tard, dans sa pleine originalité.

Fort tard, parfois. Ainsi, pour notre propre civilisation occidentale : « il a fallu longtemps pour trouver
le courage de penser notre propre pensée », c'est-à-
dire pour nous affranchir des leçons de l'Antiquité.
Mais enfin nous nous en sommes affranchis. Une
culture s'affranchit toujours, ou alors elle n'est pas
une culture.

Et qu'est-ce qu'une culture? tout à la fois un art,
une philosophie, une mathématique, une manière de
penser, toutes réalités jamais valables, jamais compréhensibles, en dehors de l'esprit qui les anime. Il
y a autant de morales, dira Spengler, que de cultures,
ce que Nietzsche avait deviné ou suggéré; de même
il y a autant de philosophies (dirons-nous, en souriant, autant d'histoires, d'historiographies?), autant
d'arts, autant de mathématiques. L Occident se distingue ainsi par une originalité mathématique indéniable : sa découverte du nombre-fonction. La mise
en place du calcul infinitésimal est donc présentée
dans les pages mêmes qui ouvrent l'ouvrage : elles
sont d'ailleurs d'une beauté que rien n'a ternie.

Une culture se définissant par ses quelques lignes
originales, plus encore par la gerbe particulière de ces
originalités, la méthode de l'historien des civilisations
sera simple : il dégagera, il étudiera ces originalités.
Il lui suffira, ensuite, de les rapprocher, de les comparer pour comparer ces civilisations elles-mêmes. Du
coup, nous voilà entraînés dans d'étranges voyages
au long du temps, à travers siècles et millénaires. On
pense à ces descriptions, à ces anticipations que nous
valent, aujourd'hui, les voyages interplanétaires :
brusquement hors des lois de la pesanteur, tous les
bagages, tous les corps quittent leur place, flottent
librement, étrangement côte à côte. Ainsi se heurtent
ou se côtoient chez Spengler la musique de contrepoint, la Monarchie de Louis XIV, le calcul infinitésimal de Leibniz, la peinture à l'huile et les magies
de la perspective, la colonne dorique, la cité grecque...
Tous ces bagages ont perdu leur poids historique.

A ce jeu qui ne peut faire illusion la très critiquable

pensée de Spengler, comme la plus ordinaire ou la plus sage des pensées historiques, se heurte sans fin au difficile, à l'irritant problème de la liaison des éléments culturels entre eux et, plus encore (mais ici Spengler sera on ne peut plus discret), à celui de leur liaison avec les éléments non culturels. Ces derniers, notre auteur les néglige, comme il néglige tout ce qui, l'espace d'une seconde, gênerait son raisonnement. L'argent n'est ainsi qu' « une grandeur anorganique » et voilà, ou peu s'en faut, pour toute l'histoire économique. Quant aux événements à sensation, on s'en débarrasse non moins allègrement, dans une phrase assurément curieuse : « Pensez au coup d'éventail du dey d'Alger et autres chinoiseries *(sic)* semblables qui remplissent la scène historique de motifs d'opérette. » Donc pas d'opérettes, la politique a disparu du coup. On procédera non moins vite avec le social. Que reste-t-il? Les « cultures », et leur faisceau de liaisons, si évidentes qu'il est inutile de les analyser : elles sont, un point c'est tout. N'est-il pas évident, par exemple, que la musique est au cœur du « devenir » occidental au XVIII$^e$ siècle? Spengler écrira sans sourciller : « L'Allemagne a produit les grands musiciens, par conséquent aussi les grands architectes de ce siècle : Pöppelmann, Schlüter, Bähr, Neumann, Fischer d'Erlach, Dienzenhofer. »

Bref, « chaque culture particulière est un être unitaire d'ordre supérieur » : le plus grand personnage de l'Histoire. Mais personnage serait un mauvais terme, organisme ne serait pas meilleur. Comme on le remarquait récemment (1), les cultures, dans la pensée de Spengler, sont des êtres, mais nullement au sens de la biologie; plutôt, au sens de la pensée médiévale, des corps inertes, si une âme ne les anime pas (la *Kulturseele*). Ce que pourchasse ce livre passionné sous le nom de culture d'Occident, c'est en définitive un être mystique, une âme. D'où ses rituelles affirmations : « une culture naît au moment

(1) Otto Brunner, p. 186.

où une grande âme se réveille », ou, ce qui revient
au même : « une culture meurt quand l'âme a réalisé
la somme entière de ses possibilités ».

Nous voici au centre de la pensée d'Oswald Spengler,
face à l'explication qui l'a enfiévré, enflammé. L'histoire — mieux, le « destin » d'une culture est un
enchaînement, nous dirions dans notre jargon d'aujour-
d'hui, une structure dynamique et de longue durée.
La vie lente d'une culture lui permet de s'établir,
puis de s'affirmer longuement, enfin tardivement de
mourir. Car les cultures sont mortelles. Mais chacune
développe, doit développer, au préalable, toutes les
possibilités d'un programme idéal qui l'accompagne
dès ses premiers pas : l'esprit « apollinien » des civilisations antiques, l'esprit « faustien » de l'occidentale...
Au delà d'un certain terme, d'ordinaire lent à venir,
toute puissance créatrice s'avère épuisée, la culture
mourra de ne plus avoir de programme; « la culture
se fige brusquement, elle meurt, son sang coule, ses
forces se brisent : elle devient civilisation ». La civilisation se définit donc comme un aboutissement
inéluctable, présenté sous de sombres couleurs. Une
civilisation est du « devenu », non plus du « devenir ».
Elle est sans destin, car « le destin est toujours jeune ».
Elle est l'hiver, la vieillesse, Sancho Pança! Don
Quichotte, bien sûr, c'est la culture.

Ce destin noir est inéluctable; il s'impose à toutes
les cultures, un peu plus tôt, un peu plus tard, comme
un cycle de vie dont les phases se répètent, semblables.
Tellement semblables que Spengler n'hésite pas à les
rapprocher à travers l'espace chronologique ou géographique qui les sépare, mais qu'il faut abolir en
pensée pour les voir et les montrer telles qu'elles
sont : « contemporaines », jumelles en vérité, assure
Spengler. Avec la Révolution française et Napoléon
qui, pour plus d'un siècle, vont donner son visage à
l'Europe, sonne l'heure de la *civilisation* d'Occident.
L'événement est le même que celui qui s'annonce avec
les décisives conquêtes d'Alexandre et les grandes
heures de l'hellénisme : la Grèce était une « culture »;

Rome, qui bientôt prend la relève, sera une « civilisation ». Admettez donc qu'Alexandre et Napoléon sont « contemporains », qu'ils sont l'un et l'autre « des romantiques au seuil de la *civilisation* ». Ou dites, dans une formule analogue : « Pergame fait pendant à Bayreuth », car Wagner mérite les colères de Nietzsche : il n'est qu'un homme de la *civilisation* occidentale.

Il serait vain de s'acharner, après tant d'autres, sur ces trop grandes et naïves simplifications. A quoi bon? Comparer le *Déclin de l'Occident* au *Déclin de l'Europe* (1920), ce livre d'Albert Demangeon, son contemporain raisonnable, c'est opposer, à la poésie, la prose. Laissons à d'autres cette sagesse. Mais résumons-nous : dans la tentative d'Oswald Spengler, deux opérations sont à distinguer. Des soi-disant fatras de l'histoire, de ses faux enchaînements, il a voulu dégager, coûte que coûte, le destin des valeurs spirituelles à quoi, pour lui, se réduisent cultures et civilisations; ensuite, et c'était le plus difficile et le plus contestable, il a voulu organiser en *un* destin, en une succession cohérente de phases, en *une* histoire, l'épanouissement de ces valeurs spirituelles, lentes à se dégager, mais plus fortes que toute force au monde, et qui, cependant, un beau jour, ne continuent plus à vivre que sur leur lancée ancienne. D'entrée de jeu, cette double opération ne paraît pas licite à un historien raisonnable, j'y reviendrai. Mais il y a, heureusement, des historiens moins raisonnables que d'autres. Je crois qu'Arnold Toynbee, qui n'a pas les imprudences d'Oswald Spengler, est de leur nombre. Son attitude, sur ces deux points précis, ne diffère guère de celle de Spengler.

*Chez Toynbee.* — J'avoue avoir lu et relu, parfois avec enthousiasme, les livres clairs, les plaidoiries habiles, les évocations intelligentes d'Arnold Toynbee. J'aime ses lenteurs calculées, l'art qu'il met à construire et défendre, coûte que coûte, un système, au demeurant assez capricieux. Plus encore, j'aime ses exemples (tous les historiens raisonnent à partir d'exemples), ses mises au point dont, souvent, les côtés faibles n'apparaissent guère, et encore, qu'à la seconde réflexion. La révolution qu'entraînent les grandes découvertes, vers 1500, est-ce vraiment la victoire du navire d'Europe sur la circulation caravanière du Vieux Monde, cette navigation terrestre sur la « mer sans eau »? Alors qu'il y a une puissante navigation arabe, une navigation chinoise... Peut-on écrire, même par inadvertance ou avec des arrière-pensées : « Les Albigeois furent écrasés pour reparaître de nouveau comme Huguenots »? Mais peu importe! Seules, d'un livre, comptent les réussites et, ici, elles sont nombreuses. Le lecteur d'Arnold Toynbee profite, aux côtés d'un guide averti, d'une richesse inouïe d'information et de réflexion. Près de lui, la contemplation de vastes horizons historiques s'avère salutaire, savoureuse même.

Reconnaissons pourtant qu'Arnold Toynbee ne gaspille guère son talent pour éclairer sa lanterne, ou la nôtre. Qu'entend-il par civilisation, puisqu'il est de ceux qui emploient civilisation pour culture, assez volontiers? (le mot de culture, comme les anthropologues le lui reprochent, n'apparaît pas chez lui dans le sens qu'ils donnent à ce mot). Donc qu'entend-il par civilisation? Lucien Febvre le lui demandait, voilà vingt ans déjà, dans un article sans aménité. Or, notre auteur, qui depuis a tant écrit, ne répondra guère que par foucade. Il écrira : « La civilisation, telle que nous la connaissons, est un mouvement, non pas une condition; elle est un voyage, non pas un port »; « On ne peut pas décrire (son) but parce qu'il n'a jamais été atteint ». Ou bien : « Chaque culture est un tout, dont les parties sont subitement inter-dépendantes », un atome, avec ses éléments et son noyau... Nous voilà bien avancés! Une autre fois, il suggère que les civilisations se laissent appréhender par leurs actes, leur mouvement même, « leurs naissances, leurs croissances, leurs dislocations, leurs déclins, leurs chutes ». Elles, *sont* parce qu'elles *agissent*. Oui, bien sûr. Comment mourraient-elles, si elles n'existaient pas au préalable?

Une fois au moins, pourtant, le problème semble abordé de front. « Avant d'en terminer (*sic*), écrit-il gentiment, je dois dire un mot à propos d'une question que j'ai supposée résolue jusqu'à maintenant (1947) et que voici : qu'entendons-nous par civilisation? » Ne nous réjouissons pas trop vite, ces bonnes intentions tardives n'iront pas au delà des maigres explications du tome 1er de son gros livre *A study of History* (1934) qui vont être reprises imperturbablement : « Nous entendons bien par là quelque chose de clair, argumente A. Toynbee, car avant même d'avoir essayé d'en définir la signification, cette classification humaine (celle des civilisations) — l'occidentale, l'islamique, l'extrême-orientale, l'hindoue, etc. — nous semble effectivement douée de sens. Ces mots évoquent des représentations distinctes dans notre esprit, en matière de religion, d'architecture, de peinture, de mœurs, de coutumes. » Mais voici l'aveu : « J'entends, par civilisation, la plus petite unité d'étude historique à laquelle on arrive quand on essaie de *comprendre* l'histoire de son propre pays. » Suit, en quelques pages rapides, l'analyse du passé de l'Angleterre et des États-Unis. Si l'on ne veut pas mettre en cause, à leur propos, tout le passé de l'Humanité, cette unité trop vague, inaccessible, à quelle limite nous arrêter? De déduction en déduction, en repoussant chaque fois la limite chronologique décisive, Toynbee en arrive à la situer à la fin du VIIIe siècle, vers les années 770, c'est-à-dire à la naissance de notre civilisation occidentale qui, de toute évidence, se dégage alors ou va se dégager des héritages de l'Antiquité classique. Cette civilisation occidentale vaut donc comme une limite courte (relativement courte); elle nous permet, je le veux bien, de dépasser les cadres habituels des histoires nationales, auxquels les historiens dignes de ce nom ne croient plus depuis longtemps; elle offre un cadre chronologique, un champ opératoire, un moyen d'explication, une classification, mais rien de plus. En tout cas, je ne vois pas en quoi la démarche qui consiste à remonter de la civilisation anglaise à l'occidentale répond à la question posée. La « civilisation » et son contenu pour Toynbee ne s'en trouvent pas, pour autant, définis. Faute de mieux, jugeons l'ouvrier à l'œuvre et suivons son chemin.

A l'épreuve, ce chemin est une série d'explications enchaînées, mais j'y arrive dans un instant. Car aussi importants que les chemins suivis sont ceux qu'on se refuse à suivre, et je voudrais les indiquer tout d'abord : les silences de Toynbee, plus que ses prises de position nettes, dessinent le vrai mouvement de son œuvre. Il suffit souvent d'un mot, d'une réflexion amusée pour se débarrasser de contradictions ou de tentations dangereuses.

Fi des événements! A. Toynbee ne retiendra que les événements « saillants ». C'est une façon, qui n'est pas pour me déplaire, de noyer à peu près tout ce qui est événement. Mais quels sont, en fait, ceux qui, « saillants », ont le droit de surnager?

Le géographique, mis en cause, ne sera retenu qu'en seconde ou troisième instance. Vraiment, voudrait-on, oserait-on expliquer les civilisations par le milieu? Rien d'aussi matériel ne saurait les commander. C'est justement quand le milieu naturel dit oui, prodigue ses faveurs — j'y reviendrai dans un instant — que la civilisation ne répond pas. Mais que la nature s'affirme sauvage, hostile, qu'elle dise non, alors, alors seulement, grâce aux réactions *psychologiques* suscitées, la civilisation entre en scène.

Pour des raisons différentes, mais non moins péremptoires, seront laissés de côté les transferts culturels, « la diffusion », cette « méthode (*sic*), écrit-il, grâce à laquelle beaucoup de techniques, aptitudes, institutions et idées, depuis l'alphabet jusqu'aux machines à coudre Singer, se sont communiquées d'une civilisation à l'autre ». L'alphabet et les machines à coudre sont-ils si importants? N'y pensons plus! Seules valent les grandes ondes religieuses d'une civilisation à l'autre. Le reste de leurs échanges, de leurs chocs, de leurs conversations, est secondaire. Au lieu de s'intéresser à ces détails, étudions « l'Histoire grecque et romaine comme une histoire continue, suivant une trame une et indivisible ». Qu'est-ce à dire? Que deviennent au juste, avec un tel et si clair parti pris, les ruptures, les mutations, les discontinuités ou, comme aime à le dire Claude Lévi-Strauss, les scandales, ces défis aux prévisions, aux calculs, aux normes? Nous n'aurons droit qu'au continu.

De même dans cette œuvre énorme, prolixe, pas un mot, ou presque, sur les civilisations (ou cultures) primitives, sur le vaste champ de la Préhistoire. Le passage des cultures à la civilisation se fait, nous dit-on, par *mutation*. A nous de mettre, sous cette notion, l'explication qui nous est refusée.

Pas davantage, il ne sera question sérieusement d'États, de sociétés, je veux dire de structures sociales (si l'on excepte certaines réflexions dogmatiques sur les minorités agissantes, qui font les civilisations, et sur les prolétariats, soit à l'intérieur, soit à l'extérieur de ces mêmes civilisations); pas question non plus de techniques, ou d'économies. Autant de réalités éphémères, trop éphémères. Les États, par exemple, n'ont qu'une durée dérisoire au regard des civilisations au long souffle. « La civilisation occidentale, écrivait Toynbee en 1947, a, à peu près, treize cents ans derrière elle, alors que le royaume d'Angleterre n'en a que mille, le Royaume-Uni d'Angleterre et d'Écosse moins de deux cent cinquante et les États-Unis pas plus de cent cinquante. » Par surcroît, les États sont susceptibles de « vie courte et de mort subite... ». Donc, ne perdons pas notre temps avec les États, ces petites gens de vie chétive, et moins encore avec l'économie ou la technique. Une ou deux petites phrases, répétées à bon escient : « L'homme ne vit pas seulement de pain » ou : « L'homme ne peut pas vivre seulement de technique » et le tour est joué.

A ce jeu discret, toute la base sociale et économique est escamotée, abandonnée à la médiocrité de son sort. Deux civilisations se heurtent-elles, « ces rencontres sont importantes, non pas par leurs conséquences politiques et économiques *immédiates*, mais par leurs conséquences religieuses, à *longue* échéance ». Je souligne les deux mots habiles, qui rendent la pensée tellement plus acceptable. Il y a, bien entendu, des conséquences religieuses courtes, et des conséquences économiques ou politiques longues. Mais l'admettre risquerait de bousculer un ordre établi une fois pour toutes. Si l'on étudie « l'Histoire comme un tout, devrait être (reléguée) à une place subalterne l'histoire économique et politique, pour donner la primauté à l'histoire religieuse. Car la religion, après tout, est l'affaire sérieuse de la race humaine ». « La pièce centrale, lit-on ailleurs, c'est-à-dire la religion. » Encore faudrait-il être d'accord, dirons-nous, sur ce que l'on entend par religion.

Ainsi, au départ, toute une série de silences voulus, d'exclusives préméditées, d'exécutions en douceur qui dissimulent de radicales prises de positions. En quelques pages, peu claires à mon sens, Arnold Toynbee nous dit, ainsi, qu'il n'y a pas pour lui une civilisation *une*, que le progrès est utopie. Il n'y a que *des* civilisations, chacune aux prises avec un destin dont les grandes lignes, toutefois, se répètent et sont, en quelque sorte, fixées à l'avance. Il y a, par suite, le comprenne qui pourra, *des* civilisations mais une seule « nature spirituelle de l'homme » et surtout un seul destin, inexplicablement le même, qui englobe toutes les civilisations, les défuntes et, à l'avance, les vivantes. Cette façon de voir exclut telle réflexion de Marcel Mauss : « La civilisation, c'est tout l'acquis humain »; et, plus encore, cette affirmation d'Alfred Weber, selon laquelle toutes les civilisations sont prises « dans le mouvement unitaire d'un progrès général et graduel, » ou cette remarque sage d'Henri Berr : « Chaque peuple a sa civilisation : il y a donc toujours un grand nombre de civilisations différentes. »

Arnold Toynbee en compte pour sa part un nombre restreint. Seules accèdent à la dignité de ce titre vingt et une, ou vingt-deux civilisations, toutes de longue durée et qui ont mis en cause des aires assez vastes. Sur ce nombre, cinq sont encore vivantes aujourd'hui : Extrême-Orient, Inde, Chrétienté orthodoxe, Islam, Occident. Pour s'en tenir à une si maigre troupe, il a fallu rejeter bien des candidatures possibles : celles-ci pour longévité insuffisante, celles-là pour originalité mitigée, d'autres pour échec évident.

Mais acceptons ce tableau réduit. S'il est exact, son importance est exceptionnelle. Que l'histoire compliquée des hommes se résume ainsi en une vingtaine d'expériences maîtresses, quelle agréable simplification, si elle était légitime! En tout cas, dès ce premier contact avec la pensée constructrice d'Arnold Toynbee, dès ce problème de comptage, se dessine sa manière de procéder, très proche de celle d'un scientifique à la recherche d'un système du monde, un système avec ses ordres nets, ses liaisons exclusives et qu'il faut, de façon autoritaire, substituer, vaille que vaille, à une réalité foisonnante. Simplifier l'Histoire, premier souci. Ensuite, dégager règles, lois, concordances; fabriquer, si l'on veut, au sens des économistes et des sociologues, une série de « modèles », liés les uns aux autres. Les civilisations, telles les humains, n'ont qu'un seul destin, inéluctable : elles naissent, se développent et meurent, chaque étape étant d'ailleurs, heureusement pour elles, de très longue durée : elles n'en finissent pas de venir au jour, elles n'en finissent pas de fleurir, elles n'en finissent pas de disparaître...

Arnold Toynbee a donc, très naturellement, construit trois groupes de modèles : ceux de la naissance, ceux de la croissance, ceux de la détérioration, du déclin et de la mort. A ce long travail, il aura dépensé beaucoup de temps, de patience, d'agilité. Car, à chaque instant, ses « systèmes » ont, comme les moteurs, des ratés. La loi, la règle tendancielle sont constamment menacées par les exceptions : il en est

toujours de nouvelles, d'inédites, d'importunes. Voyez
comme Aristote peine à maîtriser, dans son univers
reconstruit, le mouvement aberrant d'un simple
caillou que l'on jette. Son système ne le prévoyait pas.
Il y a beaucoup de cailloux de ce genre dans le jardin
d'Arnold Toynbee.

De ces trois groupes de modèles — naissance, épanouissement, mort — les deux premiers ne semblent
pas très originaux; le dernier est le plus intéressant,
même s'il ne doit pas, finalement, nous convaincre,
même s'il est le plus fragile de tous.

Une civilisation ne parviendra à la vie, soutient
notre auteur, que si elle a, en face d'elle, une contrainte — ou naturelle, ou historique — à surmonter.
Historique, elle est de courte durée, mais parfois
d'une extrême violence. Géographique, le milieu
impose des contraintes, des défis de longue durée. Si
le défi est relevé et tenu, la difficulté surmontée anime
la civilisation victorieuse, la maintient sur son orbite.
L'Attique est pauvre par nature, la voilà condamnée
aux efforts, invitée à se surpasser elle-même. De
même le Brandebourg doit sa rude vigueur à ses
sablières et à ses marécages. Les hauteurs andines
sont dures à l'homme, heureusement pour lui : cette
hostilité vaincue, c'est la civilisation incasique elle-
même.

Tel est le « modèle » du « *challenge and response* »;
les traducteurs disent : « défi et riposte ». Il réduit
le rôle du « milieu » à celui qu'attribuaient aux
verges certains collèges anglais : un sévère, un efficace
éducateur moral... Mais il y a, répondent des géographes comme Pierre Gourou, tant de défis magni-
fiques que l'homme n'a pas relevés. Et Gerhard
Masur de soutenir tout dernièrement que la soi-
disant dureté des hauteurs andines est douceur,
facilité au regard de la silve amazonienne. Les Incas
auraient choisi la facilité... J'ajoute que si Heine
Geldern a raison, comme il est bien possible, les
civilisations amérindiennes ont profité, avant tout, de
contacts répétés et *tardifs* entre Asie et Amérique.

Dans cette perspective, comme dans telle explication de Pierre Gourou sur la Chine du Nord, « carrefour typique », la *diffusion* maltraitée par Arnold Toynbee prendrait sur lui une revanche innocente et juste. Je pense, en effet, pour ma part, que les civilisations ne s'allument pas seulement dans la ligne de leur filiation, l'occidentale ou la musulmane, par exemple, aux flammes de l'antique. Entre étrangères, les petites étincelles peuvent allumer de vastes, de durables incendies. Mais Arnold Toynbee a assez surveillé lui-même son « *challenge and response* » pour savoir qu'il y faut, à l'usage, beaucoup de ménagements et d'aménagements. Seuls comptent, a-t-il soin de dire, les défis qui n'excèdent pas les forces de l'homme. Il y aura donc défi et défi, et cette précaution avancée, le modèle sera sauvé. Mais il n'exprime plus, au vrai, que la sagesse des nations.

Second temps : chaque civilisation ne progresse que dans la mesure où l'animent une minorité créatrice ou des individus créateurs. Voilà qui nous ramène près de Nietzsche ou de Pareto... Mais que la masse ne se laisse plus subjuguer par la minorité agissante, que celle-ci perde son « élan vital », sa force créatrice, c'est-à-dire, plus ou moins, la *Kulturseele* d'Oswald Spengler, alors toutes les détériorations s'affirment. Tout s'écroule, comme d'habitude, par le dedans.

Ainsi atteignons-nous non pas seulement les derniers modèles — ceux du déclin — mais le cœur même du système, car Arnold Toynbee, comme l'a dit en s'amusant P. Sorokin, est grand massacreur de civilisations. Leur mort lui semble l'heure décisive, révélatrice.

Une civilisation, pour Arnold Toynbee, ne meurt qu'après des siècles d'existence, mais cette mort, longtemps à l'avance, se signale par des troubles intérieurs et extérieurs, insistants, dont le narrateur, si narrateur il y a, ne sort plus, des troubles en chaîne, dirons-nous. Ces troubles s'apaisent, un beau jour, par le triomphe du gendarme, je veux dire la mise en place d'un vaste Empire. Mais cet Empire « univer-

sel » n'est qu'une solution provisoire, pour deux,
trois ou quatre siècles, ce qui, mesuré à l'échelle temporelle des civilisations, n'est qu'un instant sans plus,
« un clin d'œil ». Donc bientôt l'Empire s'effondre,
au milieu des catastrophes et d'invasions barbares
(l'arrivée, comme dit notre auteur, du « prolétariat
extérieur »). Mais, en même temps, une Église universelle s'est mise en place, elle sauvera ce qui peut
être sauvé. Ainsi, ou à peu près, aura fini la civilisation gréco-latine, que Toynbee, d'autorité, appelle
l'hellénique. Nous avons, d'après l'exemple romain,
un schéma, le schéma par excellence, le « modèle »
de la mort d'une civilisation avec ses quatre temps,
les troubles, l'Empire ou mieux l'État universel,
l'Église universelle, les Barbares. Les stratèges allemands du début de ce siècle ramenaient tout, nous
dit-on, au modèle de la bataille de Cannes; Arnold
Toynbee semble avoir tout ramené à la fin, André
Piganiol dirait à « l'assassinat » de l'Empire romain.

   Pour chaque civilisation révolue, il a donc recherché et reconnu, un à un, tous les « temps » du modèle
(ainsi pour l'Empire des Achéménides, des Incas, des
Abbassides, des Gouptas, des Mongols..., au total
21 empires), non sans, ici ou là, quelques coups de
pouce, ou quelques hardiesses. Qui pensera, parmi les
historiens habitués à de petites, mais précises mesures
chronologiques, qu'un millénaire entre l'Empire des
Achéménides et le khalifat de Bagdad, presque cons-
titué en un jour, n'interrompt pas à jamais une liaison
substantielle? Acceptera-t-on aussi que l'on retranche,
sans doute parce que peu durables, de la liste des
États universels, l'Empire carolingien, l'Empire de
Charles Quint, les conquêtes de Louis XIV, l'Empire
de Napoléon 1er? D'ailleurs tous ceux qui figurent
sur la liste dressée par Toynbee, une nouvelle liste
des 21, et reconnus ainsi comme éléments essentiels
de la vie des civilisations, des « vraies civilisations »,
n'ont droit à aucune indulgence, quels qu'ils soient.
Le préjugé de l'auteur leur est défavorable. De là à
noircir leur vrai visage, il n'y a qu'un pas, comme

le montre, à lui seul, le sort réservé à l'Empire romain. « La paix romaine, écrit-il, fut une paix d'épuisement. » Voilà un récit qui, pour le moins, commence mal.

Tel est, vite résumé, le schéma de ce vaste ouvrage, schéma susceptible de multiples applications, suivant la valeur récurrente que lui attribue son auteur. Il vaut pour le passé, pour le présent aussi. La civilisation occidentale, encore vivante, « ploie le genou » (Clough), s'épuise depuis plus d'un siècle dans d'évidents troubles en chaîne. Va-t-elle obtenir un sursis, grâce à un Empire universel? Bien entendu, un Empire à l'échelle du monde, cette fois, ou russe, ou américain, imposé à l'amiable ou par la force. Un jeune historien anthropologue, Philip Bagby, de se demander, dans cette ligne même de pronostics, commune à Spengler et à Toynbee, non seulement si nous sommes à la veille d'une « prose romaine », mais vraiment à la veille d'un Empire américain. Auronsnous un empereur américain?

Au lieu de répondre, posons, à notre tour, une assez longue question. Supposons, entre 1519 et 1555, un observateur lucide qui, riche des convictions qui animent les écrits d'Arnold Toynbee, ait médité, à leur lumière, sur son temps et sur la longue expérience du règne de Charles Quint. Combien de fois n'aura-t-il pas reconnu, dans l'Europe qui l'entoure, le retour à l'ordre romain, à l'empire universel et même la mise en place d'une Église universelle, car l'Église qui finira par se réformer à Trente est de toute évidence conquérante, nouvelle autant que rénovée? Nos prophètes sont-ils plus lucides et l'Empereur américain aura-t-il plus de chances que Charles Quint?

Mais ne prenons pas ainsi congé, sur un sourire, d'Arnold Toynbee. Les historiens ne lui ont pas réservé très bon accueil, avec quelques raisons, et qui relèvent de leur métier, mais aussi parfois avec un peu d'injustice. Si je ne fais pas exception à la règle,

je comprends, pour ma part, qu'Ernst Curtius ait
salué son œuvre avec enthousisasme. Elle nous apporte,
en vérité, des leçons assez précieuses : certaines
explications ont leur vertu, même pour leurs contra-
dicteurs.

Dans un passé qu'il a simplifié, comme doit le
faire tout bâtisseur de système, sans hélas échapper
toujours aux absurdités de la simplification, Arnold
Toynbee a saisi d'instinct les chemins essentiels, mais
dangereux de la longue durée; il s'est attaché aux
« sociétés », aux réalités sociales, du moins à certaines
de ces réalités sociales qui n'en finissent plus de
vivre; il s'est attaché à des événements mais qui
se répercutent violemment à des siècles de distance
et à des hommes bien au-dessus de l'homme, ou Jésus,
ou Bouddha, ou Mahomet, hommes de longue durée
eux aussi. Sur le millénaire entre Achéménides et
khalifes de Bagdad, je serais moins disputeur que
Lucien Febvre ou Gerhard Masur. Émile-Félix
Gautier prétendait, pour son compte, que la conquête
arabe du Moghreb et de l'Espagne (du milieu du
VIIe siècle à 711) avait retrouvé, en gros à un millénaire de distance, l'ancienne aire de la domination
carthaginoise... Le mérite d'Arnold Toynbee, c'est
d'avoir manié, quitte à s'y perdre, ces masses énormes
de temps, d'avoir osé comparer ces expériences à des
siècles de distance, recherché de vastes routes un peu
irréelles et cependant importantes. Ce que j'admets
mal, et même ce que je n'admets pas du tout, c'est que
ces comparaisons ne mettent en lumière, avec insistance, que les ressemblances et ramènent, obstinément,
la diversité des civilisations à un modèle unique, bref
*une* civilisation, idéale au moins, structure nécessaire
de tout effort humain capable de s'accomplir dans une
civilisation, quelle qu'elle soit. C'est une façon comme
une autre — mais je la goûte peu — de réconcilier ce
singulier et ce pluriel qui changent tellement le sens
du mot de civilisation. « Au-dessus de toute la variété
des cultures, écrira Toynbee, il existe une uniformité
dans la nature spirituelle de l'homme. »

*Chez Alfred Weber.* — C'est une affirmation que ne démentira pas l'œuvre compacte, profonde, mais peu connue chez nous d'Alfred Weber : *Kultur-geschichte als Kultursoziologie.* Paru en 1935, à Leyde, le livre, traduit en espagnol sous le titre *Historia de la Cultura,* a déjà connu quatre éditions de 1941 à 1948. C'est un livre solide, puissant. Frère du grand Max Weber (1864-1920), Alfred Weber (1868-1958), sociologue, s'est fait, à cette occasion, historien et historien très attentif. Aussi bien nous heurte-t-il beaucoup moins qu'un Spengler ou un Toynbee. Il n'a pas leur éclat, il n'a pas non plus leurs imprudences ou leurs caprices. Cependant tous les obstacles où ceux-ci se heurtaient lui résistent également, d'autant qu'il ne leur fait guère violence. Il ouvre largement ses explications à la préhistoire, à l'anthropologie, à la géographie, à la sociologie, à l'économie, à la pensée de Marx. Et c'est bien : son livre en acquiert une solidité qui manque aux autres. Mais s'il montre admirablement, au début de son explication, la mise en place des civilisations de premier jet : l'égyptienne, la babylonienne, l'indienne, la chinoise, il est moins convaincant quand, en cet Occident compliqué (entendez, dans le bloc eurasiatique, l'Occident à l'ouest des cimes et vallées de l'Indoukouch), il montre le développement de civilisations à la seconde ou à la troisième génération, comme si l'explication synthétique, valable très au loin, dans le temps et l'espace, perdait de son efficacité à mesure que l'on se rapproche du temps présent et de notre propre civilisation.

Surtout, je doute qu'Alfred Weber ait formulé, pour lui et pour nous, une définition satisfaisante (à mon sens) d'une civilisation, ou, comme il dit, d'une culture de haut rang. Il y voit, sans plus, un « corps historique », donc qui se définirait dans le courant même de l'Histoire. Mais qu'est-ce au juste qu'un tel courant aux prises avec les destins de l'humanité entière? Et pourquoi les civilisations formeraient-elles autant de « corps »? Si Alfred Weber

ne veut pas d'un esprit transcendant, « objectif »
(comme l'esprit à la Werner Sombart qui, capable
d'expliquer, à lui seul, le capitalisme, pourrait, *verbi
gratia*, expliquer *la* ou *les* civilisations), il n'en accepte
pas moins, à la marge de sa pensée et de ses explications, « un esprit du temps », un esprit de l'homme
(sa conscience, son sentiment de liberté, sa possibilité
de s'abstraire de lui-même, son aptitude d'ingénieur,
d'*homo faber*). Est-ce cet esprit qui anime le corps
historique de la civilisation?

*Chez Philip Bagby.* — Mais abrégeons cette revue,
fort longue déjà et cependant tellement incomplète.
Un livre vient de paraître (1958) : il est signé du nom
d'un jeune historien, anthropologue par surcroît,
élève de Kroeber, Philip Bagby. Il aura l'avantage,
qui n'est pas mince, de nous mettre au courant des
dernières discussions des anthropologues dont nous
avons dit, à l'avance, qu'elles nous paraissaient
décisives. Philip Bagby se propose de joindre Histoire
et Anthropologie, ce qui lui donne une position
originale, certainement proche bien que différente de
notre école historique des *Annales*. Aux *Annales*,
dans la ligne de Lucien Febvre et de Marc Bloch,
une science historique s'édifie lentement, qui essaie
de s'appuyer sur l'ensemble des sciences de l'homme,
non pas sur l'une d'entre elles, fût-ce l'anthropologie.
Or, c'est au seul mariage de l'Histoire et de l'Anthropologie que songe Philip Bagby.
   A son avis, pas de science historique si le domaine
trop vaste et trop diversifié de l'Histoire n'est pas
simplifié, si l'on n'y découpe de façon autoritaire un
secteur scientifique, ensuite artificiellement isolé, mais,
en raison même de cette opération, plus aisé à dominer. Ainsi ont procédé les physiciens dans leur monde
« objectif », avec les principes de masse, de moment,
d'inertie, dégageant, puis exploitant un réel transformé et qui, à l'usage, s'est révélé fructueux. Que
les historiens se tournent donc vers le champ opératoire privilégié des civilisations! Privilégié, car il

autorise les comparaisons. Comme il n'y a dans le monde des êtres vivants qu'une Histoire, celle de l'homme, il faut que l'homme se compare à l'homme, que notre investigation aille d'une expérience à l'autre, d'une civilisation à l'autre. A condition toutefois de ne désigner sous ce nom que des séries de destins comparables entre eux.

Un choix s'impose donc d'entrée de jeu entre les civilisations; en tête les très grandes, les *major civilizations*; ensuite les moins grandes, sous-civilisations ou civilisations secondaires; enfin les plus petites qui n'ont droit, avec des nuances, qu'au titre de cultures. Il s'agit, à l'intérieur de chaque catégorie, de les peser les unes par rapport aux autres, de savoir si elles obéissent à des destins communs, si elles admettent des pentes analogues, des structures dynamiques régulières qui puissent se rapprocher les unes des autres de façon utile. Avant d'aborder ces grandes confrontations, il sera nécessaire de chasser les vues fantaisistes, les explications métaphysiques préalables. A titre d'exemple, quelques critiques assez vives sont décochées, sans malice mais non sans fermeté, à Arnold Toynbee, accusé — mais quelle belle accusation! — d'être un historien de formation humaniste, et donc sans culture anthropologique.

Tout ceci pour en revenir aux civilisations majeures. Mais comment comprendre du dedans ces grands personnages? Philip Bagby, hélas ne tente pas, lui non plus, de les définir sérieusement. Il ne retiendra, parmi les civilisations corpulentes, que neuf personnages, contre les vingt et un ou vingt-deux élus d'Arnold Toynbee. Je ne sais si c'est là un progrès. J'ai peur que ce ne soit à peu près la même chanson, la même mise en cause idéaliste des destins de l'humanité. D'une étude comparative qu'il esquisse à peine, en terminant ce livre qui, certes, promettait mieux, que retenir en effet? Que les civilisations, dans leur lent développement, passent régulièrement d'une époque religieuse à une époque qui, de plus en plus, se soumet à la rationalité? Max Weber l'avait déjà

dit de l'Europe, et bien d'autres avant lui, songeons
à Auguste Comte. Heinrich Freyer (1) affirmait hier
« que la rationalité était le *trend* de la pensée d'Occident » : est-ce le *trend* de la pensée du monde? Je le
veux bien, encore que devant ce dualisme plus rigoureux que celui de Guizot (religiosité, rationalité),
l'historien s'inquiète volontiers. Raison, religion,
l'opposition est-elle toujours celle du jour et de la
nuit? Méditons, pour être plus juste, la réflexion de
Heinrich Freyer : « Le royaume de la raison commence dans le royaume de Dieu » (2). Celui-ci nourrit
celui-là au cours d'incessantes sécularisations.

Mais le lecteur voit à quelle hauteur, une fois de
plus, si l'on voulait en croire un jeune, un intelligent
anthropologue, nous irions porter nos pas. Tant
d'ascensions répétées nous donneraient, s'il était
nécessaire, le goût des basses altitudes. L'homme ne
vit pas seulement de prière et de pensée, il est aussi
pratiquement « ce qu'il mange » (der Mensch ist was
er isst). Dans une boutade analogue, Charles Seignobos
disait un jour : « La civilisation, ce sont des routes,
des ports, des quais... ». Ne le croyons pas à la lettre.
Mais ce prosaïsme nous invite à redescendre, à voir
les choses de près, au ras du sol, au risque de remarquer ce qui les divise et les particularise, et non plus
les confond.

II

L'HISTOIRE A LA CROISÉE DES CHEMINS

Le lecteur aura déjà vu où je veux en venir. Je crois,
en effet, que l'histoire des civilisations, comme l'Histoire tout court, se trouve à une croisée des chemins.
Il lui faut, qu'elle le veuille ou non, s'assimiler toutes
les découvertes que les diverses sciences sociales,

---

(1) Otto Brunner, p. 17.
(2) H. Freyer, *Weltgeschichte Europas*, II, p. 723.

de naissance plus ou moins récente, viennent de faire dans le domaine inépuisable de la vie des hommes. Tâche difficile mais urgente, car c'est seulement si elle poursuit fermement cette route, où déjà elle chemine, que l'Histoire pourra servir, au premier rang, à l'intelligence du monde actuel.

Dans cette ligne, puis-je indiquer le plan de travail qui me paraîtrait s'imposer si, par le plus grand des hasards, j'avais à écrire, sous ma propre responsabilité, *A study of History*, ou tel vaste et interminable ouvrage sur *la* et *les* civilisations?

Première tâche, négative mais nécessaire : rompre aussitôt avec certaines habitudes, au demeurant bonnes ou mauvaises, dont à mon sens il est indispensable de se déprendre au départ, même si c'est pour y revenir; seconde tâche, rechercher une définition de la civilisation, la moins mauvaise, entendez la plus commode, la plus aisée à manier pour poursuivre au mieux notre travail; troisième tâche, vérifier l'ampleur du domaine des civilisations en convoquant, à cet effet, outre l'historien, tous les spécialistes des sciences de l'homme; enfin, en guise de conclusion, proposer des tâches précises.

## Sacrifices nécessaires.

Renoncer au départ à certains langages : ainsi, ne plus parler d'une civilisation comme d'un être, ou d'un organisme, ou d'un personnage ou d'un corps, même historique. Ne plus dire qu'elle naît, se développe et meurt, ce qui revient à lui prêter une destinée humaine, linéaire, simple. J'aime mieux, malgré ses imperfections aux yeux d'un historien s'entend, en revenir aux méditations de Georges Gurvitch à propos de la société globale du Moyen Age occidental, par exemple, ou à propos de notre société actuelle. Il voit l'avenir de l'une ou de l'autre hésitant entre plusieurs destins possibles, fort différents, et c'est là je crois une opinion raisonnable selon la multiplicité même de la vie : l'avenir n'est pas une route unique. Donc, renoncer au linéaire. Ne pas croire non plus qu'une civilisation, parce qu'originale, est un monde fermé, indépendant, comme si chacune d'elles représentait une île au milieu d'un océan, alors que leurs convergences, leurs dialogues sont essentiels, que, de plus en plus, elles partagent toutes ou presque toutes un riche fonds commun. « La civilisation, disait Margaret Mead (dans le sens même du mot de Mauss que j'ai cité), c'est ce que l'homme, désormais, ne pourra plus oublier », le langage, l'alphabet, la numération, la règle de trois, le feu, voire le nombre fonction, la vapeur, etc.; au total les bases aujourd'hui communes, impersonnelles, de toute culture particulière d'un certain niveau.

Je renoncerais pareillement à utiliser toute explication cyclique du destin des civilisations ou des cultures, au vrai toute traduction de la phrase habituelle, si insistante : elles naissent, elles vivent, elles meurent. Seraient ainsi rejetés aussi bien les trois âges de Vico (âge divin, âge des héros, âge humain) que les trois âges d'Auguste Comte (théologique, métaphysique, positiviste), les deux phases de Spencer (contrainte, puis liberté), les deux solidarités successives de Durkheim (l'extérieure, l'intérieure), les étapes de la coordination croissante de Waxweiller, les étapes économiques d'Hildebrant, de Frédéric List ou de Bücher, les densités croissantes de Levasseur et de Ratzel, enfin la chaîne de Karl Marx : sociétés primitives, esclavagisme, féodalisme, capitalisme, socialisme... Non sans regrets parfois, et quitte à y revenir, car je ne prétends pas condamner en bloc toutes ces explications, ni même le principe de l'explication, du modèle ou du cycle, fort utile au contraire à mon sens, mais cette exclusion, au départ, vaut comme une précaution nécessaire.

Pour clore le chapitre des exclusions, où bien entendu figurent les schémas de Spengler et de Toynbee, je rejette aussi les listes étroites de civilisations que l'on nous propose. Je crois, en effet, que la recherche, pour être fructueuse, doit tout saisir, aller des cultures les plus modestes aux *major civilizations*, et surtout que ces *major civilizations* sont à diviser en sous-civilisations et celles-ci en éléments plus menus encore. D'un mot ménageons les possibilités d'une micro-histoire et d'une histoire d'ouverture traditionnelle. Il serait d'un grand intérêt de savoir jusqu'à quel élément on peut parvenir au bas de l'échelle. A mi-étage, en tout cas, je pense, aujourd'hui surtout, que les États, les peuples, les nations tendent à avoir leur civilisation propre, quelle que soit, par ailleurs, l'uniformisation des techniques. Il y a, qu'on lui donne l'étiquette que l'on voudra, une civilisation française, une allemande, une italienne, une anglaise, chacune avec ses couleurs et contradictions internes. Les étudier toutes sous le vocable général de civilisation occidentale me paraît par trop simple. Nietzsche prétendait que depuis la civilisation grecque il n'y avait eu, de toute évidence, d'autre civilisation que la française. « Cela ne souffre pas d'objection. » Affirmation éminemment discutable, je le veux bien, mais qu'il est amusant de rapprocher du fait que la civilisation française n'existe pas dans la classification de Toynbee.

L'idée de Marc Bloch, que je ne crois pas trahir, était, d'une part, de replacer la civilisation française dans son cadre européen; de l'autre, de décomposer cette France en Frances particulières, car notre pays, comme tel autre, est une constellation de civilisations vivaces, bien qu'à faible rayon. L'important serait, en dernière analyse, de voir la liaison de ces éléments, du plus petit au plus vaste, de comprendre comment ils s'imbriquent, se commandent, sont commandés, comment ils souffrent ensemble, ou à contretemps, comment ils prospèrent, ou non (à condition qu'il y ait des critères indubitables de pareilles prospérités).

**Critères à retenir.**

Le terrain déblayé, nous poserions la question : qu'est-ce qu'une civilisation?

Je ne connais qu'une bonne définition, bonne, c'est-à-dire aisément utilisable pour l'observation, suffisamment dégagée de tout jugement de valeur. Elle se trouve, au gré du chercheur, soit dans l'enseignement de tel ou tel anthropologue, soit dans tel rapport de Marcel Mauss, à qui je l'ai empruntée, hier, sans avoir ensuite à m'en repentir.

*Les aires culturelles.* — Une civilisation, c'est tout d'abord un espace, une « aire culturelle », disent les anthropologues, un logement. A l'intérieur du logement, plus ou moins vaste mais jamais très étroit, imaginez une masse très diverses de « biens », de traits culturels, aussi bien la forme, le matériau des maisons, leur toit, que tel art de la flèche empennée, qu'un dialecte ou un groupe de dialectes, que des goûts culinaires, une technique particulière, une façon de croire, une façon d'aimer, ou bien encore la boussole, le papier, la presse de l'imprimeur. C'est le groupement régulier, la fréquence de certains traits, l'ubiquité de ceux-ci dans une aire précise, qui sont les premiers signes d'une cohérence culturelle. Si à cette cohérence dans l'espace s'ajoute une permanence dans le temps, j'appelle civilisation ou culture l'ensemble, le « total » du répertoire. Ce « total » est la « forme » de la civilisation ainsi reconnue.

Bien entendu, l'aire culturelle relève de la géographie, beaucoup plus que ne le pensent les anthropologues. Cette aire, en outre, aura son centre, son « noyau », ses frontières, ses marges. Et c'est à la marge que l'on trouve, le plus souvent, les traits, phénomènes ou tensions les plus caractéristiques. Parfois ces frontières et l'aire qu'elles enserrent seront immenses. « Ainsi, quant à nous, écrivait Marcel Mauss, nous enseignons depuis longtemps qu'il est possible de croire à l'existence fort ancienne d'une civilisation de toutes les rives et de toutes les îles du Pacifique... En effet, il y a dans ce domaine de nombreuses coïncidences... » De nombreuses variations aussi, d'où la nécessité de diviser ensuite l'énorme région, d'en analyser les oppositions, les nuances, d'en marquer les axes, les « crêtes »... Mais l'exemple du Pacifique ne saurait être analysé de façon convenable, ici, ni tel autre exemple de moindre extension. L'intéressant, c'est qu'une aire groupe toujours plusieurs sociétés ou groupes sociaux. D'où la nécessité, je le répète, d'être attentif, si possible, à la plus petite unité culturelle. Combien, ici ou là, exige-t-elle d'espace, d'hommes, de groupes sociaux différents, quel est son minimum vital?

*Les emprunts.* — Tous ces biens culturels, microéléments de la civilisation, ne cessent de voyager (par là ils se distinguent des phénomènes sociaux ordinaires) : tour à tour, simultanément, les civilisations les exportent ou les empruntent. Celles-ci sont gloutonnes, celles-là prodigues. Et cette vaste circulation ne s'interrompt jamais. Certains éléments culturels sont même contagieux, ainsi la science moderne, ainsi la technique moderne, bien que toutes les civilisations ne soient pas pareillement ouvertes à des échanges de cet ordre. Reste à savoir si, comme le suggère P. Sorokin, les emprunts de biens spirituels se révèlent plus rapides encore que ceux des techniques. J'en doute.

*Les refus.* — Mais tous les échanges ne vont pas de soi : il y a, en effet, des refus d'emprunter, soit une forme de penser, ou de croire, ou de vivre, soit un simple instrument de travail. Certains de ces refus s'accompagnent même d'une conscience, d'une lucidité aiguë, si d'autres sont aveugles, comme déterminés par des seuils ou des verrous qui interdisent les passages... Chaque fois, bien entendu, ces refus, et d'autant plus qu'ils sont conscients, répétés, affirmés prennent une valeur singulière. Toute civilisa-

tion, en pareil cas, aboutit à son choix décisif; par
ce choix elle s'affirme, se révèle. Les phénomènes de
« diffusion », si peu prisés par Toynbee, me paraissent
ainsi une des meilleures pierres de touche pour qui
veut juger de la vitalité et de l'originalité d'une
civilisation.

Bref, dans la définition que nous empruntons,
s'affirme un triple jeu : l'aire culturelle, avec ses
frontières; l'emprunt; le refus. Chacun de ces jeux
ouvre des possibilités.

*Possibilités ouvertes à la recherche par ce triple jeu.* —
L'étude des aires culturelles et de leurs frontières
se révélera sur un exemple concret, la double frontière
du Rhin et du Danube. Rome y arrêta jadis sa
conquête. Or, *un millénaire plus tard*, c'est au long
de la vieille limite que se déchire à peu près l'unité
de l'Église : d'un côté l'hostilité de la Réforme, de
l'autre la fidélité à Rome, au delà des puissantes
réactions de la Contre-Réforme. D'ailleurs, qui ne sait
que les deux fleuves marquent une frontière spirituelle
exceptionnelle? Gœthe le sait, quand allant vers
l'Italie, il atteint, pour le franchir, le Danube à
Ratisbonne. M$^{me}$ de Staël le sait, quand elle traverse
le Rhin...

Second jeu : les emprunts. Des volumes entiers
n'en épuiseraient ni l'intérêt, ni l'énorme dossier. La
civilisation d'Occident a gagné la planète, elle est
devenue la civilisation « sans rivages », elle a prodigué ses dons, bons ou mauvais, ses contraintes, ses
chocs. Cependant, jadis, elle avait emprunté sans
compter autour d'elle ou loin de chez elle, à l'Islam,
ou à la Chine, voire à l'Inde... Dans la France un
peu folle de Charles VI arrivaient de la Chine lointaine des T'ang les atours « à cornes », les hennins,
les corsages décolletés; modes évanouies depuis
longtemps, en leur lieu d'origine, ces biens fragiles
avaient cheminé, un *demi-millénaire* durant, à travers
les routes du Vieux Monde pour gagner, au XIV$^e$ siècle

l'île de Chypre et la cour brillante des Lusignan.
De là, les trafics vifs de la Méditerranée avaient
presque en un instant pris en charge ces voyageurs
étranges.

Mais il est des exemples plus proches de nous.
Ainsi l'historien sociologue brésilien Gilberto Freyre
s'est plu à énumérer tous les emprunts de son pays,
entre XVIII$^e$ et XIX$^e$ siècles, à l'Europe nourricière.
Leur liste est cocasse : la bière anglaise ou hambour-
geoise, les vêtements de toile blanche, les dents artificielles, le gaz d'éclairage, le chalet anglais, la vapeur
(un bateau à vapeur circule dès 1819 sur les eaux de
la baie de San Salvador), plus tard le positivisme,
plus tôt les sociétés secrètes (celles-ci, issues de
France, avaient transité par l'Espagne et le Portugal,
puis par l'habituel relais des îles atlantiques). Cette
histoire n'est pas achevée, bien entendu. Dès 1945,
et cette fois à travers toute l'Amérique latine, se
répand, venu de France, le message de l'existentia-
lisme, de Sartre ou de Merleau-Ponty. Au vrai,
une pensée allemande, mais relancée, diffusée par
l'intermédiaire de notre pays. Car celui-ci a encore
ses privilèges : la France, dans le jeu compliqué des
transferts et échanges culturels, reste un carrefour
de choix, comme une nécessité du monde. Cette
ouverture du carrefour (les géographes disent
« l'isthme ») français est sans doute le signe dominant de notre civilisation. Elle fait encore notre
importance et notre gloire. Marie Curie est née à
Varsovie, dans cette petite maison de la vieille ville
que la fidélité polonaise a su reconstruire; Modi-
gliani est né à Livourne; Van Gogh en Hollande;
Picasso nous vient d'Espagne; Paul Valéry compte
des ancêtres génois...

Troisième jeu, le plus révélateur, et qui nous situe
en des points précis de l'Histoire : le refus. Ainsi
pour la Réforme, cette division profonde, décisive de
l'Europe. L'Italie, l'Espagne, la France (celle-ci après

de terribles hésitations) disent non à la Réforme, aux
Réformes. Et c'est un drame d'une ampleur, d'une
profondeur immenses. Il touche au tréfonds des
cultures de l'Europe. Autre exemple : en 1453 Constantinople ne veut pas être sauvée par les Latins,
ces demi-frères détestés : elle leur préfère encore le
Turc. Et là aussi c'est le drame, que nous aurions
avantage à revoir, ne serait-ce qu'au travers des notes
intuitives, « hérétiques » et discutables, mais lumi-
neuses, de l'historien turc Rechid Saffet Atabinen.
Si j'avais à choisir un événement pour la bataille
spirituelle que réclame une explication nouvelle des
civilisations, ce n'est pas l'assassinat de Rome que je
retiendrais, mais l'abandon de Constantinople.

Sans vouloir tout construire autour du refus, qui
ne pensera que c'est bien de lui qu'il s'agit, dans le
cas dramatique du marxisme militant, aujourd'hui?
Le monde anglo-saxon lui dit non, à une grande profondeur. L'Italie, l'Espagne, la France ne lui sont
pas hostiles, mais disent non elles aussi, et bien plus
qu'à moitié. Ici les niveaux économiques, les structures sociales, le passé récent et ses contingences, ne
sont pas seuls en cause; les cultures jouent leur rôle.

On voit jusqu'où me conduirait ma confiance à
l'égard de la « diffusion ». Sans doute, une fois de
plus, aux côtés de Claude Lévi-Strauss. N'explique-
t-il pas, au hasard d'une polémique, que les civilisations sont, pour lui, autant de joueurs autour d'une
table immense, qu'elles relèvent ainsi, d'une certaine
façon, de la théorie générale des jeux? Supposez que
les joueurs s'aident, se communiquent leurs cartes ou
leurs intentions : plus ils seront de connivence, plus
facilement l'un d'entre eux aura chance de gagner.
L'Occident a profité, entre autres, de sa position au
croisement d'innombrables courants culturels. Il a
reçu à longueur de siècles et de toutes directions,
même de civilisations défuntes, avant d'être capable,
à son tour, de donner, de rayonner.

**Pour un dialogue entre l'histoire et les sciences de l'homme.**

Reconnaître au « culturel » toute son étendue, telle serait notre troisième démarche. L'historien n'y peut suffire. Une « consultation » s'imposerait, qui grouperait l'ensemble des sciences de l'homme, les traditionnelles comme les nouvelles, du philosophe au démographe et au statisticien. Il est, en effet, illusoire de vouloir, à l'allemande, isoler la *culture* de sa base, qui serait la *civilisation*. S'il est absurde de négliger la superstructure, il ne l'est pas moins de négliger, comme si souvent, l'infrastructure. Les civilisations reposent sur terre. Pour risquer une formule rapide, il nous faut, vaille que vaille, obliger à aller d'un même pas aussi bien Toynbee, ou Lucien Febvre d'une part, et, de l'autre, les sociologues, les anthropologues, les économistes, les marxistes eux-mêmes. Le dédain à l'égard de Karl Marx, dans toute cette débauche idéaliste que nous vaut, quasi régulièrement, l'étude des civilisations, quel enfantillage! En fait, c'est une série de dialogues que nous devons, historiens, engager avec chacun des grands secteurs des sciences de l'homme.

Avec la géographie tout d'abord. Le logement des civilisations, c'est bien autre chose qu'un accident; s'il comporte un défi, c'est un défi répété, de longue durée. Un soir, aux *Annales*, en 1950, au cours d'une amicale discussion sur le vaste thème de la civilisation, entre Federico Chabod, Pierre Renouvin, John U. Nef et Lucien Febvre, la géographie fut mise en cause. Au fond de chaque civilisation, Lucien Febvre insistait pour marquer ces liaisons vitales, sans fin répétées, avec le milieu qu'elle crée, ou mieux qu'elle doit recréer au long de son destin, ces rapports élémentaires et comme primitifs encore avec les sols, les végétaux, les populations animales, les endémies...

Un même dialogue s'impose avec les démographes : la civilisation est fille du nombre. Comment se peut-il que Toynbee ne s'en inquiète qu'incidemment? Une poussée démographique peut entraîner, elle entraîne des cassures, des mutations. Une civilisation est au-dessous, ou au-dessus de sa charge normale d'hommes. Tout dépassement tend à produire ces vastes, ces insistantes migrations qui, comme l'ont expliqué les frères Kulischer, courent sans fin sous la peau de l'Histoire.

Dialogue aussi avec la sociologie, avec l'économie, avec la statistique. Contre Lucien Febvre, qu'il me le pardonne, je suis en faveur d'Alfredo Niceforo, même si ses indices sont de mauvaises mesures des civilisations : il n'est guère de mesures parfaites. Je suis en faveur également des « approches » de Georges Gurvitch à l'égard des « sociétés globales », ce *corps* (mais ai-je le droit d'employer ce mot à mon tour?) des civilisations. Même si ces approches restent encore trop timides à mon gré, comme elles paraissent cerner le réel, si on les compare à l'idéalisme allègre de P. Sorokin! Tout un débat, en outre, est à reprendre pour décider des rapports entre civilisations et structures ou classes sociales. Je soutiens enfin qu'il n'y a pas de civilisation sans une forte armature politique, sociale et économique qui d'ailleurs infléchit sa vie morale, intellectuelle, dans le bon ou le mauvais sens, et même sa vie religieuse. Au lendemain de 1945, des Français ont répété que nous demeurait, au delà de la vigueur perdue, le rayonnement intellectuel. Je ne suis pas le seul à être d'un avis contraire. La force ne suffit pas à assurer le rayonnement. Mais tout se tient. Une civilisation réclame aussi force, santé, puissance. Voilà pourquoi, malgré l'admiration que je conserve au livre de Jacob Burckhardt, je pense qu'il est à récrire, au moins pour une raison essentielle : il faut redonner son, ou ses corps *matériels* à la Renaissance italienne. Une culture ne vit pas d'idées pures. Shepard Bancroft Clough a raison : il faut à toute culture un excédent, un surplus économique. La culture est consommation, voire gaspillage.

### Briser les frontières entre spécialistes.

Mais à quels programmes pratiques pourrions-nous songer, par quoi mettre à l'épreuve cet ensemble contestable de précautions, d'exclusives, d'adhésions? par quoi accéder aussi à des vues plus larges et surtout plus solides?

Est-il besoin de le dire, en premier lieu c'est à des programmes sages que je m'attarderais, à des phases courtes de la vie culturelle, à des « conjonctures » culturelles, si l'on peut étendre à ce domaine, comme je le ferais volontiers, l'expression qui, jusqu'ici, ne vaut que pour la vie économique. Je verrais un gros avantage à choisir, pour ces prises de contact, des périodes disposant d'un éclairage minutieux, d'un piquetage chronologique précis. N'ouvrons pas tout de suite, de grâce, le compas des siècles ou des millénaires, même s'il a son utilité! L'espace chronologique une fois choisi, voir, sans parti pris, comment jouent les uns par rapport aux autres ces secteurs culturels au sens étroit (l'art, la littérature, les sciences, les sentiments religieux...) et les autres, qu'on leur accorde ou non, peu m'importe, la dignité de la « culture » : je veux dire l'économie, la géographie, l'histoire du travail, la technique, les mœurs, etc. Tous ces secteurs de la vie humaine sont étudiés par des spécialistes, ce qui est un bien, mais presque exclusivement par des spécialistes, comme autant de patries particulières à l'abri de solides frontières, ce qui est un mal. Briser ces frontières, il est plus facile de le souhaiter que de le réaliser.

Henri Brunschwig en a donné un bon exemple dans sa thèse sur les origines sociales du romantisme allemand. Il y montre comment la civilisation allemande se renverse, entre XVIIIᵉ et XIXᵉ siècles, tel un énorme sablier. La voici au début « raisonnable », sous le signe de l'*Aufklärung*, de l'intelligence à la française; puis, la voilà préférant à ce qui a été jusque-là sa règle, préférant l'instinct, l'imagination, le romantisme. L'important est de voir alors, à tra-

vers tous les comportements, à travers toutes les
structures sociales et tous les enchaînements économiques, ce qui, à la base, accompagne ce large renversement des valeurs. Ce n'est pas exactement ce
qu'a fait, dans un livre célèbre et assurément magnifique, J. Huizinga, lorsqu'il a étudié la fin, l' « au-
tomne » du Moyen Age occidental, une « agonie » de
civilisation, dira-t-il plus tard. En fait, l'agonie, si
agonie il y eut, ne sera pas irrémédiable : elle m'apparaît personnellement comme une étape, un moment
de la civilisation occidentale. Mais ce que je reproche
le plus à J. Huizinga, c'est d'avoir gardé les yeux si
haut levés qu'il n'a considéré, obstinément, que le
dernier étage du spectacle, le haut du bûcher. Quel
malheur qu'il n'ait pas eu à sa disposition ces études
démographiques et économiques, aujourd'hui classiques, sur le recul puissant de l'Occident au xve siècle :
elles lui auraient donné la base qui manque à son
livre. Car, faut-il le redire, les grands sentiments, les
plus hauts et les plus bas d'ailleurs, ne mènent jamais
une vie pleinement indépendante.

C'est pourquoi je salue l'admirable troisième partie
du dernier grand ouvrage de Lucien Febvre : *La
religion de Rabelais*, où il s'efforce de marquer ce qu'a
été l' « outillage mental » de l'époque même de
Rabelais, le répertoire des mots, des concepts, des
raisonnements, des sensibilités à sa portée. Il s'agit
là d'une coupe à l'horizontale. Mais la leçon n'a été
donnée qu'au soir d'une longue vie de travail (1942)
et Lucien Febvre a toujours pensé qu'il la compléte-
rait un jour, lui donnerait « sa pleine dignité ». Il lui
restait, en effet, à détacher cette coupe, cette mise au
point, du cas intéressant, mais en soi restreint, de
Rabelais, à voir si, en somme, plus tôt ou plus tard,
le même niveau avait été, ou non, la règle, enfin,
quand, pourquoi, où, dans quelle mesure, il y avait
eu modification... Ce niveau intellectuel de la première
moitié du xvie siècle nous paraît, en effet, coincé, si
l'on peut dire. Pourquoi en est-il ainsi? L'intelligence, sans doute, porte en elle ses propres explica-

tions, ses propres enchaînements, j'en suis bien
d'accord, mais peut-être s'éclaire-t-elle aussi, comme
le suggère l'œuvre entière de Lucien Febvre, par les
inerties de la vie sociale, de la vie économique ou ces
inerties particulières de longue durée, si caractéristiques des civilisations elles-mêmes où tant d'éléments
anciens pèsent d'un poids énorme, inconcevable *a
priori*.

*La quête systématique des structures.* -- Voilà
comment je procéderais, et avec prudence. Ensuite?
Ensuite, viendraient les risques décisifs, nécessaires
avec la recherche systématique des structures, de
ce qui se maintient, en fait, au delà des tempêtes du
temps court, si l'on veut, au delà des « bonds et des
replis » dont parle A. Toynbee. Logiquement, à
propos de cette quête nécessaire des structures, je
songerais à construire des modèles, c'est-à-dire
des systèmes d'explications liées les unes aux autres.
Tout d'abord pour telle civilisation ; ensuite pour
telle autre. Rien ne nous assurant, à l'avance, qu'elles
admettent toutes des structures semblables, ou suivent, au long de l'histoire, ce qui reviendrait presque
au même, des enchaînements identiques. C'est plutôt
le contraire qui serait logique. Georges Gurvitch parle
de « l'illusion de la continuité et de la comparabilité
entre les types de structure globale (c'est-à-dire, en
bref, les civilisations) qui restent, en réalité, irréductibles ». Mais tous les historiens, à ma différence,
ne lui donneront pas volontiers raison ou à peu près
raison sur ce point.

### III

#### L'HISTOIRE FACE AU PRÉSENT

Au terme de ces analyses nécessaires, de ces prudences et, pourquoi ne pas l'avouer, au terme de ces
hésitations, je ne me sens pas le droit de conclure

avec beaucoup d'entrain. D'autant qu'il ne s'agit pas de reprendre ce qui vient d'être dit plus ou moins bien. Il nous faut, bel et bien, en ces dernières pages, au risque de contredire des raisonnements déjà difficiles, il nous faut répondre à l'insidieuse question qui oriente non seulement le présent chapitre, mais encore le volume tout entier. L'Histoire est sommée de montrer ses vertus, son utilité face à l'actuel, donc un peu hors de chez elle. Je dis l'Histoire, car la civilisation, c'est à peu près l'Histoire. C'est à peu près aussi, ou peu s'en faut, cette « société globale », sommet de la sociologie efficace de Georges Gurvitch.

Voilà qui ne simplifie pas une réponse difficile et que je n'ai pas patiemment préparée. Un historien, en effet, a une façon singulière de s'intéresser au présent. En règle générale, c'est pour s'en déprendre. Mais comment nier qu'il est utile aussi, et combien, de faire parfois demi-tour et de rebrousser chemin? L'expérience, en tout cas, vaut la peine d'être tentée. Nous voici donc face au temps présent.

**Longévité des civilisations.**

Ce que nous connaissons, mieux peut-être que tout observateur du social, c'est la diversité foncière du monde. Chacun d'entre nous sait que toute société, tout groupe social, à rapports proches ou lointains, participent fortement à une civilisation, ou, plus exactement, à une série de civilisations superposées, liées entre elles et parfois fort différentes. Chacune d'elles et leur ensemble nous insèrent dans un mouvement historique immense, de très longue durée, qui est, pour chaque société, la source d'une logique interne, qui lui est propre, et d'innombrables contradictions. Utiliser ainsi la langue française comme un outil précis, essayer de se rendre maître de ses mots, c'est les connaître, chacun en fait l'expérience, à partir de leurs racines, de leurs origines, à des centaines, à des milliers d'années de distance. Mais cet exemple de la langue vaut entre une centaine d'autres. Aussi bien, ce que l'historien des civilisations peut affirmer, mieux qu'aucun autre, c'est que les civilisations sont des réalités de très longue durée. Elles ne sont pas « mortelles », à l'échelle de notre vie individuelle surtout, malgré la phrase trop célèbre de Paul Valéry. Je veux dire que les accidents mortels, s'ils existent — et ils existent, bien entendu, et peuvent disloquer leurs constellations fondamentales — les frappent infiniment moins souvent qu'on ne le pense. Dans bien des cas, il ne s'agit que de mises en sommeil. D'ordinaire, ne sont périssables que leurs fleurs les plus exquises, leurs réussites les plus rares, mais les racines profondes subsistent au delà de bien des ruptures, de bien des hivers.

Réalités de longue, d'inépuisable durée, les civilisations, sans fin réadaptées à leur destin, dépassent donc en longévité toutes les autres réalités collectives; elles leur survivent. De même que, dans l'espace, elles transgressent les limites des sociétés précises (qui baignent ainsi dans un monde régulièrement plus vaste qu'elles-mêmes et en reçoivent, sans toujours en être conscientes, une impulsion, des impulsions particulières), de même s'affirme dans le temps, à leur bénéfice, un dépassement que Toynbee a bien noté et qui leur transmet d'étranges héritages, incompréhensibles pour qui se contente d'observer, de connaître « le présent » au sens le plus étroit. Autrement dit, les civilisations survivent aux bouleversements politiques, sociaux, économiques, même idéologiques que, d'ailleurs, elles commandent insidieusement, puissamment parfois. La Révolution française n'est pas une coupure totale dans le destin de la civilisation française, ni la Révolution de 1917 dans celui de la civilisation russe, que certains intitulent, pour l'élargir encore, la civilisation orthodoxe orientale.

Je ne crois pas davantage, pour les civilisations s'entend, à des ruptures ou à des catastrophes sociales

qui seraient irrémédiables. Donc, ne disons pas trop
vite, ou trop catégoriquement, comme Charles Seignobos le soutenait un jour (1938) dans une discussion amicale avec l'auteur de ces lignes, qu'il n'y a
pas de civilisation française sans une bourgeoisie, ce
que Jean Cocteau (1) traduit à sa façon : « ...La
bourgeoisie est la plus grande souche de France... Il y a
une maison, une lampe, une soupe, du feu, du vin, des
pipes, derrière toute œuvre importante de chez nous. »
Et cependant, comme les autres, la civilisation française peut, à la rigueur, changer de support social, ou
s'en créer un nouveau. En perdant telle bourgeoisie,
elle peut même en voir pousser une autre. Tout au
plus changerait-elle, à cette épreuve, de couleur par
rapport à elle-même, mais elle conserverait presque
toutes ses nuances ou originalités par rapport à
d'autres civilisations; elle persisterait, en somme,
dans la plupart de ses « vertus » et de ses « erreurs ».
Du moins, je l'imagine...

Aussi bien, pour qui prétend à l'intelligence du
monde actuel, à plus forte raison pour qui prétend
y insérer une action, c'est une tâche « payante » que
de savoir discerner, sur la carte du monde, les civilisations aujourd'hui en place, en fixer les limites, en
déterminer les centres et périphéries, les provinces et
l'air qu'on y respire, les « formes » particulières et
générales qui y vivent et s'y associent. Sinon, que de
désastres ou de bévues en perspective! Dans cinquante, dans cent ans, voire dans deux ou trois siècles,
ces civilisations seront encore, selon toute vraisem-
blance, à peu près à la même place sur la carte du
monde, que les hasards de l'Histoire les aient, ou non,
favorisées, toutes choses égales d'ailleurs, comme dit
la sagesse des économistes, et sauf évidemment si
l'humanité, entre temps, ne s'est pas suicidée, comme

---

(1) « Le Coq et l'Arlequin », in *Le Rappel à l'ordre*, Paris,
1926, 7ᵉ éd., p. 17.

malheureusement elle en a, dès aujourd'hui, les moyens.

Ainsi notre premier geste est de croire à l'hétérogénéité, à la diversité des civilisations du monde, à la permanence, à la survie de leurs personnages, ce qui revient à placer au premier rang de l'actuel cette étude de réflexes acquis, d'attitudes sans grande souplesse, d'habitudes fermes, de goûts profonds qu'explique seule une histoire lente, ancienne, peu consciente (tels ces antécédents que la psychanalyse place au plus profond des comportements de l'adulte). Il faudrait qu'on nous y intéresse dès l'école, mais chaque peuple prend trop de plaisir à se considérer dans son propre miroir, à l'exclusion des autres. En vérité, cette connaissance précieuse reste assez peu commune. Elle obligerait à considérer — en dehors de la propagande, valable seulement, et encore, à court terme — tous les graves problèmes des relations culturelles, cette nécessité de trouver, de civilisation à civilisation, des langages acceptables qui respectent et favorisent des positions différentes, peu réductibles les unes aux autres.

*La place de la France.* — Hier, la France a été ce langage acceptable, elle le reste aujourd'hui encore. Elle a été l' « hellénisme moderne » (Jacques Berque) du monde musulman, hier. Elle a été l'éducatrice de toute l'Amérique latine — l'autre Amérique, si attachante, elle aussi. En Afrique, quoi qu'on dise, elle a été, elle reste une lumière efficace. En Europe, la seule lumière commune : un voyage en Pologne, ou en Roumanie, le prouve à l'excès; un voyage à Moscou ou à Léningrad le prouve en raison. Nous pouvons encore être une nécessité du monde, si le monde veut vivre sans se détruire, se comprendre sans s'irriter. A très long terme, cet avenir reste notre chance, presque notre raison d'être. Même si des politiques aux yeux de myope soutiennent le contraire.

**Permanence de l'unité et de la diversité à travers le monde.**

Et pourtant, tous les observateurs, tous les voyageurs, enthousiastes ou maussades, nous disent l'uniformisation grandissante du monde. Dépêchons-nous de voyager avant que la terre n'ait partout le même visage! En apparence, il n'y a rien à répondre à ces arguments. Hier, le monde abondait en pittoresque, en nuances; aujourd'hui toutes les villes, tous les peuples se ressemblent d'une certaine manière : Rio de Janeiro est envahi depuis plus de vingt ans par les gratte-ciel; Moscou fait penser à Chicago; partout des avions, des camions, des autos, des voies ferrées, des usines; les costumes locaux disparaissent, les uns après les autres... Cependant, n'est-ce pas commettre, au delà d'évidentes constatations, une série d'erreurs assez graves? Le monde d'hier avait déjà ses uniformités; la technique — et c'est elle dont on voit partout le visage et la marque — n'est assurément qu'un élément de la vie des hommes, et surtout, ne risquons-nous pas, une fois de plus, de confondre *la* et *les* civilisations?

La terre ne cesse de se rétrécir et, plus que jamais, voilà les hommes « sous un même toit » (Toynbee), obligés de vivre ensemble, les uns sur les autres. A ces rapprochements, ils doivent de partager des biens, des outils, peut-être même certains préjugés communs. Le progrès technique a multiplié les moyens au service des hommes. Partout *la* civilisation offre ses services, ses stocks, ses marchandises diverses. Elle les offre sans toujours les donner. Si nous avions sous les yeux une carte des répartitions des grosses usines, des hauts fourneaux, des centrales électriques, demain des usines atomiques, ou encore une carte de la consommation dans le monde des produits modernes essentiels, nous n'aurions pas de peine à constater que ces richesses et que ces outils sont très inégalement répartis entre les différentes régions de la terre. Il y a, ici, les pays industrialisés, et là, les sous-développés qui essaient de changer leur sort avec plus ou moins d'efficacité. *La* civilisation ne se distribue pas également. Elle a répandu des possibilités, des promesses, elle suscite des convoitises, des ambitions. En vérité, une course s'est instaurée, elle aura ses vainqueurs, ses élèves moyens, ses perdants. En ouvrant l'éventail des possibilités humaines, le progrès a ainsi élargi la gamme des différences. Tout le peloton se regrouperait si le progrès faisait halte : ce n'est pas l'impression qu'il donne. Seules, en fait, les civilisations et les économies compétitives sont dans la course.

Bref, s'il y a, effectivement, une inflation de *la* civilisation, il serait puéril de la voir, au delà de son triomphe, éliminant les civilisations diverses, ces vrais personnages, toujours en place et doués de longue vie. Ce sont eux qui, à propos de progrès, engagent la course, portent sur leurs épaules l'effort à accomplir, lui donnent, ou ne lui donnent pas un sens. Aucune civilisation ne dit *non* à l'ensemble de ces biens nouveaux, mais chacune lui donne une signification particulière. Les gratte-ciel de Moscou ne sont pas les buildings de Chicago. Les fourneaux de fortune et les hauts fourneaux de la Chine populaire ne sont pas, malgré des ressemblances, les hauts fourneaux de notre Lorraine ou ceux du Brésil de Minas Gerais ou de Volta Redonda. Il y a le contexte humain, social, politique, voire mystique. L'outil, c'est beaucoup, mais l'ouvrier, c'est beaucoup aussi, et l'ouvrage, et le cœur que l'on y met, ou que l'on n'y met pas. Il faudrait être aveugle pour ne pas sentir le poids de cette transformation massive du monde, mais ce n'est pas une transformation omniprésente et, là où elle s'accomplit, c'est sous des formes, avec une ampleur et une résonance humaine rarement semblables. Autant dire que la technique n'est pas tout, ce qu'un vieux pays comme la France sait, trop bien sans doute. Le triomphe de *la* civilisation au singulier, ce n'est pas le désastre des pluriels. Pluriels et singulier dialoguent, s'ajoutent et aussi se distinguent,

parfois à l'œil nu, presque sans qu'il soit besoin d'être
attentif. Sur les routes interminables et vides du Sud
algérien, entre Laghouat et Ghardaïa, j'ai gardé le
souvenir de ce chauffeur arabe qui, aux heures pres-
crites, bloquant son autocar, abandonnait ses passa-
gers à leurs pensées et accomplissait, à quelques
mètres d'eux, ses prières rituelles...

Ces images, et d'autres, ne valent pas comme une
démonstration. Mais la vie est volontiers contradic-
toire : le monde est violemment poussé vers l'unité;
en même temps, il reste fondamentalement divisé.
Ainsi en était-il hier déjà : unité et hétérogénéité
cohabitaient vaille que vaille. Pour renverser le problème un instant, signalons cette unité de jadis que
tant d'observateurs nient aussi catégoriquement qu'ils
affirment l'unité d'aujourd'hui. Ils pensent qu'hier le
monde était divisé contre lui-même par l'immensité
et la difficulté des distances : montagnes, déserts,
étendues océaniques, écharpes forestières consti-
tuaient autant de barrières réelles. Dans cet univers
cloisonné, la civilisation était forcément diversité.
Sans doute. Mais l'historien qui se retourne vers ces
âges révolus, s'il étend ses regards au monde entier,
n'en perçoit pas moins des ressemblances étonnantes,
des rythmes très analogues à des milliers de lieues de
distance. La Chine des Ming, si cruellement ouverte
aux guerres d'Asie, est plus proche de la France des
Valois, assurément, que la Chine de Mao Tsé toung
ne l'est de la France de la V$^e$ République. N'oublions
pas d'ailleurs que même à cette époque, les techniques
voyagent. Les exemples seraient innombrables. Mais
là n'est pas le grand ouvrier de l'uniformité. L'homme,
en vérité, reste toujours prisonnier d'une limite, dont
il ne s'évade guère. Cette limite, variable dans le
temps, elle est sensiblement la même, d'un bout à
l'autre de la terre, et c'est elle qui marque de son
sceau uniforme toutes les expériences humaines,
quelle que soit l'époque considérée. Au Moyen Age,
au XVI$^e$ siècle encore, la médiocrité des techniques,
des outils, des machines, la rareté des animaux domes-

tiques ramènent toute activité à l'homme lui-même, à ses forces, à son travail; or, l'homme, lui aussi, partout, est rare, fragile, de vie chétive et courte. Toutes les activités, toutes les civilisations s'éploient ainsi dans un domaine étroit de possibilités. Ces contraintes enveloppent toute aventure, la restreignent à l'avance, lui donnent, en profondeur, un air de parenté à travers espace et temps, car le temps fut lent à déplacer ces bornes.

Justement, la révolution, le bouleversement essentiel du temps présent, c'est l'éclatement de ces « enveloppes » anciennes, de ces contraintes multiples. A ce bouleversement, rien n'échappe. C'est *la* nouvelle civilisation, et elle met à l'épreuve toutes les civilisations.

### Les révolutions qui définissent le temps présent.

Mais entendons-nous sur cette expression : le temps présent. Ne le jugeons pas, ce présent, à l'échelle de nos vies individuelles, comme ces tranches journalières, si minces, insignifiantes, translucides que représentent nos existences personnelles. A l'échelle des civilisations et même de toutes les constructions collectives, c'est d'autres mesures qu'il faut se servir, pour les comprendre ou les saisir. Le présent de la civilisation d'aujourd'hui est cette énorme masse de temps dont l'aube se marquerait avec le xviiie siècle et dont la nuit n'est pas encore proche. Vers 1750, le monde, avec ses multiples civilisations, s'est engagé dans une série de bouleversements, de catastrophes en chaîne (elles ne sont pas l'apanage de la seule civilisation occidentale). Nous y sommes encore, aujourd'hui.

Cette révolution, ces troubles répétés, repris, ce n'est pas seulement la révolution industrielle, c'est aussi une révolution scientifique (mais qui ne touche qu'aux sciences objectives, d'où un monde boiteux tant que les sciences de l'homme n'auront pas trouvé leur vrai chemin d'efficacité), une révolution biologique enfin, aux causes multiples, mais au résultat évident, toujours le même : une inondation humaine comme la planète n'en a jamais vue. Bientôt trois milliards d'humains : ils étaient à peine 300 millions en 1400.

Si l'on ose parler de mouvement de l'Histoire, ce sera, ou jamais, à propos de ces marées conjuguées, omniprésentes. La puissance matérielle de l'homme soulève le monde, soulève l'homme, l'arrache à lui-même, le pousse vers une vie inédite. Un historien habitué à une époque relativement proche — le xvie siècle par exemple — a le sentiment, dès le xviiie, d'aborder une planète nouvelle. Justement, les voyages aériens de l'actualité nous ont habitués à l'idée fausse de limites infranchissables, que l'on franchit un beau jour : la limite de la vitesse du son, la limite d'un magnétisme terrestre qui envelopperait la Terre à 8 000 km de distance. De telles limites, peuplées de monstres, coupèrent hier, à la fin du xve siècle, l'espace à conquérir de l'Atlantique... Or, tout se passe comme si l'humanité, sans s'en rendre compte toujours, avait franchi du xviiie siècle à nos jours une de ces zones difficiles, une de ces barrières qui d'ailleurs se dressent encore devant elle, dans telle ou telle partie du monde. Ceylan vient seulement de connaître, avec les merveilles de la médecine, la révolution biologique qui bouleverse le monde, en somme la prolongation miraculeuse de la vie. Mais la chute du taux de natalité, qui accompagne généralement cette révolution, n'a pas encore touché l'île, où ce taux reste très haut, naturel, à son maximum... Ce phénomène se retrouve dans maint pays, telle l'Algérie. Aujourd'hui seulement, la Chine connaît sa véritable entrée, massive, dans la vie industrielle. Notre propre pays s'y enfonce à corps perdu.

Est-il besoin de dire que ce temps nouveau rompt avec les vieux cycles et les traditionnelles habitudes de l'homme? Si je m'élève si fortement contre les idées de Spengler ou de Toynbee, c'est qu'elles ramènent obstinément l'humanité à ses heures anciennes, périmées, au déjà vu. Pour accepter que les civilisations d'aujourd'hui répètent le cycle de celle des Incas, ou de telle autre, il faut avoir admis, au préalable, que ni la technique, ni l'économie, ni la démographie n'ont grand-chose à voir avec les civilisations.

En fait, l'homme change d'allure. La civilisation, les civilisations, toutes nos activités, les matérielles, les spirituelles, les intellectuelles, en sont affectées. Qui peut prévoir ce que seront demain le travail de l'homme et son étrange compagnon, le loisir de l'homme? ce que sera sa religion, prise entre la tradition, l'idéologie, la raison? qui peut prévoir ce que deviendront, au delà des formules actuelles, les explications de la science objective de demain, ou le visage que prendront les sciences humaines, dans l'enfance encore, aujourd'hui?


## Au delà des civilisations.

Dans le large présent encore en devenir, une énorme « diffusion » est donc à l'œuvre. Elle ne brouille pas seulement le jeu ancien et calme des civilisations les unes par rapport aux autres; elle brouille le jeu de chacune par rapport à elle-même. Cette diffusion, nous l'appelons encore, dans notre orgueil d'Occidentaux, le rayonnement de notre civilisation sur le reste du monde. A peine peut-on excepter de ce rayonnement, à dire d'expert, les indigènes du centre de la Nouvelle-Guinée, ou ceux de l'Est himalayen. Mais cette diffusion en chaîne, si l'Occident en a été l'animateur, lui échappe désormais, de toute évidence. Ces révolutions existent maintenant en dehors de nous. Elles sont la vague qui grossit démesurément la civilisation de base du monde. Le temps pré-

sent, c'est avant tout cette inflation de la civilisation
et, semble-t-il, la revanche, dont le terme ne s'aperçoit pas, du singulier sur le pluriel.

Semble-t-il. Car — je l'ai déjà dit — cette nouvelle
contrainte ou cette nouvelle libération, en tout cas
cette nouvelle source de conflits et cette nécessité
d'adaptations, si elles frappent le monde tout entier,
y provoquent des mouvements très divers. On imagine sans peine les bouleversements que la brusque
irruption de la technique et de toutes les accélérations
qu'elle entraîne peut faire naître dans le jeu interne
de chaque civilisation, à l'intérieur de ses propres
limites, matérielles ou spirituelles. Mais ce jeu n'est
pas clair, il varie avec chaque civilisation et chacune,
vis-à-vis de lui, sans le vouloir, du fait de réalités très
anciennes et résistantes parce qu'elles sont sa structure même, chacune se trouve placée dans une position particulière. C'est du conflit — ou de l'accord
entre attitudes anciennes et nécessités nouvelles
que chaque peuple fait journellement son destin, son
« actualité ».

Quelles civilisations apprivoiseront, domestique-
ront, humaniseront la machine et aussi ces techniques
sociales dont parlait Karl Mannheim dans le pro-
nostic lucide et sage, un peu triste, qu'il risquait en
1943, ces techniques sociales que nécessite et provoque le gouvernement des masses mais qui, dange-
reusement, augmentent le pouvoir de l'homme sur
l'homme? Ces techniques seront-elles au service de
minorités, de technocrates, ou au service de tous et
donc de la liberté? Une lutte féroce, aveugle, est
engagée sous divers noms, selon divers fronts, entre
les civilisations et la civilisation. Il s'agit de dompter,
de canaliser celle-ci, de lui imposer un humanisme
neuf. Dans cette lutte d'une ampleur nouvelle — il ne
s'agit plus de remplacer d'un coup de pouce une aristocratie par une bourgeoisie, ou une bourgeoisie
ancienne par une presque neuve, ou bien des peuples
insupportables par un Empire sage et morose, ou
bien une religion qui se défendra toujours par une

# TABLE DES MATIÈRES

*Avant-Propos*. . . . . . . . . . . . . . . . . . . . . . . . . . . .   5

I — LES TEMPS DE L'HISTOIRE

La Méditerranée et le monde méditerranéen
à l'époque de Philippe II. Extrait de la
préface. . . . . . . . . . . . . . . . . . . . . . . . . . . . . . .   11

Positions de l'Histoire en 1950. . . . . . . . . . . .   15

II — L'HISTOIRE ET LES AUTRES SCIENCES DE
L'HOMME

Histoire et sciences sociales. La longue durée.   41

Unité et diversité des sciences de l'homme. .   85

Histoire et sociologie. . . . . . . . . . . . . . . . . . .   97

Pour une économie historique. . . . . . . . . . . .   123

Pour une histoire sérielle : Séville et l'Atlantique (1504-1650). . . . . . . . . . . . . . . . . . . . .   135

Y a-t-il une géographie de l'individu biolo-
gique ? . . . . . . . . . . . . . . . . . . . . . . . . . . . . .   155

Sur une conception de l'histoire sociale. . . .   175

La démographie et les dimensions des sciences
de l'homme. . . . . . . . . . . . . . . . . . . . . . . . . .   193

III — HISTOIRE ET TEMPS PRÉSENT

Dans le Brésil bahianais : le présent explique
le passé. . . . . . . . . . . . . . . . . . . . . . . . . . . . .   239

L'histoire des civilisations : le passé explique
le présent. . . . . . . . . . . . . . . . . . . . . . . . . . . .   255

DÉJÀ PARUS

Collection Champs

ALAIN Idées.
ANATRELLA Le Sexe oublié.
ARASSE La Guillotine et l'imaginaire de la Terreur.
ARCHEOLOGIE DE LA FRANCE (réunion des musées nationaux).
ARNAUD, NICOLE La logique ou l'art de penser.
ASTURIAS Trois des quatre soleils.
AXLINE Dibs.
BADINTER L'Amour en plus.
BARNAVI Une histoire moderne d'Israël.
BARRY La Résistance afghane, du grand moghol à l'invasion soviétique.
BARTHES L'Empire des signes.
BASTIDE Sociologie des maladies mentales.
BERNARD Introduction à l'étude de la médecine expérimentale.
BERTIER DE SAUVIGNY La Restauration.
BIARDEAU L'Hindouisme. Anthropologie d'une civilisation.
BOIS Paysans de l'Ouest.
BOUREAU La Papesse Jeanne.
BRAUDEL Ecrits sur l'histoire.
L'identité de la France : espace et histoire.
Les hommes et les choses.
La Méditerranée. L'espace et l'histoire.
La Dynamique du capitalisme.
Grammaire des civilisations.
BRAUDEL, DUBY, AYMARD... La Méditerranée. Les Hommes et l'héritage.
BRILLAT-SAVARIN Physiologie du goût.
BROGLIE La Physique nouvelle et les quanta.
Nouvelles perspectives en microphysique.
BRUHNES La Dégradation de l'énergie.
BRUNSCHWIG Le Partage de l'Afrique noire.
CAILLOIS L'Ecriture des pierres.
CARRERE D'ENCAUSSE Lénine. La révolution et le pouvoir.
Staline. L'ordre par la terreur.
Ni paix ni guerre.
CHAR La Nuit talismanique.
CHOMSKY Réflexions sur le langage.
Langue, linguistique, politique. Dialogues avec Mitsou Ronat.
COHEN Structure du langage poétique.
CONSTANT De la force du gouvernement actuel de la France et de la nécessité de s'y rallier (1796). Des réactions politiques. Des effets de la Terreur (1797).
CORBIN Les filles de noce. Misère sexuelle et prostitution au XIXᵉ siècle.
Le Miasme et la jonquille. L'odorat et l'Imaginaire social, XVIIIᵉ-XIXᵉ siècles.
Le Territoire du vide. L'Occident et le désir du rivage, 1750-1840.
DAUMARD Les Bourgeois et la bourgeoisie en France depuis 1815.

DAVY Initiation à la symbolique romane.
DELSEMME, PECKER, REEVES Pour comprendre l'univers.
DELUMEAU Le Savant et la foi.
DENTON L'Evolution.
DERRIDA Eperons. Les styles de Nietzsche.
La vérité en peinture.
Heidegger et la question. De l'esprit et autres essais.
DETIENNE, VERNANT Les Ruses de l'intelligence. La Métis des Grecs.
DEVEREUX Ethnopsychanalyse complémentariste.
Femme et mythe.
DIEHL La République de Venise.
DODDS Les Grecs et l'irrationnel.
DROUIN L'Ecologie et son histoire.
DUBY Saint-Bernard. L'art cistercien.
L'Europe au Moyen Age.
L'Economie rurale et la vie des campagnes dans l'Occident médiéval.
La Société chevaleresque. Hommes et structures du Moyen Age I.
Seigneurs et paysans. Hommes et structures du Moyen Age II.
Mâle Moyen Age. De l'amour et autres essais.
DUMEZIL Mythes et dieux indo-européens.
DURKHEIM Règles de la méthode sociologique.
EINSTEIN Comment je vois le monde.
Conceptions scientifiques.
EINSTEIN, INFELD L'Evolution des idées en physique.
ELIADE Forgerons et alchimistes.
ELIAS La Société de cour.
ERIBON Michel Foucault.
ERIKSON Adolescente et crise.
FEBVRE Philippe II et la Franche-Comté. Etude d'histoire politique, religieuse et sociale.
FERRO La Révolution russe de 1917.
FINLEY Les Premiers temps de la Grèce
FOISIL Le Sire de Gouberville.
FONTANIER Les Figures du discours.
FRANCK Einstein. Sa vie, son temps.
FUKUYAMA La Fin de l'histoire et le dernier homme.
FURET L'Atelier de l'histoire.
FURET, OZOUF Dictionnaire critique de la Révolution française.
FUSTEL DE COULANGES La Cité antique.
GEARY Naissance de la France.
GENTIS Leçons du corps.
GEREMEK Les Marginaux parisiens aux XIVᵉ et XVᵉ siècles.
GERNET Anthropologie de la Grèce antique.
Droit et institutions en Grèce antique.
GINZBURG Les Batailles nocturnes.

GLEICK La Théorie du chaos. Vers une nouvelle science.
GOUBERT 100 000 provinciaux au XVII<sup>e</sup> siècle.
GREGOIRE Essai sur la régénération physique, morale et politique des juifs.
GRIBBIN A la poursuite du Big Bang.
GRIMAL Virgile ou la seconde naissance de Rome.
GRENIER L'Esprit du Tao.
GROSSER Affaires extérieures. La politique de la France (1944-1989).
Le Crime et la mémoire.
GUILLAUME La Psychologie de la forme.
GUSDORF Mythe et métaphysique.
HAMBURGER L'Aventure humaine.
HAWKING Une Brève Histoire du temps.
HEGEL Introduction à l'esthétique. Le Beau.
HEISENBERG La Partie et le Tout. Le monde de la physique atomique.
HORNUNG Les Dieux de l'Egypte.
JACQUARD Idées vécues.
JAKOBSON Langage enfantin et aphasie.
JANKELEVITCH L'ironie.
La Mort.
le Pur et l'impur.
Le Sérieux de l'intention.
Les Vertus et l'Amour.
L'Innocence et la méchanceté.
JANOV Le Cri primal.
KUHN La Structure des révolutions scientifiques.
KUPFERMAN Laval (1883-1945).
LABORIT L'Homme et la ville.
LANE Venise, une république maritime.
LAPLANCHE Vie et mort en psychanalyse.
LEAKEY, LEWIN Les Origines de l'homme.
LE CLEZIO Haï.
LEROY L'Aventure séphardade.
LE ROY LADURIE Les Paysans de Languedoc.
Histoire du climat depuis l'an mil.
LEWIS Juifs en terre d'Islam.
LOCHAK, DINER et FARGUE L'Objet quantique.
LOMBARD L'Islam dans sa première grandeur.
LORENZ L'Agression.
L'Envers du miroir.
LOVELOCK La Terre est un être vivant.
MACHIAVEL Discours sur la première décade de Tite-Live.
MAHN-LOT La Découverte de l'Amérique.
MANDEL La crise.
MARX Le Capital.
Livre I sections I à IV.
Livre I, sections V à VIII.
MASSOT L'Arbitre et le capitaine.
MAUCO Psychanalyse et éducation.
MAYER La Persistance de l'Ancien Régime. L'Europe de 1848 à la Grande Guerre.
MEAD EARLES Les Maîtres de la stratégie.
MICHAUX Emergences – résurgences.

MICHELET La Femme.
MICHELS Les Partis politiques.
MILL L'Utilitarisme.
MILZA Fascisme français. Passé et présent.
MOLLAT, WOLFF Les Révolutions populaires en Europe aux XIV<sup>e</sup> et XV<sup>e</sup> siècles.
MOSCOVICI Essais sur l'histoire humaine de la nature.
MUCHEMBLED Culture populaire et culture des élites dans la France Moderne.
NASSIF Freud. L'inconscient.
PANKOW L'Homme et sa psychose.
PAPERT Jaillissement de l'esprit.
PAZ Le Singe grammairien.
PERONCEL-HUGOZ Le Radeau de Mahomet.
PERRIN Les Atomes.
PLANCK Initiation à la physique. Autobiographie scientifique.
POINCARE La Science et l'hypothèse.
La Valeur de la science.
PRIGOGINE, STENGERS Entre le temps et l'éternité.
REICHHOLF L'Emergence de l'homme.
RENOU La Civilisation de l'Inde ancienne d'après les textes sanskrits.
RICARDO Des principes de l'économie politique et de l'impôt.
RICHET La France moderne. L'esprit des institutions.
ROMANO Les Conquistadores.
ROSSIAUD La Prostitution médiévale.
RUFFIE De la biologie à la culture.
Traité du vivant.
RUSSELL Signification et vérité.
SCHMITT La Notion de politique.
Théorie du partisan.
SCHUMPETER Impérialisme et classes sociales.
SCHWALLER DE LUBICZ R.A. Le Miracle égyptien.
Le Roi de la théocratie pharaonique.
SCHWALLER DE LUBICZ ISHA Her-Back, disciple de la sagesse égyptienne.
Her-Back « pois chiche », visage vivant de l'ancienne Egypte.
SEGALEN Mari et femme dans la société paysanne.
SERRES Statues.
Le Contrat naturel.
SIEYES Qu'est-ce que le Tiers-Etat ?
STAROBINSKI 1789. Les emblèmes de la raison.
Portrait de l'artiste en saltimbanque.
STEINER Martin Heidegger.
STOETZEL La Psychologie sociale.
STRAUSS Droit naturel et histoire.
SUN TZU L'Art de la guerre.
TAPIÉ La France de Louis XIII et de Richelieu.
TESTART L'Œuf transparent.
This Naître ...et sourire. Les cris de la naissance.
THOM Paraboles et catastrophes

ULLMO La Pensée scientifique moderne.
VALADIER L'Eglise en procès. Catholicisme et pensée moderne.

WALLON De l'acte à la pensée.
WOLTON Eloge du grand public.

## Champs *Contre-Champs*

BAZIN Le Cinéma de la cruauté.
BORDE et CHAUMETON Panorama du film noir américain (1944-1953).
BOUJUT Wim Wenders.
BOURGET Lubitsch.
EISNER Fritz Lang.
FELLINI par FELLINI.
GODARD par GODARD.
Les Années Cahiers.
Les Années Karina.
Des années Mao aux années 80.

KRACAUER De Caligari à Hitler. Une histoire du cinéma allemand (1919-1933).
PASOLINI Ecrits corsaires.
RENOIR Ma vie et mes films.
ROHMER Le Goût de la beauté.
ROSSELLINI Le Cinéma révélé.
SCHIFANO Luchino Visconti.
TASSONE Akira Kurosawa.
TRUFFAUT Les Films de ma vie.
Le Plaisir des yeux.

Ateliers **Bussière Camedan Imprimeries**
à Saint-Amand (Cher). France. XI-1996
Nº d'édit. : FH102306. Nº d'imp. : 1/2594.